AUTEURS ET DIRECTEURS DES COLLECTIONS
Dominique AUZIAS & Jean-Paul LABOURDETTE

DIRECTEUR DES EDITIONS VOYAGE
Stéphan SZEREMETA

RESPONSABLES EDITORIAUX VOYAGE
Patrick MARINGE et Morgane VESLIN

EDITION ✆ **01 53 69 70 18**
Maïssa BENMILOUD, Emmanuelle BLUMAN, Caroline MICHELOT, Audrey BOURSET, Marjorie JUNG, Sophie CUCHEVAL, Cédric COUSSEAU, Nolwenn ROUSSIER, Pierre-Yves SOUCHET et Marie-Anne LAMBADARIOS

ENQUETE ET REDACTION
Baptiste THARREAU et Catherine BARDON

MAQUETTE & MONTAGE
Sophie LECHERTIER, Delphine PAGANO, Julie BORDES, Élodie CLAVIER et Bénédicte ALEXANDRE

CARTOGRAPHIE
Philippe PARAIRE, Thomas TISSIER

PHOTOTHEQUE ✆ **01 53 69 65 26**
Elodie SCHUCK

REGIE INTERNATIONALE ✆ **01 53 69 65 34**
Karine VIROT, Camille ESMIEU et Virginie BOSCREDON

PUBLICITE ✆ **01 53 69 70 61**
Olivier AZPIROZ, Caroline GENTELET, Perrine de CARNE-MARCEIN et Aurélien MILTENBERGER

INTERNET
Hélène GENIN assistée de Mélanie ARGOUAC'H et Mathilde BALITOUT

RELATIONS PRESSE ✆ **01 53 69 70 19**
Jean-Mary MARCHAL

DIFFUSION ✆ **01 53 69 70 06**
Eric MARTIN, Bénédicte MOULET, Jean-Pierre GHEZ, Antoine REYDELLET et Nathalie GONCALVES

DIRECTEUR ADMINISTRATIF ET FINANCIER
Gérard BRODIN

RESPONSABLE COMPTABILITE
Isabelle BAFOURD assistée de Bérénice BAUMONT, Angélique HELMLINGER et Elisabeth de OLIVEIRA

DIRECTRICE DES RESSOURCES HUMAINES
Dina BOURDEAU assistée de Sandrine DELEE et Sandra MORAIS

LE PETIT FUTE BAHAMAS 2010-2011
■ **3e édition** ■

NOUVELLES ÉDITIONS DE L'UNIVERSITÉ©
Dominique AUZIAS & Associés©
18, rue des Volontaires - 75015 Paris
Tél. : 33 1 53 69 70 00 - Fax : 33 1 53 69 70 62
Petit Futé, Petit Malin, Globe Trotter, Country Guides et City Guides sont des marques déposées ™®©
© Photo de couverture : Frantisek Hojdysz / Fotolia
ISBN - 9782746925991
Imprimé en France par IMPRIMERIE CHIRAT
42540 Saint-Just-la-Pendue

Pour nous contacter par email, indiquez le nom de famille en minuscule suivi de @petitfute.com
Pour le courrier des lecteurs : country@petitfute.com

th

Les Bahamas, un avant-goût du paradis ? Sans doute ce qui s'en rapproche le plus, aux dires de tous ! C'est un monde de plages, de corail, une mer aquarium qui s'offre à vous à seulement quelques heures de vol de l'Europe. Imaginez un archipel suspendu entre ciel et mer qui égrène ses quelque 700 îles et 2 000 îlots dans un écrin d'eaux sereines ; une mer insolemment turquoise qui décline subtilement toutes les tonalités de bleu et de vert, du vert cristallin des eaux de Grand Bahama au bleu roi de celles d'Exuma Sound, sous un soleil toujours bienveillant ; des paysages côtiers variés frangés de cocotiers ou de casuarinas, des plages de sable fin et rose ourlées d'eau turquoise, ou des falaises inlassablement balayées par les assauts des vagues ; des villages inexplorés qui vivent au ralenti et des centres touristiques branchés trépidants d'activité, des fonds sous-marins d'une richesse inégalée qui comptent parmi les plus réputés dans le monde des plongeurs… Les Bahamas peuvent s'enorgueillir, à juste titre, de posséder quelques plages parmi les plus belles au monde, longues franges de sable blanc ou rose, des fonds marins parmi les plus fascinants, une faune sous-marine exceptionnelle et des infrastructures touristiques irréprochables. Ajoutez à tout cela un peuple d'une gentillesse désarmante, dont le sens de l'accueil ne se dément jamais, et vous comprendrez vite que la réputation de ces îles n'est pas usurpée.

Les Bahamas offrent au visiteur une riche palette d'activités tournées vers la mer ; mais, de tous les sports nautiques, la plongée, sans conteste, reste privilégiée tant les eaux limpides et chaudes offrent à la découverte. S'initier au golf, nager avec des dauphins, nourrir des requins, taquiner les gros poissons des eaux profondes et, qui sait, rapporter triomphalement un trophée de pêche, danser toute la nuit, s'offrir des produits de luxe en duty free ou, tout simplement, lézarder au soleil et ne rien faire du tout en profitant du temps qui passe… On peut tout se permettre aux Bahamas ! Ces îles sont une destination magique où chacun pourra, selon ses goûts, écrire le livre de ses vacances idéales. Alors laissez-vous ensorceler par ce chapelet d'îles, un des secrets les mieux gardés de la région caraïbe.

L'équipe de rédaction

REMERCIEMENTS. Nous tenons à remercier tout particulièrement Karin Mallet et ses collaborateurs.

Ce guide a été fabriqué chez un imprimeur bénéficiant du label IMPRIM'VERT.
Cette démarche implique le respect de nombreux critères contribuant à préserver l'environnement.

Sommaire

INVITATION AU VOYAGE

DÉCOUVERTE

Les Abacos, Blue Hole

NEW PROVIDENCE ET PARADISE ISLAND

GRAND BAHAMA

OUT ISLANDS

ORGANISER SON SÉJOUR

Long Island, Cape Santa Maria

ETATS-UNIS
MIAMI
STRAITS OF FLORIDA
Alice Town
BIMINI
Cat Cay
West End
GRAND BAHAMA
Eight Mile Rock
Freeport
Lucaya
Rand Nature Reserve
Lucayan National park
Peterson Cay Nat. Park
Mc Lean's Town
Northwest providence Channel
Walker's Cay
Black Sound Cay
ABACO
Treasure Cay
Marsh Harbour
Hope Town
Pelican Cays
Tilloo Cay
Little Harbour
Sandy Point
Abaco National park
BERRY ISLAND
Nicholl's Town
Northeast Providence Channel
Coakley Town
Andros Town
NASSAU
Paradise Isl.
the Retreat
NEW PROVIDENCE
Middle Ground
Spanish Wells
Harbour Island
Gregory Town
Governor's Harbour
Tarpum Bay
ELEUTHERA
GREAT BAHAMA BANK
ANDROS
Mangrove Cay
Congo Town
Kemps bay
Old Bahama Channel
Exuma Cays Land & Sea Park
Exuma Sound
Staniel Cay
Arthur's Town
OCEAN ATLANTIQUE
0
50 km
Principale ville
Information touristique
Parc et réserve
Aéroport

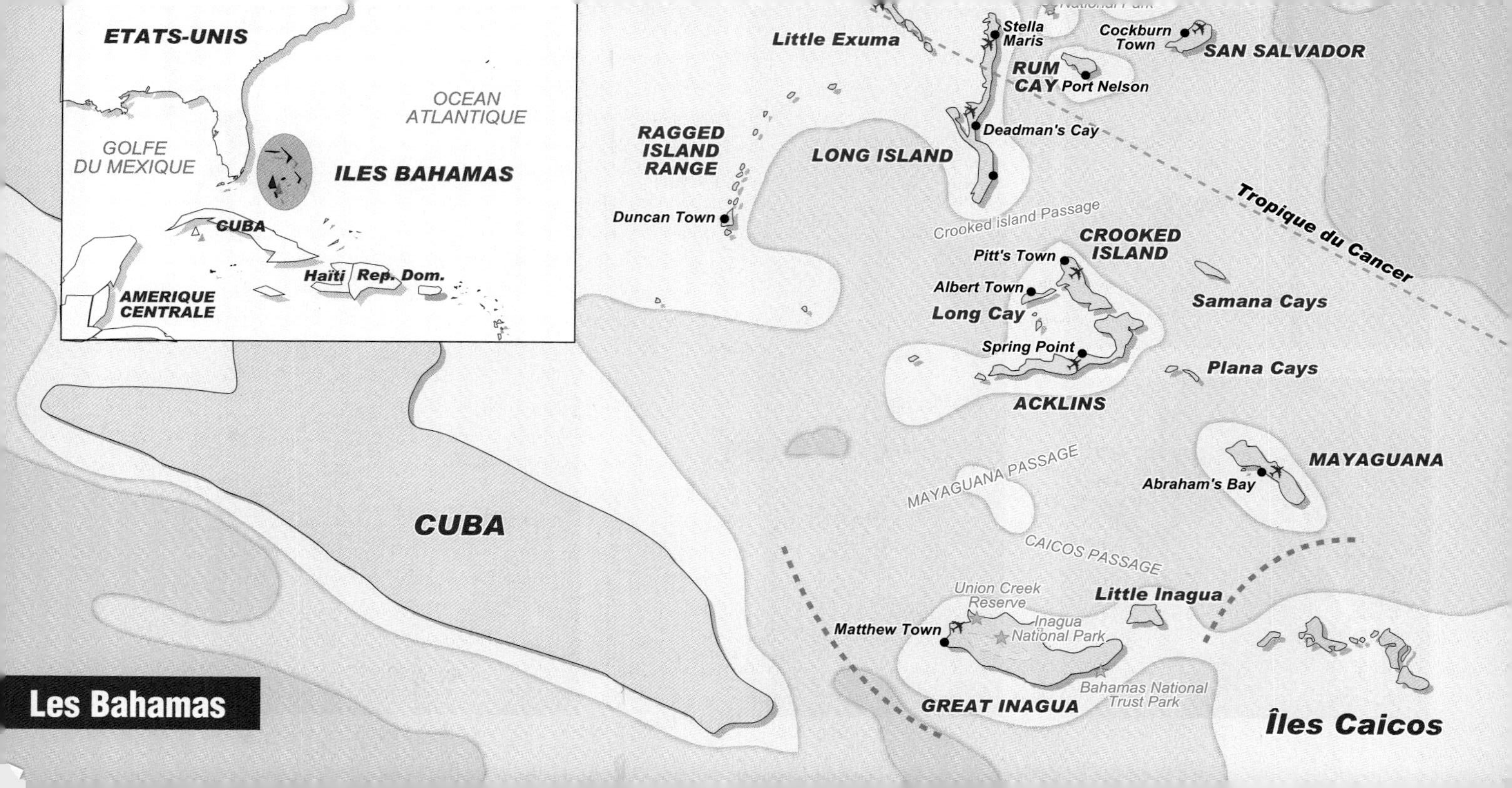
Les Bahamas
ETATS-UNIS
GOLFE
DU MEXIQUE
OCEAN
ATLANTIQUE
ILES BAHAMAS
CUBA
Haïti
Rep. Dom.
AMERIQUE
CENTRALE
Little Exuma
Stella
Maris
Cockburn
Town
SAN SALVADOR
RUM
CAY
Port Nelson
Deadman's Cay
RAGGED
ISLAND
RANGE
LONG ISLAND
Duncan Town
Crooked island Passage
Tropique du Cancer
CROOKED
ISLAND
Pitt's Town
Albert Town
Long Cay
Samana Cays
Spring Point
Plana Cays
ACKLINS
MAYAGUANA PASSAGE
MAYAGUANA
Abraham's Bay
CUBA
CAICOS PASSAGE
Union Creek
Reserve
Little Inagua
Matthew Town
Inagua
National Park
Bahamas National
Trust Park
GREAT INAGUA
Îles Caicos

Mérou à Nassau

Nager avec les dauphins à Grand Bahama

Grand Bahama, Gold Rock Beach

Les Bahamas, nager entre deux eaux…

Les plus des Bahamas

Des plages à l'infini

Elles ont fait à elles seules la réputation des Bahamas. Elles déploient leurs idylliques franges de sable fin, blanc, doré ou rose, le long d'une mer aux eaux incroyablement claires et translucides. Blondes, dorées, roses, blanc immaculé, inondées de soleil et rafraîchies de brises légères, ombragées de pins ou ourlées de cocotiers, sauvages et secrètes, cachées au fond d'anses profondes, bercées par le clapotis des lagons ou balayées par les vagues fougueuses de l'océan Atlantique, intimes et nonchalantes ou vibrantes d'activités et arpentées par des sportifs de tout poil, les plages bahaméennes possèdent mille visages… A vous de choisir le vôtre !

Avis de beau temps

Un climat idéal toute l'année, voilà ce que proposent les Bahamas qui se targuent, à juste titre, d'être les îles de l'éternel printemps. Une température moyenne de 26 °C au fil du calendrier a de quoi ravir les habitués des climats continentaux que nous sommes. Il existe bien une période d'hiver (de novembre à mars) théoriquement plus fraîche et moins humide, mais elle ne marque pas de différence flagrante avec l'été, chaud et humide. Ces conditions climatiques exceptionnelles attirent des visiteurs tout au long de l'année.

La Mecque de la plongée

Grottes secrètes, failles abruptes, cavernes gigantesques, tunnels étroits, ravins encaissés, tombants vertigineux, épaves de bateaux et d'avions, le catalogue des plongées sous-marines des Bahamas est encore à compléter, car les possibilités sont si nombreuses que de nouveaux sites sont découverts chaque semaine.

Si l'on ajoute à cette géographie sous-marine tourmentée une faune sous-marine fantastique et des conditions de plongée optimales, on comprend que les îles se soient taillé une réputation de centre de plongée international incontournable.

Un aquarium à ciel ouvert

Ils s'appellent clown, demoiselle, picasso, ange, empereur, chirurgien, ils portent des costumes rayés de bleu, d'orange, des habits de lumière à pois, des livrées d'apparat, des robes jaunes, noires, argentées ou fluorescentes… Ce sont les danseurs d'un fascinant ballet sous-marin aux rythmes ondulants et aux rituels étranges. Les poissons tropicaux offrent en permanence un spectacle féerique dans les eaux bahaméennes. Nul besoin de retenir sa place, il suffit de se présenter armé d'un masque et d'un tuba pour profiter d'une représentation qui ne connaît pas d'entracte. Plus loin et plus profond, les gros poissons pélagiques évoluent paresseusement sans prêter attention aux drôles de visiteurs, palmés et chargés de bouteilles, qui viennent observer leurs mœurs. Les Bahamas offrent à tous une mer aquarium à portée de masque, quel que soit le niveau d'expertise du plongeur.

Au gros, à la traîne, à la mouche, à la palangrotte…

Si la tradition de la pêche est depuis longtemps établie dans les Bahamas, « Papa » Hemingway n'est pas étranger à cette réputation. De très nombreux tournois de pêche internationaux ponctuent le calendrier et attirent dans les eaux bahaméennes des embarcations venues de toutes les côtes et îles voisines, permettant aux pêcheurs de se mesurer. Chaque type de poisson a sa période privilégiée de pêche dans l'année. Marlin, espadon voilier, mérou, barracuda, thon, daurade, albula, maquereau, tarpon... la liste exhaustive en serait trop longue, mais il serait bien étonnant que les fines lignes n'en reviennent pas avec de beaux trophées.

Une hospitalité sans faux pli

Souriants, débonnaires, aimables, serviables, simples et pas stressés pour deux sous (ou plutôt pour deux *cents* !), les Bahaméens, d'un naturel accueillant, sont les dignes héritiers d'une tradition d'hospitalité chaleureuse. Avec le touriste, ils engagent volontiers la conversation et se lient facilement.

Enfants bahaméens

Ils ne harcèlent pas le visiteur qui se sent en sécurité, lui proposant au contraire volontiers leur aide. Leur niveau de vie, bien supérieur à celui des habitants des îles voisines, leur permet sans doute un certain détachement. Les Bahaméens ont également bien compris à quel point le touriste est une poule aux œufs d'or à bichonner, mais leur attitude est totalement désintéressée. En bref, les Bahaméens sont d'une gentillesse désarmante à laquelle on succombe très vite !

La sécurité, *no problem*

Aux Bahamas, il n'y a pas de problème d'insécurité. Ici, tout le monde se connaît, et la moindre infraction est vite repérée. Les différends qui existent reposent le plus souvent sur des querelles domestiques ou des problèmes de voisinage, et ne concernent pas les visiteurs étrangers.
Pas de problème d'hygiène ou de santé, pas d'insectes ou de serpents venimeux. La plus grande menace reste sans doute les moustiques voraces et les puces de sable qui hantent le bord de mer en fin de journée, au coucher du soleil !

Un charme caraïbe mâtiné de tradition anglaise

Les Bahamas sont une toute jeune nation dont la culture est pourtant séculaire, métissage d'influences africaines et de traditions venues de la vieille Europe. L'héritage britannique se lit partout, dans le goût des jardins bien ordonnés et de la botanique, dans la pratique du rugby et du cricket, dans la conduite à gauche, dans le sacro-saint *five o'clock tea*... Néanmoins les Bahamas n'en possèdent pas moins une identité forte et une culture riche et originale qui s'expriment dans la musique, le *junkanoo* (carnaval), la cuisine et bien d'autres choses encore...

Le programme « People to People »

Prendre un thé ou un repas dans une famille, assister à un office religieux, dialoguer avec une personne qui exerce le même métier que vous ou qui vibre pour la même passion, visiter une école primaire... autant de choses possibles grâce au programme *People to People*. Mis en place par le ministère du Tourisme, ce programme permet au visiteur de découvrir le mode de vie local en favorisant les rapprochements entre les touristes et certains habitants volontaires et bénévoles.
Les rencontres sont orchestrées sur mesure, en fonction des centres d'intérêt du visiteur qui rencontre, dans son intimité, son « correspondant » bahaméen. Plus de 1 500 personnes participent à ce programme sur les îles de New Providence, de Grand Bahama et les îles extérieures, et attendent les visiteurs étrangers.

Le paradis du shopping coûte que coûte

Accros du shopping, prenez garde aux tentations ! Les Bahamas offrent une large palette de produits détaxés venus de toutes les parties du monde. Bijoux, parfums, cosmétiques, maroquinerie, horlogerie, vêtements, alcools, arts de la table... les tentations sont permanentes. Comble du chic, certains produits rencontrés sur place ne sont parfois même pas disponibles en Europe. De quoi attiser bien des convoitises !

Fiche technique

Argent

- **Monnaie :** dollar bahaméen (BSD), à parité avec le dollar américain. Il se divise en cents comme le dollar américain.
- **Taux de change (au 30 juin 2009) :** 1 BSD = 0,71 € / 1 € = 1,39 BSD.

Sur place, on peut payer avec des pièces et des billets américains, mais on ne peut pas utiliser les dollars bahaméens aux Etats-Unis.

Idées de budget

Les diverses activités et les déplacements sur les îles et inter-îles sont assez onéreux.

- **Petit budget :** de 40 € à 80 € la chambre, 30 € pour les repas.
- **Budget moyen :** de 80 € à 170 € la chambre, 50 € pour les repas.
- **Budget luxe :** 250 € la chambre, 80 € pour les repas.

Les Bahamas en bref

- **Nom officiel :** Commonwealth of the Bahamas.
- **Statut politique :** État indépendant membre du Commonwealth.
- **Type de gouvernement :** Démocratie parlementaire constitutionnelle.
- **Capitale :** Nassau.
- **Superficie :** 13 935 km² (pour les terres), soit 0.02% de la France et 259 000 km² si l'on compte les eaux territoriales et les îles.

Population

- **Langue :** anglais.
- **Chef de l'État :** la reine d'Angleterre.
- **Population :** 303 778 hab. (en 2009).
- **Religion :** majoritairement chrétiens (baptistes 32 %, anglicans 20 %, catholiques 19 %, protestants 12 %). Autres 17 %.
- **PNB :** 5,154 milliards de US$.

Les emblèmes bahaméens

Hissé pour la première fois le 10 juillet 1973, le drapeau bahaméen se compose de trois bandes horizontales, deux bleu outremer pour la mer, une jaune pour le soleil, et d'un triangle noir équilatéral pour symboliser la population des îles. Les armoiries des Bahamas représentent un marlin bleu, une conque, un flamant rose et la caravelle *Santa Maria* de Christophe Colomb (à bord de laquelle il atteignit l'île de San Salvador), sous un soleil étincelant.

- **PNB/hab :** 17 000 US$.
- **Inflation :** 1,4 %.

Téléphone

- **Indicatif téléphonique des Bahamas :** 1 242.
- **Pour téléphoner de France aux Bahamas :** 00 + 1 242 + les 7 chiffres du correspondant.
- **Pour téléphoner à l'intérieur d'une île :** les 7 chiffres du numéro du correspondant.
- **Pour téléphoner d'une île à une autre :** 242 + les 7 chiffres du numéro du correspondant.

Décalage horaire

Il y a 6 heures de décalage horaire en été et en hiver entre la France et les Bahamas. Quand il est midi à Paris, il est 6h du matin à Nassau.

Nassau

Janvier	Février	Mars	Avril	Mai	Juin	Juillet	Août	Sept.	Octobre	Nov.	Déc.
18°/ 25°	18°/ 25°	19°/ 26°	21°/ 27°	22°/ 29°	23°/ 31°	24°/ 31°	24°/ 32°	24°/ 31°	23°/ 29°	21°/ 27°	19°/ 26°

Vendeuse d'éponges, Mangrove Cay

Junkanoo Parade à Nassau

Grand Bahama, bar Sweeting's Cay

Mount Alveria, point culminant des Bahamas

Idées de séjour

Une semaine : séjour balnéaire

Voyage transatlantique avec changement d'avion (le plus souvent), décalage horaire et voyages inter-îles longs, compte tenu des distances, sont trois bonnes raisons qui incitent à être raisonnable pour un séjour de courte durée. Pour une semaine de séjour, l'idéal est de choisir une île et d'y rester. Le choix se fera en fonction de la spécificité des îles et des activités proposées. On choisira Abacos ou Bimini pour la pêche, Harbour Island pour son chic et ses hôtels de charme, les Exumas pour leur côté sauvage ou Nassau et Paradise Island pour leurs multiples activités... Dans tous les cas, plages et activités sportives sont au cœur du séjour.

10 à 15 jours : séjour combiné dans deux ou trois îles

Les séjours combinés obligent le plus souvent à transiter par Nassau, car les liaisons inter-îles sont rares et les transports rayonnent depuis Nassau.

Nassau + Harbour Island + Abaco
Nassau + Long Island + Cat Island

▶ **Nassau :** 3 nuits à Nassau dans un hôtel de Cable Beach. La visite de la ville coloniale peut occuper une ou deux matinées. Cette visite peut se faire en calèche pour mieux apprécier les détours et les rues de la capitale bordées de maisons et d'édifices de couleur rose. Les trois forts, Charlotte, Fincastle et Montagu, vestiges des combats contre les armées étrangères et les pirates, sont les incontournables. Autre curiosité, le musée Pirates of Nassau vous plongera dans l'univers de la piraterie avec des mises en scènes spectaculaires et des figures de cire impressionnantes. En fin de journée, on recommande le shopping sur la « rue de la baie », Bay Street, principale artère de la ville qui concentre tous les commerces et restaurants et son marché artisanal, le Straw Market. On peut consacrer une journée à une excursion en bateau rapide dans les Exumas, des îles sauvages à la Robinson Crusoé, aux plages désertes ou habitées d'iguanes.

▶ **Paradise Island :** 2 nuits. Demi-journée au Dolphin Encounters où les rêves d'enfants deviennent réalité puisqu'il est possible de rencontrer les dauphins et de nager ou de plonger avec eux ; journée de découverte du complexe démesuré Atlantis et de ses attractions, avec ses aquariums, toboggans géants, plage artificielle aménagée au bord d'un lagon et plage naturelle, golf ou plongée, le tout dans un décor hollywoodien.

▶ **Harbour Island :** 3 nuits au Coral Sands, résidence au bord de la plage Pink Sands, composé de bungalows et de villas aux décors somptueux éparpillés dans un jardin tropical ; balade et flânerie dans le village pittoresque et colonial de Dunmore Town à l'architecture créole et aux mille couleurs pastel ; une journée d'excursion à Eleuthera, un autre visage des Bahamas, une île aux paysages paradisiaques et aux villages de pêcheurs (réserver un taxi particulier pour la journée). Avant de visiter la capitale, faire un petit détour par Preacher's Cave, la grotte qui a accueilli les premiers colons de l'île. Ensuite, un petit tour par la capitale Gregory Town, dont la vie semble tourner autour de l'ananas, son emblème.

▶ **Andros :** Cette île très sauvage possède d'impressionnants trous bleus, expérience unique pour les plongeurs. C'est aussi LE spot de pêche sur flats : 2 à 3 nuits au Tiamo, au Kamalame ou encore au Small Hope Bay Lodge.

▶ **Exumas :** autre destination pour les plongeurs, mais dans un cadre hors des sentiers battus. La nature est encore vierge sur cet archipel composé de 365 îles dont certaines sont encore désertes. C'est un véritable Eden de nature et toutes les plages sont préservées. Visite de la capitale, George Town et des bourgades comme Rolle Town ou William's Town, villages typiques de la culture des Exumas, avec de nombreuses fermes et champs de coton. Autre étape du séjour, The Exuma National Land and Sea Park, parc terrestre et marin regroupant de nombreuses espèces protégées, accessible uniquement en bateau. 2 à 3 nuits au club Peace and Plenty, le pionnier de l'archipel.

▶ **Cat Island :** l'une des îles les plus charmantes des Bahamas avec sa végétation luxuriante. Entre deux plongées, un petit détour est à faire par Arthur's Town, le village qui a vu naître Sidney Poitier. A voir aussi le plus haut sommet des Bahamas, le Mount Alvernia, culminant fièrement à 63 m. 2 à 3 nuits au Fernandez Bay Village.

DÉCOUVERTE

Îlot Ghilligham

Les Bahamas en 25 mots-clés

Adresse postale

Aux Bahamas, il y a un métier qui n'existe pas… celui de facteur ! Pas de facteur, et donc pas de distribution de courrier sur les îles ! Dans l'archipel, tout un chacun, particulier ou entreprise, possède une boîte postale qui est son adresse postale. Et, à défaut de facteur…, on doit relever son courrier soi-même chaque jour.

Atlantide

Ce n'est plus la peine de chercher l'Atlantide, on a retrouvé la cité mythique perdue au fond des mers dans les eaux bahaméennes ! Depuis Platon, les anciens Grecs pensaient que l'île fabuleuse de l'Atlantide, détruite par un tremblement de terre et engloutie par la mer, se trouvait au-delà du détroit de Gibraltar. En 1968, la découverte d'énormes blocs de calcaire soigneusement alignés sur quelque 800 m de long et formant une sorte de route sous-marine, près de la côte de North Bimini a renforcé l'hypothèse selon laquelle l'Atlantide se trouverait dans l'archipel des Bahamas. Les plongeurs peuvent découvrir sans difficulté cette voie impressionnante qui se déploie près du rivage à seulement 7 m de profondeur. Un méga complexe hôtelier situé sur Paradise Island, l'Atlantis, s'est approprié la thématique de la cité perdue pour développer de gigantesques attractions marines.

Bahamahost

Cette initiative du gouvernement protège le visiteur du harcèlement dont les touristes font l'objet dans certains pays. Le « Bahamahost » est un programme organisé par le ministère du Tourisme, destiné à former les Bahaméens à l'accueil et à l'information des touristes. Ceux qui ont suivi ce programme sont habilités à guider les touristes et à leur faire découvrir les curiosités locales. Ainsi la plupart des chauffeurs de taxis ont suivi ce programme et se révèlent d'excellents guides touristiques. A Nassau et à Freeport, les guides Bahamahost sont reconnaissables au badge aux couleurs du drapeau bahaméen qu'ils arborent ; ils proposent des visites de la ville à un prix non négociable fixé par l'office du tourisme.

Bush medicine

La médecine par les plantes est un héritage de la période de l'esclavage et les pratiques en ont été développées par la population noire venue d'Afrique. Ce savoir-faire s'est transmis de génération en génération jusqu'à nos jours, principalement de mère en fille. Le manque de médecins et l'isolement de certaines populations des îles extérieures lointaines ont contribué au maintien de ces pratiques à l'époque moderne. Chaque famille possède dans son jardin quelques plantes pour les maladies les plus courantes, rhumes, maux de gorge, petites plaies, et on y recourt quasi systématiquement si une visite chez le médecin ne s'impose pas. Les plantes tropicales sont principalement utilisées en tisanes et en décoctions pour soulager les maux du corps et les bobos de l'âme. La bush medicine bénéficie aujourd'hui de la curiosité de certaines industries pharmaceutiques, qui s'y intéressent même de très près.

Calypso

Le rythme traditionnel langoureux des îles est hérité de la période de l'esclavage, quand les esclaves se défiaient avec des vers humoristiques ou polémiques mis en musique au rythme de bâtons entrechoqués. Cette joute oratoire est devenue une musique plus élaborée avec guitares et batteries, enrichie des influences des rythmes africains.

Casinos

Même si on est loin de Las Vegas, l'enfer des tapis verts et des bandits manchots existe bel et bien sur les îles. Trois casinos enflamment la nuit, et quelquefois les journées aussi. Les casinos ouverts nuit et jour sont celui de l'Atlantis et celui de Cable Beach à Nassau, et le casino du complexe Our Lucaya à Grand Bahama. Considérés comme une enclave étrangère en territoire bahaméen, les casinos paient une patente, mais rapatrient leurs bénéfices dans le pays d'origine des sociétés propriétaires. Pour éviter une évasion du capital et également une addiction possible, les Bahaméens sont interdits de jeu par la loi.

Cays

C'est le nom des îlots qui ponctuent les eaux bahaméennes. Plus petites que les Islands, les Cays, parfois un simple affleurement de terre qui émerge dans le bleu de la mer, sont innombrables et révèlent de bien jolis paysages sauvages et des plages souvent désertes.

Conch

Ce gros coquillage, connu sur les îles françaises voisines sous le nom de lambi, est un véritable symbole des Bahamas. Les réserves bahaméennes paraissent tout simplement inépuisables, et on rencontre par endroits de véritables cimetières de coquillages, imposantes montagnes de cônes blancs et roses qui témoignent de l'appétit des bahaméens pour leur chair. Les anciens Lucayans utilisaient autrefois le coquillage vide pour communiquer. Aujourd'hui le lambi occupe une place de choix dans la table bahaméenne. Préparé de multiples façons, il est en effet la grande vedette de la cuisine locale. Vous pourrez en consommer autant que vous voudrez, en salades, frits, en beignets, mais attention, vous ne serez pas autorisés à rapporter une de ces volumineuses coquilles orangées.

Églises

Méthodistes, anglicanes, protestantes, catholiques, luthériennes, réformées, adventistes, évangéliques, du 7e jour, Assemblée de Dieu, Témoins de Jéhovah, Saints des derniers jours... les églises de toute confession sont légion sur les îles. Les Bahaméens sont très pieux, et fréquentent leur église en grande pompe. Le dimanche matin retentissent des chants religieux et de gospels accompagnés de musiques entraînantes.

Farniente

Qu'il est doux à l'oreille ce mot italien qui signifie « ne rien faire » ! C'est sans doute le maître mot des vacances aux Bahamas... Lézarder sur la plage, musarder dans les ruelles des villages, flâner aux terrasses des cafés, nager paresseusement dans des eaux translucides, bref, ne rien faire... tout un programme !

Flegme

Traditionnellement britannique, amplifié par l'effet caraïbe, le flegme est de mise sur toutes les îles. Ici pas de stress. Nonchalance et langueur sont une composante majeure du caractère bahaméen. A adopter sans état d'âme !

Grouper

Plus communément connu sous le nom de mérou, il est le poisson national de l'archipel...

Impôts

Sur le chapitre de la fiscalité, les Bahaméens sont à envier puisqu'ils ne paient pas plus d'impôt sur le revenu que les entreprises locales. Si l'envie vous prenait de vous installer sur place pour échapper à une fiscalité trop présente...

Junkanoo

Le carnaval bahaméen est une des expressions les plus authentiques de la culture bahaméenne. Durant la période de Noël, ce carnaval haut en couleur est célébré avec effervescence un peu partout sur les îles. Les festivités atteignent leur paroxysme à Nassau, le jour du Boxing Day (26 décembre), quand le défilé démarre aux petites heures du jour, de 2h à 8h du matin. La musique qui accompagne la parade – ou Junkanoo Rush Out – des groupes costumés et masqués, se rythme sur des tambours tendus de peaux de chèvre, des cors, des cloches en cuivre et des sifflets. D'autres instruments moins traditionnels comme les cuivres, les trompettes, les trombones, ont fait leur apparition plus récemment. Des défilés à l'attention des touristes sont organisés en période estivale.

Lune de miel

Ils sont de plus en plus nombreux à se dire oui sous les cocotiers, dans un décor idyllique pour lune de miel. Le ministère du Tourisme bahaméen a créé un département spécialisé dans les mariages, et les vendeurs de noces au paradis sont nombreux.

Lambi ou conch, énorme coquillage orangé

© THE ISLANDS OF THE BAHAMAS

Vue aérienne de l'Exuma National Land and Sea Park

Tous les hôtels, des grands *resorts* aux hôtels de charme, accueillent les mariages et offrent des infrastructures et des attentions spécifiques : *gazebo*, suite nuptiale, offres tarifaires... On peut même échanger les alliances dans l'eau au milieu d'un ballet de dauphins ! Des conseillers du département *Weddings and honeymoon* du ministère du Tourisme organisent et facilitent les démarches administratives, la réception est orchestrée dans ses moindres détails, du buffet aux photographies.

Mahi mahi

Le nom polynésien de la dorade coryphène a été adopté dans l'archipel des Bahamas. Ce poisson pélagique, pêché lors d'une joute mouvementée, est fort apprécié pour sa chair savoureuse et fine. En sauce, grillé, arrosé d'un filet de citron vert, le mahi mahi est le roi des tables bahaméennes.

Mail boats

Les gros navires cargos qui assurent le fret entre les îles sont les héritiers d'une époque où l'avion n'existait pas. Aujourd'hui, ces bateaux, privés, aux rotations inter-îles régulières, transportent également quelques passagers, offrant des sièges et parfois des couchettes à des prix modiques.

Ils relient les îles à une cadence en général hebdomadaire, sillonnant les eaux bahaméennes à une allure très modeste. Ils disposent d'un dock à Nassau, à Potter's Cay, où l'on peut voir leurs hautes silhouettes à quai, autour desquelles s'activent des palans chargeant à bord les victuailles et les biens de consommation à livrer sur les îles.

Naturisme

Tradition puritaine oblige, les Bahaméens sont pudiques, et le naturisme ainsi que les seins nus sont interdits sur les plages et au bord des piscines.

Certains pourraient le regretter tant les plages apparaissent comme des paradis d'Adam et Eve. Cependant, il est encore possible de trouver des plages totalement désertes...

Obeah

C'est la version bahaméenne du vaudou haïtien ; elle est particulièrement vivace sur l'île de Cat Island. D'origine africaine, cette religion mêle la médecine traditionnelle et la sorcellerie.

Le guérisseur, *medicine man*, est un garant des traditions et un leader spirituel. Si l'obeah n'est pas pratiquée de façon ouverte, on peut en trouver des traces dans le mode de vie villageois. Ainsi des bouteilles suspendues aux arbres d'un jardin protègent (efficacement ?) la famille des mauvais esprits.

Privateers

C'est le nom anglais des corsaires et de leurs navires. Appointés par le gouvernement anglais pour lutter contre les Français et les Espagnols, les privateers portaient une lettre de marque qui officialisait leurs fonctions.

S'ils étaient capturés, ils étaient traités comme des prisonniers de guerre et non comme les mécréants dont ils copiaient les manières. Leur ère prit fin avec la signature du traité d'Utrecht qui marque la paix entre les trois nations en 1714.

Rich and famous

Têtes couronnées, stars du petit comme du grand écran et du show business, vedettes de la scène rock, top models habitués à faire la une des couvertures glacées, beaucoup ont fait la réputation des îles des Bahamas et notamment de Harbour Island depuis de nombreuses décennies. Cependant, bien à l'abri dans leurs propriétés gardées, ces « *rich and famous* » ne se montrent pas, et vous aurez du mal à jouer les paparazzi ou à obtenir un autographe. On cite des noms ? Les derniers connus en date sont Johnny Depp et Vanessa Paradis qui ont, en toute discrétion, acheté une île dans les Exumas....

Shopping en duty free

Paradis du shopping, les achats de produits de luxe, alcools, cigares, parfums, bijoux, maroquinerie, arts de la table, vêtements, matériel photographique... se font en duty free. Les produits sont vendus dans des boutiques modernes climatisées à des prix de 20 à 35 % inférieurs aux tarifs habituels, comparables à ceux pratiqués dans les boutiques des aéroports.

Sloops

Ce sont les anciennes embarcations traditionnelles en bois à larges voiles dont subsiste un atelier de fabrication dans l'archipel. Dans les Exumas, la Family Island Regatta, qui a lieu le dernier week-end d'avril, est réservée aux sloops locaux.

Snorkeling

Masque, palmes et tuba sont les armes nécessaires pour s'attaquer à cette activité qui est pratiquée partout sur les îles. Les meilleurs sites sont répertoriés et des sorties sont organisées dans tous les hôtels. La moindre baignade peut révéler des dessous intéressants, et le *snorkeling* est de rigueur dans un programme de vacances aux Bahamas. Emportez votre propre matériel, vous ne le regretterez pas. En cas d'oubli, les boutiques locales et centres de plongée en proposent à la vente.

© THE ISLANDS OF THE BAHAMAS / GREG JOHNSTON

Plongée dans les eaux des Bahamas

DÉCOUVERTE

Tresses

Celles des coiffures « afro », omniprésentes et fort appréciées des touristes qui les arborent au retour des îles tels des trophées. Sur les plages, dans les *straw markets*, des femmes proposent de tresser les cheveux longs ou courts (on fixe de faux cheveux sur les cheveux courts), masculins comme féminins avec des perles colorées. Des books permettent de choisir le modèle de tressage, qu'elles exécutent avec une incroyable dextérité.

Faire – Ne pas faire

- **Eviter d'employer le terme** natif ou « *native* » en anglais. Il prend aux Bahamas un caractère méprisant, voire raciste.
- **Ne pas prendre en photo** des gens sans leur avoir demandé la permission ; certains peuvent se montrer très susceptibles.
- **Eviter de faire l'aumône** aux enfants qui demandent parfois de l'argent aux touristes.
- **Il existe un *dress code*** pour les plages : pas de seins nus, puritanisme british oblige !

Survol des Bahamas

Situé à quelques encablures au sud des côtes de la Floride, tout proche des îles des Caraïbes, l'archipel des Bahamas se déploie sur quelque 260 000 km². Les Bahamas sont un vrai pays, qui compte plus de 700 îles – toutes différentes, et dont seule une quarantaine est équipée pour recevoir des visiteurs –, un archipel à nul autre pareil, avant-goût de paradis, unique au monde, où l'équilibre ne se dément jamais entre exotisme tropical et charme colonial.
Chacune des îles possède son caractère propre, et ses richesses tant terrestres que sous-marines la rendent unique. Certaines sont vastes et d'autres sont de simples îlots émergés. Il y a les sophistiquées et les authentiques, les désertes et celles qui sont ponctuées de villages assoupis au soleil et de bourgades accueillantes, les blanches loyalistes et les noires, les noctambules et les sages, les show off *et les sportives, quelques-uns des multiples visages d'un archipel bien loin d'engendrer la morosité…*
A chaque île son style de vacances, mais, de toute façon, chaque île, à sa manière, sera un remède souverain au stress de la vie quotidienne, une invitation à la découverte et au farniente.
Plages idylliques, végétation luxuriante, forêts de pins, grottes secrètes, les paysages sont certes envoûtants, mais partout c'est la mer qui reste reine avec ses eaux de rêve, sa géographie souterraine tourmentée et ses multiples habitants.
On distingue traditionnellement les deux îles principales, New Providence qui abrite la capitale, Nassau, et Grand Bahama, des îles extérieures, appelées les Out Islands ou Family Islands. La structure de ce guide respecte cette distinction.

GÉOGRAPHIE

Situé dans le coin le plus occidental de l'océan Atlantique, au large de la côte orientale de la Floride qui se trouve à 80 km, et au sud-est de Cuba, tout près d'Haïti, l'archipel des Bahamas s'étend sur un territoire terrestre de 13 942 km². Les 700 îles et quelque 2 000 îlots des Bahamas composent en fait plusieurs archipels qui diffèrent par leur taille et le nombre d'îles qui les composent. Ce sont des projections en surface de deux bancs océaniques de formation corallienne, édifiées sur les restes d'une chaîne de plateaux calcaires submergés, le Bahama Bank.

Les trous bleus

Ces trous profonds, véritables gouffres verticaux, qui creusent les récifs coralliens sont des sortes de puits, le plus souvent circulaires, qui descendent jusqu'à des grottes sous-marines à des profondeurs pouvant atteindre les 180 m et dessinent des réseaux sous-marins qui permettent de faire de la spéléologie sous-marine. Ils enferment dans leurs immenses cheminées une eau d'un bleu profond. Beaucoup de ces trous bleus se trouvent à terre et contiennent une eau douce. Ce sont les anciens « *cenotes* » des Amérindiens. L'île d'Andros n'en compte pas moins de 200 et détient le record du nombre.
Leur origine remonte à l'époque glaciaire et est liée aux variations climatiques. Les différentes glaciations ont provoqué la baisse du niveau des mers par la transformation de gigantesques quantités d'eau en calottes glaciaires. Les grottes mises au jour par le ruissellement des eaux de pluie sur les plateaux calcaires s'enrichissent de stalagmites et de stalactites.

Cet archipel se déploie en un arc nord-ouest/sud-est d'une longueur d'un millier de kilomètres. Pas moins de 3 542 km de côtes, le plus souvent de magnifiques plages de sable fin bordent les terres bahaméennes.
Le relief est plat, à peine hérissé de douces ondulations des collines ; en effet le plus haut sommet de l'archipel culmine à... 63 m, c'est le mont Alvernia sur l'île de Cat Island. Les îles sont, pour la plupart, dénudées et exposées au vent.
On peut parfois joindre deux îles à pied tant la mer, entre elles, est peu profonde. Certaines des îles sont d'une taille respectable : Andros, Abaco, Eleuthera, Cat Island, Grand Bahama et Long Island sont les plus grandes.
Les autres sont de simples îlots parfois minuscules, jusqu'à n'être qu'une langue de sable blanc à peine immergée de l'eau cristalline, juste une halte de Robinson Crusoé.
La géographie souterraine est, quant à elle, un peu plus tourmentée.
Les récifs coralliens ont pris naissance sur une vaste plate-forme comprise entre 0 et 15 m de profondeur.
L'archipel s'enorgueillit de posséder la troisième plus grande barrière de corail du monde, après celles de l'Australie et du Belize.

CLIMAT

Autrefois baptisées « les îles du perpétuel printemps », les Bahamas, traversées par le tropique du Cancer, jouissent d'un climat agréable tout au long de l'année.
Tout comme ses voisines des Caraïbes, l'archipel des Bahamas est baigné par la « grande rivière océanique », le courant chaud du Gulf Stream qui entoure les îles occidentales d'eaux chaudes et claires ; il possède un climat de type subtropical humide, tempéré par les vents du bord de mer et les alizés du nord-est qui adoucissent la chaleur. De légères variations climatiques sont enregistrées entre les îles du nord et celles du sud. La température moyenne est de 25 °C avec de faibles variations tout au long de l'année ; le mercure ne chute jamais en dessous de 16 °C la nuit en hiver et marque régulièrement plus de 32 °C en été. La température de l'eau est agréable en toute saison : 26-27 °C en hiver et 29-31 °C en été. On distingue une saison d'été (de mai à septembre), avec un maximum de chaleur au mois d'août, et une saison d'hiver (d'octobre à avril), où les températures sont plus fraîches. Une grande humidité règne pendant toute l'année avec un taux variant de 65 à 80 %. Il existe d'ailleurs deux saisons des pluies : une prononcée de mai à août, l'autre plus discrète, en novembre et en décembre, caractérisée par des averses courtes et brutales en fin de journée et après lesquelles le soleil revient vite. L'archipel se situe au carrefour des cyclones venant de l'Atlantique et de l'arc antillais et qui menacent toute la zone Caraïbes entre juillet et octobre, période dite cyclonique. Inondations, vents violents, orages sont fréquents à cette période.
Chaque année entre juin et novembre, les îles surveillent avec vigilance la douzaine de formations tropicales qui se montrent menaçantes.

PARCS NATIONAUX

L'organisme qui gère les différents parcs nationaux et réserves est le Bahamas National Trust, fondé en 1959. Le BNT est également en charge des programmes d'éducation et de sensibilisation à la protection de l'environnement, à la recherche, à la protection des espèces indigènes végétales ou animales, tels le hutia, le pigeon à couronne blanche, le flamant rose des Indes occidentales, et le perroquet des Bahamas.
Sa plus grande réalisation est la création du parc national Inagua (voir plus loin). Les différents parcs nationaux n'ont pas été créés par le gouvernement et ne lui appartiennent pas.

■ ABACO NATIONAL PARK

Créé le 9 mai 1994, il occupe 8 000 ha au sud des Abacos. C'est le lieu d'habitat principal du perroquet des Bahamas, une espèce aujourd'hui protégée.

■ BLACK SOUND CAY

Juste en face de Green Turtle Cay, ce parc miniature comporte une épaisse ceinture de mangrove tropicale, abritant un écosystème intéressant.

■ CONCEPTION ISLAND PARK
Situé à l'ouest de l'île de San Salvador, ce parc, à la fois terrestre et sous-marin, est un sanctuaire d'oiseaux et de tortues vertes réputé. Sa réserve d'oiseaux migrateurs et d'oiseaux marins attire de nombreux ornithologues. Il possède également une très belle réserve sous-marine.

■ EXUMA NATIONAL LAND AND SEA PARK
Inauguré en 1958, c'est le premier parc marin. Il compte 200 km² de baies sur une surface totale de 450 km².
A terre, on rencontre l'iguane de roche et le hutia endémique de l'archipel, deux espèces protégées. Les ornithologues seront intéressés par les frégates, les engoulevents, et les grives à pattes rouges. Dans les fonds sous-marins, les récifs en eau peu profonde sont magnifiques. Des trous bleus, des tombants des cavernes et des grottes composent une géographie sous-marine pleine d'intérêt.

■ INAGUA NATIONAL PARK
Situé sur l'île de Great Inagua, c'est l'une des plus importantes réserves de flamants des Indes occidentales au monde, magnifiques oiseaux à la robe rose. Le parc compte quelque 60 000 individus qui sont protégés.

■ LUCAYAN NATIONAL PARK
Situé sur l'île de Grand Bahama, il tient son nom de la tribu d'Amérindiens qui vivaient sur les îles à l'arrivée de Christophe Colomb. On y trouve un très vieux réseau de grottes sous-marines, un des plus longs au monde, puisque quelque 10 km de tunnels peuvent être explorés. Quelques-unes de ces grottes contiennent d'intéressants témoignages archéologiques. Un réseau de sentiers permet de se familiariser avec la flore locale.

■ PELICAN BAY NATIONAL PARK
Situé sur Great Abaco, c'est un parc marin sur le modèle de celui des Exumas. Grottes sous-marines et récifs coralliens y abondent, fréquentés par une intéressante faune sous-marine ainsi qu'animaux et plantes terrestres.

■ PETERSON CAY NATIONAL PARK
Le parc consiste en un îlot situé tout près de l'île de Grand Bahama. Ce site géologique est une réserve de jardins de coraux.

■ RAND NATURE CENTER
Circuits guidés du lundi au vendredi de 10h à 14h. L'endroit est propice à l'observation d'oiseaux. Ouvert de 9h à 16h. Entrée 5 US$ par adulte et 3 US$ par enfants de plus de 5 ans.
Situé à 3 km de Freeport sur l'île de Grand Bahama, ce centre offre une piste de randonnée qui chemine à travers les pins, pour découvrir les raretés de la flore locale et une réserve de flamants roses. Une bibliothèque est à la disposition des chercheurs.

■ UNION CREEK RESERVE
Situé sur Great Inagua, cette réserve est localisée dans une large crique d'une dizaine de km². C'est un site de recherche et d'élevage des tortues marines géantes, plus spécifiquement de la « tortue verte », qui a donné son nom à l'îlot de Green Turtle.

FAUNE ET FLORE

Faune
Précisons-le tout de suite, la faune terrestre des Bahamas est plutôt pauvre et ne recèle pas de curiosités extraordinaires.
En revanche la faune et la flore sous-marines sont d'une diversité à couper le souffle, et c'est ce qui fait des îles de l'archipel une destination de rêve pour les plongeurs.

Un gigantesque aquarium
La faune sous-marine bahaméenne est spectaculaire et d'une extrême richesse. Cependant son équilibre est fragile et menacé en permanence par l'afflux de touristes et de plongeurs, la pêche intensive, la pollution et les déséquilibres de la chaîne alimentaire qui en résultent.
Les eaux bahaméennes sont néanmoins un véritable paradis de vie sous-marine primitive et de nombreuses espèces sont endémiques à la région.

Le récif corallien
Véritables récifs barrières, brise-lames naturels qui protègent les côtes des assauts des vagues du large, édifices calcaires bâtis au cours des millénaires par de minuscules animaux – les polypes des coraux –, les récifs coralliens sont un milieu riche, diversifié et très fragile. Ils sont un élément crucial de notre patrimoine naturel et de la diversité

Flamant rose à New Providence.

biologique de la planète. Les récifs coralliens tels que nous les connaissons existent depuis 25 millions d'années.

Avec la profondeur, les coraux se raréfient. Ces organismes primitifs vivent en colonie ; leurs squelettes calcaires forment les récifs coralliens aux formes étonnantes. Ils tissent de longues murailles dentelées aux ramifications complexes ou explosent en énormes patates joufflues.

Le corail cerveau de Neptune (*Platygira*) dont la surface rappelle les circonvolutions cérébrales, se présente sous forme de patates joufflues pouvant atteindre jusqu'à 1 m de diamètre à une profondeur allant jusqu'à 30 m. Le corail cornes de cerf, cornes d'élan, ou cornes d'éléphant, appartient à la famille des *Acropora*. Ils forment de larges éventails qui dressent leurs cornes sur plusieurs mètres carrés. Ils constituent un habitat privilégié pour les poissons tropicaux qui évoluent dans leurs méandres. Le corail millépore ou corail de feu est urticant, il pousse en éventail et possède une couleur jaune vif ou orange.

Le corail laitue ou pâte à choux est très commun. Les cierges de la mer, ou corail pilier, se dressent telles des stalagmites marines. Le récif corallien forme un écosystème complexe et extrêmement fragile.

Un simple contact avec la partie vivante du corail – les polypes –, suffit à les blesser ou à les tuer.

Les décors de gorgones épanouies sont fascinants. La gorgone ou éventail de mer, qui tient son nom des divinités grecques coiffées de serpents, est, comme le corail, constituée de polypes qui sécrètent un squelette souple.

Les gorgones plumes ont les branches soyeuses qui ondulent sous l'effet des courants ; les spirographes dépliant leurs bras, les anémones colorées aux fléchettes urticantes et les étoiles de mer aux bras munis de pieds ambulacraires tapissent joliment les fonds marins.

Les poissons de récif

Les récifs coralliens sont l'écosystème marin où la diversité des espèces est la plus grande ; ils abritent des espèces représentatives de toutes les lignées évolutives du monde animal.

Les récifs coralliens abritent une très grande variété de poissons tropicaux, tous plus colorés et plus étonnants les uns que les autres. On compte plus de 500 espèces de poissons et d'invertébrés qui vivent dans ces récifs. Les espèces diurnes, herbivores, brouteuses, planctophages et carnivores, évoluent de jour, et passent la nuit cachées dans les cavités des récifs coralliens ou enfouies dans les sédiments, tandis que les espèces nocturnes, toutes carnivores, se tiennent à l'affût ou partent en chasse. Le poisson-perroquet grignote inlassablement les coraux, il se nourrit de polypes et recrache le squelette du corail en une fine pluie de débris calcaires, fabricant du même coup du sable blanc.
Le poisson chirurgien bleu à queue jaune se faufile entre les branches de corail à une allure étonnante ; il peut atteindre 50 cm de longueur. Attention à sa nageoire dorsale, elle cache un « bistouri » coupant comme un scalpel qui peut infliger des blessures redoutables. Principalement herbivore, il entretient le corail en le débarrassant des algues qui enserrent ses pieds. Le poisson ballon, ou diodon, aux dents redoutables se gonfle d'importance en aspirant de l'eau et hérisse ses écailles quand il se sent menacé ; il peut ainsi doubler, voire tripler de volume, espérant ainsi désarçonner ses adversaires. Son cousin, le poisson hérisson ou porc-épic est couvert d'épines qui lui donnent un aspect encore plus redoutable. Ne confondez pas le longiligne poisson-trompette (30 cm), pourvu d'une bouche tout en longueur qui fait presque un tiers de sa taille, avec une algue ondulante ; malgré sa silhouette effilée, sa vélocité n'est

La « conch » ou lambi, coquillage emblématique des Bahamas

Le lambi est un animal social qui vit en bancs sur des fonds riches en algues. Les coquillages passent la journée à se reposer et s'activent quand la nuit tombe. Là, à l'abri de la lumière, ils broutent les algues en de copieux festins sous-marins. Ils sont sans arrêt sous la menace des carnivores, en particulier pendant la saison de la fécondation, quand les mâles s'extirpent en partie de leur coquille protectrice. Cependant la conque (*conch*) est douée d'un incroyable pouvoir de régénération et peut se reconstituer. Quelques semaines après la fertilisation, les femelles pondent de gélatineuses masses de plusieurs centaines de milliers d'œufs sur le sable en un processus qui peut durer une journée entière. Au bout de 5 à 6 jours, les œufs éclosent. Une femelle peut pondre de 6 à 8 fois durant la saison de la reproduction. Après l'éclosion, les lambis sont si petits et transparents qu'ils ne sont pas perceptibles à l'œil nu. Ils vont dériver entre 20 et 40 jours au gré des courants marins sous forme de plancton, servant de nourriture à des prédateurs, telles les baleines ou les raies. Les lambis atteignent alors la taille d'un grain de sable, ils perdent leur capacité de flotter et se stabilisent sur les fonds. Ils sont équipés d'un pied ambulatoire et d'une coquille transparente qui les protège. Au bout d'une année, les lambis atteignent la taille de 7 à 8 cm, et au bout de 3 ans, leur maturité et la taille de 20 cm. La coquille est faite de carbonate de calcium, très résistante à la chaleur et incroyablement solide. Les lambis fabriquent parfois des perles en sécrétant du calcium autour d'un grain de sable, mais elles sont de mauvaise qualité et perdent leur couleur une fois exposées à la lumière. Les conques migrent au printemps et en été depuis les profondeurs vers les champs d'algues peu profonds. C'est là que leur pire prédateur, l'homme, les attend. Bourrée de protéines, la conque est très recherchée pour ses qualités nutritives et son goût délicat, mais également parce qu'elle est réputée pour être un puissant aphrodisiaque.
Jusqu'en 1994, le lambi était au deuxième rang de la pêche aux Caraïbes derrière les langoustes. Mais depuis, l'espèce souffre d'un manque de renouvellement, et des restrictions sévères en contraignent la récolte. Depuis les premiers signes du déclin de la population dans les années 1970, les recherches s'orientent vers l'aquaculture de l'espèce avec des résultats prometteurs. Aux Bahamas, la conque existe toujours en très grande quantité.

que médiocre. Le poisson écureuil, qui est rouge, se rencontre dans les cavernes, ouvre de grands yeux noirs qui attestent sa préférence pour les endroits à faible luminosité. Le poisson-clown vit en parfaite symbiose avec son anémone. Il la défend contre les agressions extérieures tandis qu'elle le protège des prédateurs en sécrétant des substances sans danger pour son clown, mais capables de tuer les poissons qui entrent en contact avec ses tentacules urticantes.

Les poissons-anges défendent âprement leur territoire ; leur petite bouche extensible leur permet de se nourrir d'éponges qu'ils grignotent ; ils changent de costume avec l'âge. On en rencontre plusieurs variétés qui appartiennent tous à la même famille : le poisson-ange bleu, vert et jaune, le poisson-ange gris, et le poisson-ange français au corps noir bordé de jaune et irisé de fines rayures. Mais le plus élégant est le poisson-ange royal, un des plus beaux poissons de récifs, avec sa robe à rayures phosphorescentes.

Le poisson-empereur porte une robe bleue avec de fines rayures jaunes longitudinales quand il est adulte, alors que le jeune est très différent, bleu nuit avec des anneaux concentriques blancs. Le poisson-coffre, couvert de plaques polygonales, est protégé par sa carapace rigide ; le poisson-scorpion au physique peu amène, hérissé d'épines venimeuses, est difficile à dénicher à cause de son camouflage et de son attitude statique sur le corail. Le poisson-bourse jaune se reconnaît à sa silhouette plate en forme de losange. Le poisson-globe se gonfle de manière spectaculaire pour dérouter son adversaire.

Le poisson-papillon rayé blanc et noir picore les coraux de sa petite bouche. Beaucoup possèdent un ocelle noir à la naissance de la queue. Le poisson nettoyeur, ou labre, s'enfouit dans le sable durant la nuit pour se protéger. Au bout de 4 à 6 ans, certaines femelles deviennent mâles. Les poissons-cardinaux possèdent de grands yeux et sont souvent rouges. Le poisson volant, le capitaine à tête de cochon, le poisson-lune, le poisson-épieu, le sergent-major rayé jaune et noir, le girelle-paon à tête bleue, les pompaneaux presque transparents, les bancs de calmars qui nagent gracieusement en déployant leurs tentacules, les carangues bleues, noires, jaunes aux gros yeux qui se déplacent en longs bancs ondulants en pleine eau et qui brillent comme des lames jetant mille éclairs... les rencontres ne manquent pas de magie... La gueule effrayante d'une murène serpentiforme tapie dans sa grotte est une rencontre courante. Elle appartient au groupe des anguilles et des congres. Elle peut atteindre jusqu'à 1,80 m ; carnivore, armée de longues dents pointues, elle se nourrit la nuit de poissons, de poulpes et parfois de crabes. Si on la laisse en paix elle n'attaque pas l'homme, mais elle mord si on l'agresse.

Les poissons possèdent des stratégies de camouflage qui leur permettent de se fondre dans leur environnement et d'échapper à leurs prédateurs. Ainsi, la rascasse appelée aussi poisson-zèbre ou lion ou poisson de feu, qui vit sur le sable ou dans les roches, a choisi une robe sombre qui lui permet de se fondre dans le décor.

Les gros poissons et mammifères marins

Côté gros gabarit, les amateurs seront servis, car les plus belles espèces, dont le poids peut dépasser 100 kg, naviguent en eaux profondes.

Dauphin apprivoisé

Les dauphins de l'Atlantique et les dauphins tachetés vivent le long des zones côtières et sont les principaux représentants des mammifères marins. Les baleines bleues et les baleines à bosse se rencontrent également, mais plus rarement, dans les eaux bahaméennes. Les raies sont nombreuses. La raie pastenague américaine est armée d'une épine venimeuse sur sa queue qu'elle utilise comme un fouet quand elle se sent menacée ; elle soulève des nuages de sable en quête de nourriture. Moins impressionnante est la petite raie mouchetée de jaune. Quant à la raie manta géante, ou diable des mers pacifiques avec son dos noir, sa rencontre est des plus impressionnantes puisqu'elle peut atteindre jusqu'à 6 m d'envergure et un poids de 2 tonnes ; ses nageoires pectorales ondulent gracieusement, telles des ailes, quand elle nage. Reconnaissable à la forte courbure de sa ligne latérale, le thazard, est connu sous le nom de « roi des maquereaux ». Cette espèce migratrice abonde dans les eaux des Caraïbes, et évolue entre 10 et 20 m de profondeur. Le wahoo est considéré comme le plus rapide des poissons de mer, il pousse des pointes à 80 km/h grâce à son corps fin et allongé. Le mérou paresseux de Nassau identifiable à ses lèvres charnues et à ses lignes zébrées, qui vit à l'abri d'une grotte ou d'un récif, change de sexe au cours de sa vie. Les thons sont parmi les plus gros poissons osseux, ils peuvent peser jusqu'à 950 kg.

Le barracuda, solitaire et menaçant, impressionne avec ses 2 m de long, mais il n'est pas dangereux. Sa silhouette longue et élancée, sa mâchoire aux petites dents pointues et acérées en font un redoutable prédateur. Rapace, il se nourrit de poissons qu'il chasse en eaux peu profondes.

Espadons et marlins appartiennent à la famille des poissons à rostre qui se caractérisent par un museau pointu, extension de leur mâchoire supérieure. Ce sont des poissons très puissants, rapides et agiles. L'espadon, dont le nom latin signifie « poisson en forme d'épée » est très robuste, et possède un long bec aplati partant de sa tête qui s'est développé comme une sorte de carénage frontal. Son cousin, l'espadon voilier est pêché à la traîne ; il possède un attribut physique qui le distingue de ses congénères, une énorme nageoire dorsale dont la hauteur dépasse celle de son corps. Le marlin bleu au long bec circulaire, est un favori des pêcheurs ; il peut pousser une pointe de vitesse jusqu'à 100 km/h lorsqu'il poursuit une proie.

La dorade coryphène, dont le nom anglais *dolphin fish* – poisson dauphin – prête à confusion, est généralement appelée mahi mahi ou dorado. Elle vit en bancs. Tête aplatie, casquée, longue dorsale et caudale très découpée, elle ressemble à une batte de base-ball. Sa chair est l'une des plus délicieuses qui soient.

Quant aux requins, ils sont omniprésents, mais inoffensifs. On en connaît plus de 350 espèces. Ils se distinguent des autres poissons par un squelette cartilagineux, l'absence d'écailles, leur dentition et le mécanisme de leurs mâchoires. Ils ont une incroyable capacité à détecter la présence de sang dans la mer et à en localiser la source d'émission. Le requin gris de récif est très courant dans les eaux de l'archipel. Sa robe est grise et son ventre blanc, ses nageoires et sa queue sont bordées de noir. Les requins-dormeurs passent leurs journées à dormir sur le sable et sont inoffensifs, ils se nourrissent de crustacés et de mollusques. Les requins-taureaux hantent les tombants des récifs, les requins-marteaux ont la tête élargie par deux protubérances à l'extrémité desquelles se trouvent les narines et les yeux. C'est un grand chasseur. Quant aux tortues marines, elles sont communes dans les eaux bahaméennes. On rencontre notamment des tortues vertes et des carets ; toutes sont protégées.

Coquillages et crustacés...

De nombreux coquillages ornent les fonds sous-marins.

Le lambi ou *conch* (*Strombus gigas*), énorme coquillage orangé qui servait aux Lucayans pour communiquer, se déplace par bonds successifs, se nourrit d'algues et peut vivre jusqu'à 20 ans. Très prisé des Bahaméens qui en apprécient la chair, son espèce n'est pas loin d'être menacée ; certaines îles voisines en ont déjà interdit la pêche aux périodes de reproduction, un exemple qui devrait faire réfléchir le gouvernement bahaméen. Les strombes, turitelles, olives réticulées feront la joie des collectionneurs. Les échinodermes (étoiles de mer, oursins) sont très présents. Le dollar des sables est un oursin plat dont la coquille perforée s'échoue sur les plages. Les oursins noirs aux longs piquants venimeux et les oursins blancs, dont les gonades sont très appréciées, se rencontrent communément. Les crabes se blottissent sous les gorgones éventails pour échapper à leurs prédateurs ; les langoustes de bonne taille se rencontrent à profusion.

Étoiles de mer géantes

Éponges

De nombreuses espèces d'éponges colorées aux formes exubérantes ont colonisé les récifs et les épaves. En filtrant l'eau de mer qu'elles rejettent ensuite, elles contribuent à maintenir la limpidité des eaux côtières.

De nombreuses variétés sont présentes, formant une collection bigarrée ; éponges-tubes ocre, éponges jaunes, éponges mauves aux formes généreuses qui se déploient comme des fleurs épanouies, éponges orange, nuancées de rose, elles forment d'étranges compositions qui envahissent le corail ; encroûtantes, elles couvent les rochers de plaques rouges et orange. Certaines, telles les oreilles d'éléphant, atteignent jusqu'à 2 m d'envergure, mais elles ne poussent que de 2 cm par an. Les éponges servent de cachette et d'abri à une faune complexe, du crabe araignée à l'étoile de mer.

La pêche à l'éponge, orchestrée par des Grecs, a contribué à la richesse du pays entre la fin du XIXe siècle et les premières décennies du XXe siècle. Mais un champignon ayant mis un coup d'arrêt à cette industrie en attaquant les éponges, la pêche en fut stoppée ; leur population se redéveloppe gentiment.

Une faune terrestre plutôt pauvre

Si sa faune sous-marine est extrêmement diversifiée, la faune terrestre de l'archipel est rare, comme sur la plupart des îles de la région. Malgré quelques originalités, l'isolement des îles a interrompu l'évolution animale et n'a que peu autorisé l'introduction d'espèces. En revanche ce même isolement a permis la naissance de quelques espèces endémiques. Ainsi, on dénombre 13 espèces de mammifères indigènes dans l'archipel et ce sont principalement des espèces de chauves-souris ! Les plus vastes d'entre elles abritent quelques rares spécimens de sangliers ; sur les îles méridionales on rencontre des ânes et des chevaux sauvages, dont les ancêtres étaient autrefois domestiqués. Curieusement, on rencontre une population de ratons laveurs qui, introduits par les braconniers au début du XXe siècle lors de la prohibition, ont proliféré.

Les reptiles sont beaucoup mieux représentés, avec 44 espèces dénombrées dont une espèce endémique de l'île de Grand Bahama, le lézard à queue enroulée, petit mais spectaculaire, qui aime se dorer au soleil sur les rochers. Les geckos sont de petits lézards verts et agiles, typiques des régions chaudes qui se nourrissent de moustiques à la nuit tombée. On les rencontre fréquemment sur les murs intérieurs des habitations, et on oublie vite leur aspect quand on sait qu'ils sont d'efficaces chasseurs de moustiques et de cafards. Les lézards à queue bleue se rencontrent communément.

Quelques espèces de serpents dont trois espèces de boas constrictors des Bahamas sont répertoriées, mais leur population dégénère, ce que déplorent les herpétologistes.

L'iguane, reptile saurien au dos hérissé d'une vilaine crête d'épines pointues, est très présent, notamment dans les îles du sud. Il promène son mètre cinquante paresseusement et se montre volontiers curieux et peu farouche.

Malgré son allure de monstre antédiluvien, il ne grignote que des plantes et adore les fruits pour lesquels il est même prêt à approcher les visiteurs. Il en existe trois espèces et sept sous-espèces sur les îles des Bahamas.

Une volière, paradis des ornithologues

L'ornithologue amateur sera, quant à lui, comblé, car les oiseaux sont très présents sur les îles. Outre les espèces propres à la région caraïbe, on dénombre de nombreuses espèces d'oiseaux migrateurs qui reviennent chaque hiver profiter de la chaleur du soleil tropical.

Au total, quelque 230 espèces d'oiseaux sont présentes dans l'archipel des Bahamas.

Les délicats colibris, communément connus sous le nom d'oiseaux-mouches butinent le nectar des fleurs en introduisant leur long bec dans les corolles grâce à leurs battements d'ailes si rapides qu'ils leur permettent de faire du sur place. Il existe une espèce de colibri endémique des Bahamas, le *Bahama woodstar hummingbird*, et on dénombre, en tout, 163 espèces d'oiseaux-mouches aux Bahamas.

Les todiers multicolores se nourrissent d'insectes attrapés au vol, et nichent dans de petites grottes qu'ils creusent à même le sol. La sylvette au plumage jaune vit dans la mangrove ainsi que les canards. Les pélicans, pigeons, hirondelles, tourterelles, moqueurs, piverts, coucous et autres raviront les observateurs. Parmi les espèces endémiques, citons encore l'hirondelle des Bahamas et le perroquet des Bahamas, au plumage vert et à la gorge rouge, qui sont protégés. Le parc national des Abacos a été créé pour en préserver l'espèce.

Les flamants roses (*Phoenicopterus ruber*) – l'oiseau national dont le pays possède une réserve de 60 000 individus, la plus grande au monde –, figurent sur le blason du pays. Leur magnifique couleur rose-orangé provient du carotène contenu dans les carapaces de crevettes et de larves dont ils se nourrissent et qu'ils affectionnent. Sur les îles Exumas, on rencontre également des frégates, des engoulevents, et des grives à pattes rouges.

Quant aux entomologistes en herbe, ils pourront observer de nombreux insectes, dont les moustiques et les puces de sable, tout en évitant leurs piqûres, particulièrement à la tombée du jour, les sauterelles et les fourmis, et les araignées.

Le seul insecte vraiment dangereux des îles appartient à cette dernière famille ; c'est la redoutable veuve noire, une araignée venimeuse dont la piqûre peut être mortelle. Mais heureusement, cette rencontre est excessivement rare. Pour terminer sur une note plus gaie, n'oublions pas les cigales qui égayent du chant de leur frottement d'ailes les grandes forêts de pins.

Flore

Une flore tropicale exubérante

Les Bahamas possèdent une flore tropicale très riche qui ne compte pas moins de 1 370 espèces végétales parmi lesquelles 120 espèces indigènes dont l'acajou des Bahamas, le pin des Bahamas ainsi que de nombreuses espèces d'orchidées.

Perroquet des Abacos.

Sur les îles du nord et de l'ouest, s'étendent des forêts de pins avec un riche sous-bois de palmiers nains et de fougères.

Le frangipanier, arbre trapu à feuilles caduques, possède des fleurs qui se dressent en un plumet hirsute au bout de ses rameaux.

Le flamboyant, originaire de Madagascar, fleurit en été et déploie une magnifique et imposante ramure aux fleurs d'un rouge phosphorescent.

Plus les îles sont méridionales et plus leur végétation se raréfie, se résumant essentiellement à des arbustes et à des épineux tels les cactus.

Les pins australiens ou casuarinas ont envahi les côtes bahaméennes sous le vent. Introduits pour stabiliser les dunes, ils se développent de façon incontrôlée à grande vitesse et leurs racines gigantesques et apparentes grignotent petit à petit les plages, détruisant le patrimoine des îles.

De nombreuses plantes et arbres sont connus pour leur utilité domestique. Ainsi le cocotier, outre ses fruits, fournit la matière première pour les toits de palmes (*thatch*). Cet arbre est une véritable bénédiction pour les locaux. Sa noix nourrit et soigne, ses palmes sont tressées en paniers, en chapeaux, en cordes, en matelas, en toitures, ses troncs servent de poutres...

D'autres végétaux trouvent également des usages domestiques intéressants. Ainsi la mangrove noire est utilisée pour teindre le cuir. De nombreuses plantes sont connues pour leurs vertus médicinales et la *bush medicine* est une science ancestrale ; par exemple, la goyave sauvage soigne le diabète et la sauge blanche soigne la varicelle.

Les fleurs tropicales poussent en abondance et tout au long de l'année, à l'état sauvage comme dans les jardins.

Héliconias perroquet, élégants anthuriums, orchidées aux formes délicates, pommes d'eau, insolents oiseaux de paradis, hibiscus jaunes ou rouges, jasmins odorants, grappes rouges de l'alpinia, gracieuses lianes, vert et jaune des massifs de croton, épis rigides du balisier... L'éventail des fleurs tropicales est aussi fourni que la palette d'un peintre l'est en couleurs. On dénombre 3 500 espèces d'orchidées, dont 60 sont endémiques des îles Bahamas. La fleur nationale, le *yellow elder* est une délicate fleur tubulaire de couleur jaune qui porte de fines rayures rouges sur ses pétales.

Fleur d'hibiscus

La mangrove

Située entre mer et terre, la mangrove est une formation végétale qui pousse dans un milieu salin. C'est un écosystème particulier où l'on rencontre quatre types d'arbres : les palétuviers rouges, noirs, blancs et gris.

Le palétuvier rouge ou mangle rouge (*Rhizophora mangle*) est l'arbre principal de la mangrove. Ses racines aériennes pendent en arceau des hautes branches telle une chevelure emmêlée ; elles forment un enchevêtrement impénétrable et lui permettent de respirer et de se fixer solidement dans le sol salé, instable et vaseux. A l'abri des racines se développe une faune riche, car la mangrove filtre les sédiments ; des alevins et des larves des jeunes poissons profitent de la richesse en plancton du milieu.

Les huîtres de palétuviers, les mollusques, les éponges se développent en colonies sur les racines du mangle rouge. Les crabes y prolifèrent. De nombreux oiseaux vivent dans les palétuviers, à l'abri des prédateurs qui ne peuvent pénétrer ce dense entrelacs de branchages.

Quant à l'homme, il puise sans vergogne dans ce garde-manger géant. Autre intérêt de la mangrove, elle assure la protection et la stabilisation des côtes, la purification de l'air et de l'eau, et constitue un refuge sans pareil pour la faune qui trouve en elle un lieu privilégié de reproduction et d'alimentation.

Histoire

Des îles indiennes à l'histoire mal connue

Les premiers habitants des îles Bahamas vinrent s'y établir vers le Xe siècle de notre ère. Des recherches archéologiques récentes ont mis au jour des preuves de cette première colonisation. Avant cette époque, il semblerait que les îles Bahamas n'aient pas été habitées.

La population indigène qui vit sur les îles de l'archipel à l'arrivée des Espagnols est composée de groupes d'aborigènes, les Lucayans ou Lucayos, un sous-groupe des Arawaks qui peuplent toutes les îles des Caraïbes, grandes et petites. Ce groupe est également établi sur les îles Turks et Caïcos.

Les Indiens lucayans sont arrivés sur les îles au cours de plusieurs vagues d'immigration, au tournant du Xe siècle.

Leur nom « *Lukku Cairi* » signifie « habitants des îles ». Venus des îles caraïbes au sud de l'archipel, peut-être de Cuba, les Lucayans fuient les petites Antilles et la menace des Indiens caraïbes, valeureux guerriers et féroces cannibales, qui sacrifient leurs prisonniers et mettent les femmes en esclavage. Grands navigateurs, les Caraïbes menacent toutes les populations des îles de la région. On a dit de ces guerriers qu'ils étaient cannibales. En fait, s'ils mangent leurs ennemis capturés au cours des combats, ce n'est pas par pure gourmandise, mais bien pour obéir à des rituels sacrificiels. Ces redoutables adversaires ne débarqueront toutefois jamais dans les Bahamas.

On sait relativement peu de choses sur les habitants originels de l'archipel. Aucun de ces groupes ethniques, pas plus que ceux de toute la région, ne laisse de trace écrite de sa civilisation. Les seuls témoignages de leur culture sont des fragments de poteries, des dessins, des outils de pierre ou d'os, mis au jour par des recherches archéologiques récentes, qui nous donnent des aperçus de ce que fut leur vie quotidienne.

Les Lucayans, d'origine arawak, seront appelés Indiens par les Espagnols, convaincus d'être arrivés aux Indes. Dans sa correspondance, Christophe Colomb les décrit ainsi : « *J'ai déjà vu trois de mes hommes à terre mettre en fuite une foule d'Indiens... Ils ne possèdent pas d'armes et vont tous nus... Ce sont des gens pleins d'humanité et sans méchanceté aucune... Ils aiment leur prochain comme eux-mêmes et ils ont une façon de parler qui est la plus douce du monde, toujours aimablement et avec le sourire.* »

Puis Colomb découvre les îles de la mer basse...

Après trente-trois jours d'une navigation incertaine, Christophe Colomb découvre l'archipel en 1492 lors du premier de ses quatre voyages de découverte des Indes, au terme de multiples péripéties et aléas. Sa première rencontre avec les indigènes a lieu le 12 octobre 1492 lors de son débarquement sur l'île de Guanahani, à l'est de l'archipel que, dans un réflexe de bon catholique, il baptise San Salvador, du nom du Saint Sauveur. Il y plante la première bannière espagnole.

Cependant historiens et spécialistes ayant étudié en tous sens le journal de bord du Grand Amiral pour en tirer des certitudes, interprété les latitudes et les longitudes et les moindres détails de la navigation, divergent sur l'endroit exact où Christophe Colomb et ses hommes mirent pied à terre. Certaines sommités tiennent l'île de Cat Island pour première terre du Nouveau Monde foulée par les conquistadors.

Leur deuxième étape est l'île de Santa Maria de la Concepcion, devenue Crooked Island, puis une troisième île, tout en longueur, qu'il baptise Fernandina, aujourd'hui Long Island, et enfin Isabela, connue de nos jours sous le nom de Long Cay.

L'archipel surprend le Grand Amiral par la faible profondeur de ses eaux ; il est baptisé « *Las Islas de Baja Mar* », littéralement « les îles de la mer basse ». Ce nom est vite transformé en « Bahamas » et n'a pas changé depuis.

Les Espagnols ne colonisent pas les îles qui leur apparaissent bien pauvres en comparaison des autres terres découvertes. Leur contrôle sur l'archipel ne sera jamais effectif. Christophe Colomb mettra plus de trente ans, trente-trois très exactement, pour explorer toutes les îles de l'archipel. Le grand navigateur poursuit sa route vers Quisqueya, baptisée Hispaniola, l'Espagnole (aujourd'hui Haïti et Saint-Domingue).

Chronologie

- **12 octobre 1492 >** Débarquement de Christophe Colomb à San Salvador.
- **1495 >** Établissement de la première colonie d'Espagnols sur les îles, à Cat Island.
- **De 1495 à 1520 >** Déportation et extinction progressive du peuple lucayan.
- **XVIIe siècle >** Ère de la piraterie.
- **1629 >** Le roi Charles Ier d'Angleterre associe les îles aux nouvelles colonies d'Amérique ; elles sont régies par un gouverneur général.
- **1648 >** William Sayle débarque sur l'île d'Eleuthera avec 80 puritains anglais.
- **1649 >** Les aventuriers d'Eleuthera proclament une république indépendante.
- **1654 >** Cromwell part en guerre contre l'Espagne et son monopole sur le commerce maritime.
- **1666 >** Fondation de Charles Town qui deviendra Nassau.
- **1681 >** Fin du « règne » de Cromwell. Charles II répartit les îles entre six nobles.
- **1695 >** Charles Town est rebaptisée Nassau.
- **1701 >** Début de la guerre de Succession d'Espagne.
- **1703 >** Destruction de Nassau par les armées espagnole et française. Les pirates proclament leur république à Nassau.
- **1714 >** Signature du traité d'Utrecht. Fin des rivalités entre les Anglais et les Espagnols.
- **1718 >** Le roi Georges II fait des Bahamas une colonie royale.
- **1729 >** Premier parlement bahaméen.
- **1782 >** Une coalition franco-espagnole-américaine attaque Nassau ; l'Espagne reprend possession des Bahamas.
- **1783 >** Les Anglais reprennent Nassau. Le traité de Versailles cède officiellement les Bahamas à l'Angleterre.
- **1783-1785 >** Afflux de nouveaux colons loyalistes qui fuient l'Amérique. La population des îles triple.
- **1807 >** L'Angleterre abolit le trafic des esclaves.
- **1er août 1834 >** Abolition de l'esclavage.
- **1861-1865 >** Boom du commerce avec les Etats sudistes.
- **1898 >** Établissement d'une loi favorisant les services de bateaux et l'hôtellerie.
- **1920-1933 >** La prohibition américaine est une manne pour l'économie bahaméenne.
- **1953 >** Création du PLP, le Parti libéral progressiste de Lynden Pindling.
- **1961 >** Redéploiement de l'industrie touristique, alors que Cuba se tourne vers l'Union soviétique.
- **1962 >** Le suffrage universel est concédé.
- **1963 >** Grève générale soutenue par le PLP. Les élections amènent au poste de Premier ministre le Bahaméen blanc Symonette, leader de l'UBP.
- **1964 >** La Grande-Bretagne accorde l'autonomie interne aux Bahamas au terme d'une série de démarches constitutionnelles et politiques complexes.
- **1967 >** Le Parti libéral progressiste (PLP) remporte les élections, et son leader est nommé Premier ministre, position que Pindling gardera durant 25 années.
- **1969 >** Une nouvelle constitution donne aux Bahamas une autonomie totale. L'archipel prend le nom de Commonwealth des Bahamas.
- **10 juillet 1973 >** Les Bahamas deviennent un Etat indépendant.
- **1974 >** La Banque centrale des Bahamas est créée.
- **1992 >** Les élections sont remportées par le parti conservateur FNM (Mouvement national libre) dont le leader, Hubert Ingraham, devient Premier ministre.
- **2002 >** Les élections amènent Perry Christie au pouvoir.
- **2007 >** Hubert Ingraham redevient premier ministre après la victoire de son parti, le Mouvement national libre, aux élections législatives.

Les premiers pas des colons espagnols

On s'accorde à estimer à environ 40 000 le nombre d'Indiens lucayans qui vivent dans les « îles de la mer basse » à l'arrivée de Christophe Colomb. La colonisation va être si brutale qu'elle ne permettra pas de conserver les traces et les enseignements de cette culture précolombienne. Comme dans les autres territoires visités par les conquistadors, après une première approche amicale, cette population sera immédiatement et totalement asservie. La conquête a pour objectif de rapporter de l'or, de l'argent, des pierres précieuses et de nouvelles espèces végétales à l'Espagne, de contrôler politiquement les territoires du Nouveau Monde et de convertir les Indiens au catholicisme. Les îles « de la mer basse » n'apparaissent pas comme un endroit idéal pour établir une colonie, contrairement aux îles voisines de Cuba et d'Hispaniola où, aux dires des indigènes, l'or abonde. L'exploitation intensive des mines d'or y démarre avec une main-d'œuvre indienne réduite à l'esclavage.

En 1495, un premier établissement espagnol, Columba, voit le jour sur l'île de Cat Island. Cette base va servir de plate-forme à l'embarquement de milliers de Lucayans, la première triade moderne des esclaves.

De 1495 et jusqu'en 1520, les Lucayans vont être embarqués pour l'île voisine d'Hispaniola qui est le principal établissement des Espagnols pour y servir de main-d'œuvre dans les mines d'or et d'argent. La population indigène sera très vite décimée par des conditions de travail inhumaines, les suicides et les maladies transmises par les Européens contre lesquelles les Indiens ne sont pas immunisés. Moins de trente années suffiront à la disparition totale de cette ethnie.

En 1513, Juan Ponce de Leon se met en quête de la mythique « fontaine de jouvence » qui se situerait aux Bahamas. Au cours de ses pérégrinations, il découvre Porto Rico puis la Floride, qui lui ouvre la route du continent américain. Les îles des Bahamas sont alors rapidement délaissées et ne servent plus désormais que de passe maritime vers le continent.

La colonisation, une période tourmentée

L'histoire contemporaine des Bahamas débute avec la période de la colonisation du Nouveau Monde, une période qui se révèle tourmentée et tumultueuse. Les îles stratégiquement situées au carrefour des nouvelles colonies attirent les convoitises des explorateurs, des marchands, des colons et de ceux qui suivent dans leur sillage, les pillards.

Une première tentative d'établissement est faite en 1625 par des fermiers français qui vont vite renoncer à s'y installer.

En 1629, le roi Charles Ier d'Angleterre donne les îles avec une partie des nouvelles colonies nord-américaines au gouverneur Robert Heath. L'établissement des premiers colons anglais ne commence qu'en 1647, et seules seront colonisées les îles possédant de l'eau. Ceux qui resteront dans l'histoire, comme les « *Eleutheran Adventurers* » (« les aventuriers d'Eleuthera »), fondent un premier établissement sur l'île d'Abaco, puis sur l'île de Cigatoo qu'ils baptisent Eleuthera, du grec « liberté ».

Ces puritains anglais fuient les persécutions religieuses et la guerre civile en Angleterre ; ils cherchent un havre de paix pour pratiquer librement leur religion. Sous la houlette de William Sayle, ex-gouverneur des Bermudes, quatre-vingts aventuriers organisent la première démocratie du Nouveau Monde en 1649. Les conditions de vie qu'ils vont affronter sont plus que difficiles, et leur subsistance se révèle bien précaire.

Les pénuries de vivres, les échecs des cultures vivrières, les rivalités séparent le groupe en plusieurs clans qui forment de petites communautés qui s'égrènent le long de la côte. Dans l'espoir d'apaiser les différends, le capitaine William Sayle fait voile vers les côtes américaines et les colonies du Massachusetts. Il obtient des vivres et des fournitures pour sa communauté et décide de la protéger des attaques des Espagnols qui rôdent dans la région, en créant un nouvel établissement à Harbour Island.

En 1681, six gros propriétaires de Caroline se voient attribuer les îles par le roi Charles II d'Angleterre, qui ne reconnaît pas la minuscule république d'Eleuthera. De nouveaux colons sont envoyés pour s'établir sur les îles. En 1666, commence la construction d'un fort et d'une ville sur l'île de New Providence. La nouvelle cité est baptisée Charles Town en l'honneur du roi d'Angleterre, puis en 1695, Nassau, puisque le nouveau roi d'Angleterre est le prince d'Orange-Nassau. Le port offre une anse abritée qui devient vite un repaire de pirates. Ils se sont multipliés avec la bénédiction du gouvernement anglais qui voit en eux une façon de harceler et de combattre les ennemis français et espagnols. Les corsaires sont appointés par le gouvernement anglais et portent une lettre de marque qui garantit leur statut.

Entre 1684 et 1701, Nassau est détruite à quatre reprises par les Espagnols. En 1703, Nassau est détruite une fois de plus par la flotte franco-espagnole, en représailles aux attaques et aux pillages permanents des corsaires anglais. Ceux-ci y proclament leur république qui perdurera jusqu'à la fin de la guerre entre les trois nations.

En 1714, le traité d'Utrecht met fin à la guerre de Succession d'Espagne et scelle la paix entre les nations. N'en ayant plus l'usage, l'Angleterre n'accorde plus sa protection aux pirates, qui deviennent des hors-la-loi. L'Angleterre va chercher à les expulser des îles.

Les Anglais envoient le capitaine Woodes Rogers comme gouverneur royal pour organiser les îles, en chasser les pirates et y restaurer l'ordre. En 1718, il est nommé premier gouverneur royal des Bahamas ; cette nomination marque l'intégration officielle des îles dans l'Empire colonial britannique. Woodes Rogers offre une amnistie aux pirates qui seront 300 à se rendre, le reste d'entre eux préférant prendre la fuite. De cette époque date une des maximes du pays : « *expulsis piratis, restituta commercia* », qui signifie « pirates expulsés, commerce restauré ». Le nouveau gouverneur pose les bases d'une première assemblée qui sera officiellement établie en 1729. Petit à petit, la colonie des Bahamas sombre dans la pauvreté ; les ressources du piratage lui sont désormais interdites, et seules la pêche, l'agriculture et la fabrication de sel font survivre les habitants.

Barbe Noire et compagnie ou quand le pavillon noir flotte sur les Bahamas

Pendant un peu plus d'un siècle, le XVIIe, pirates et flibustiers sévissent dans toute la région de la mer des Antilles. L'ère de la flibuste atteint son apogée à la fin du XVIIe et au début du XVIIIe siècle. De rares documents subsistent de cette épopée, et l'histoire n'a hérité que de maigres témoignages fort imprécis. C'est que pirates et flibustiers brouillent les pistes et entretiennent tout au long de leur carrière un flou qui les protège.

Pas de revendications qui flattent l'ego, seul le butin les intéresse. Les noms les plus illustres de la flibuste visitèrent les îles de l'archipel bahaméen au cours de cette période.

Depuis les premiers pas de la colonisation, des bateaux, lourdement chargés de trésors et de denrées de toutes sortes, sillonnent sans relâche les eaux de l'océan Atlantique. Les échanges entre le Nouveau Monde et le Vieux Continent s'intensifient, ainsi que les transports de précieuses cargaisons entre les îles et avec l'Amérique centrale et l'Amérique du Sud. Les navires espagnols sont particulièrement convoités, car ils ramènent vers l'Europe de précieux chargements de leurs colonies « indiennes ». Les guerres à répétition entre les Etats-Unis et l'Angleterre exacerbent les rivalités.

Au carrefour des voies maritimes, certaines des îles de l'archipel des Bahamas vont devenir, à l'instar de leurs voisines, l'île de la Tortue ou la Jamaïque pour ne citer que les plus célèbres, des repaires de pirates. A l'aube du XVIIIe siècle, les pirates règnent en maîtres sur Nassau, qui est proclamée République des Pirates. Les plaisirs et la débauche y sont tellement exacerbés qu'avant de mourir, un pirate ne souhaite que revenir à Nassau. Les innombrables îlots, les criques profondes, les anses cachées, les baies abritées, les détroits, les étroits chenaux forment autant de retraites faciles, de ports de relâche et de planques secrètes qui servent à merveille les desseins tortueux des aventuriers des mers. Les innombrables bancs de sable et les récifs désavantagent les capitaines des bateaux

Les Bahamas au cœur du trafic négrier

Les bateaux négriers anglais en provenance d'Afrique et en route vers les Caraïbes du Nord et les possessions britanniques avaient pour première étape les Bahamas. Là une poignée de planteurs et de colons choisissaient et achetaient les meilleurs éléments de la cargaison humaine. Les esclaves bahaméens étaient mieux traités que dans les autres colonies et pays du Nouveau Monde. Les esclaves africains représentaient alors la population majoritaire des îles et provenaient des zones côtières de l'Afrique de l'Ouest et du Congo, principalement des tribus Mandingo, Fulani, Hausa, Ibo, Yoruba et Ashanti.

New Providence - Nassau, Pompey Museum of Slavery and Emancipation

lourdement chargés. Depuis leurs bases, les pirates peuvent attaquer, piller et rançonner les galions espagnols et les vaisseaux de passage qui désormais ne cessent de sillonner cette partie des océans, et ils cachent leurs trésors dans des antres discrets.

Les figures majeures de la flibuste passent un jour ou l'autre par les îles Bahamas ; Henry Morgan, dont on recherche toujours le trésor, préférait Andros ; le capitaine Kid avait son ancrage préféré à Exuma ; Anne Bonney se retirait à Cat Island, Georges Watling s'appropria San Salvador qui porta son nom jusqu'au début du XXe siècle avant d'être rebaptisée en 1926. Bien d'autres encore, parmi lesquels le célèbre Rackham le Rouge, écumèrent les eaux de l'archipel pendant le XVIIIe siècle. Edward Teach, plus connu sous le nom de Barbe Noire, fit de New Providence son quartier général et joua au chat et à la souris avec la marine britannique. En 1718, le gouvernement britannique décida que la coupe était pleine et que les pirates devaient être arrêtés. L'ancien corsaire Woodes Rogers fut appointé par la Couronne anglaise comme gouverneur de la colonie et il fit campagne en offrant le pardon royal à tous ceux qui cesseraient leurs activités illégales. Cependant, Barbe Noire et quelques-uns de ses compagnons refusèrent de se rendre et s'échappèrent après avoir brûlé un navire pour couvrir leur fuite. Ils seront plus tard tués dans une légendaire bataille au large des côtes de Virginie.

Vinrent les loyalistes, puis les sudistes

En 1773, les îles sont déclarées en faillite par le gouvernement britannique. Dignes héritiers des pirates et des corsaires, les Bahaméens ont trouvé une autre ressource qui contribuera à la mauvaise image des îles ; ils se livrent désormais à l'échouage des navires qu'ils orientent vers les hauts-fonds qui entourent les îles et au pillage des épaves. Ils se livreront à cette activité qui pallie le manque de ressources naturelles des îles jusqu'à la moitié du XIXe siècle. L'échouage et le pillage des épaves deviennent des activités communes qui sont institutionnalisées. Certaines îles comme les Abacos y gagnent une sinistre réputation. Petit à petit les activités s'organisent et le gouvernement taxe les profits de la vente des butins. Aux alentours de 1850, les Bahamas sont devenues la capitale de la piraterie terrestre. Vers 1775, poussée par la révolution américaine, une seconde vague de colons déferle sur l'archipel. Les « loyalistes » pro-anglais, les irréductibles de la révolution américaine, quittent la toute jeune nation américaine pour rester fidèles à la bannière anglaise et rejoignent les premiers émigrants. Pendant la guerre d'Indépendance, les Américains occupent Nassau en 1776.

Les Espagnols, excédés par les pillages à répétition de leurs navires, occupent les îles en 1782 et 1783. Pour marquer et solidifier leur indépendance, les loyalistes vont demander l'assistance de l'armée de Caroline du Sud. Ensemble, ils prennent les armes et contraignent les Espagnols à une retraite sans gloire de la région, puisque aucun coup de feu ne sera tiré. Les Espagnols seront repoussés jusqu'aux Bermudes. Les Bahamas sont rendues à l'Angleterre par le traité de Versailles en 1783.

Puis vient le tour des sudistes. Une troisième vague de colons arrive dans les îles après la grande guerre de Sécession entre 1783 et 1785. Plus de 8 000 émigrants déferlent sur les îles, en faisant tripler la population. Les planteurs de Caroline, qui ne veulent pas vivre sous la bannière victorieuse de l'Union, débarquent, le plus souvent, avec leurs esclaves. Ils arrivent pour planter et exploiter des champs de coton. Leurs talents d'agriculteurs et de charpentiers influencent très vite la vie locale. Malheureusement, leur implantation ne connaîtra pas le succès escompté, car la terre bahaméenne, pauvre, se prête mal à la culture, et les plantations périclitent.

L'abolition de l'esclavage

Les îles deviennent une colonie britannique en 1787, et resteront dans l'Empire jusqu'en 1973. En 1788 la population de l'archipel est estimée à 11 200 personnes dont 75 % de Noirs. L'Angleterre abolit le trafic des esclaves en 1807, puis l'esclavage le 1er août 1834, ce dont les habitants des îles ne seront informés qu'une semaine plus tard. De nombreux loyalistes préfèrent quitter les Bahamas, répartissant leurs terres parmi leurs anciens esclaves. L'émancipation des esclaves porte un coup à l'économie locale, qui périclite. En effet, les plantations perdent de leur compétitivité face à celles des Etats-Unis qui continuent à exploiter des esclaves. Le sol s'épuise petit à petit, et les anciens esclaves subsistent de la pêche et d'une modeste agriculture vivrière. L'industrie des éponges se développe sous l'impulsion d'une émigration d'origine grecque ; cette activité se verra porter un coup fatal en 1938 avec l'apparition d'une maladie des éponges qui en décima la population. Le principe de l'égalité des droits n'est que théorique, et les Noirs restent soumis à une minorité de Blancs.

De 1861 à 1865, les îles vont tirer un grand profit de la guerre civile américaine. En effet, l'industrie textile anglaise est étroitement dépendante de l'approvisionnement en coton provenant des plantations sudistes. Or les navires britanniques ne peuvent accéder aux ports du sud des Etats-Unis coupés du monde par un blocus. Un étroit trafic s'organise entre Charleston et Nassau. Des embarcations rapides passent au travers des mailles du blocus américain et achètent des tonnes de balles de coton, qui seront ensuite échangées contre des denrées en tout genre auprès des navires anglais, non sans laisser au passage un substantiel bénéfice aux armateurs bahaméens. La fin de la guerre civile marque un nouveau déclin de la prospérité des îles.

Tourisme et trafic

Le développement touristique démarre en 1898 avec l'établissement d'une loi favorisant les services de bateaux et l'hôtellerie. En 1919, les Etats-Unis promulguent le 14e amendement qui interdit l'alcool.

La prohibition va donner aux Bahamas de nouvelles raisons d'être. C'est le retour du trafic et du maraudage sur les îles, une nouvelle ère de piraterie. Les chiffres parlent d'eux-mêmes : en 1917, Nassau a exporté 37 821 gallons d'alcool, en 1922, 1 340 443 gallons (*The Guardian*, 1923). L'Angleterre exporte du whisky en grande quantité vers les Bahamas. Le gouvernement britannique va aménager le quai Prince George pour qu'il puisse absorber un surcroît de flux de marchandises. Les trafiquants d'alcool vont profiter de la proximité des îles avec le territoire américain pour acheminer clandestinement de l'alcool jusqu'au territoire américain.

New Providence, musée des Pirates

Les hors-la-loi s'établissent à Nassau, à Bimini et à Grand Bahama. C'est l'ère des « *Rum Runners* », des bateaux rapides qui sillonnent la mer entre les côtes du sud des Etats-Unis et les îles. Les autorités ferment les yeux sur le trafic d'alcool, car les Bahamas tirent un énorme profit de cette manne financière.

Mais 1934 sonne le glas de la prohibition et le flux de liquidités (et de liquide !) qui transitait par les îles se tarit. Quelques années plus tard en 1938, la chute de l'industrie de la pêche à l'éponge va porter le deuxième coup fatal à l'économie locale.

Dès les années 1930, les touristes américains avaient découvert les plages idylliques de l'archipel. Le destin des Bahamas se tourne résolument vers cette nouvelle source de ressources. A partir de 1940, le duc et la duchesse de Windsor, Edouard VIII et Wallis Simpson, nouveaux représentants du gouvernement britannique sur l'île, vont encourager le tourisme nord-américain et canadien. Pendant la Seconde Guerre mondiale, les Bahamas servent de plate-forme aérienne et maritime à l'armée américaine.

Des bases américaines et anglaises sont établies sur les îles favorisant les séjours des étrangers.

Les Bahamas sauront tirer parti de la révolution cubaine de 1959 qui chasse les touristes américains de la jet-set de l'île voisine désormais communiste. Capitalisant sur la proximité avec les Etats-Unis, les Bahamas décident d'un vaste programme d'aménagements touristiques dès 1961 ; on construit un nouvel aéroport international sur l'emplacement de la base américaine de Nassau ; le port de Nassau est ainsi aménagé de façon à pouvoir recevoir jusqu'à six bateaux de croisière, un pont reliant Nassau à Paradise Island est construit, de nouveaux hôtels voient le jour, la ville de Freeport sort de terre, de grandes campagnes de communication sont menées…

Un tout jeune État

Des frustrations et des revendications sociales se font jour au fur et à mesure que les îles s'enrichissent et qu'une classe moyenne noire se développe. Les partis politiques apparaissent en 1953 avec la création du PLP, le Parti libéral progressiste de Lynden Pindling, suivi de l'UBP, le Parti uni bahaméen, initiant une ère de rivalités politiques.

En 1963 éclate une grève générale soutenue par le PLP. Les élections amènent au poste de Premier ministre le Bahaméen blanc Symonette, leader de l'UBP. La Grande-Bretagne accorde l'autonomie interne aux Bahamas en 1964, au terme d'une série de démarches constitutionnelles et politiques complexes.

Le suffrage universel a déjà été concédé en 1962, et les femmes bahaméennes ont pu alors voter pour la première fois. Le mardi 27 avril 1965, connu dans l'histoire du pays comme le « mardi noir », le leader de l'opposition Lynden Pindling demande le pouvoir au peuple. En 1967, le Parti libéral progressiste (PLP) remporte les élections, et son leader est nommé Premier ministre, position que Pindling gardera durant 25 années. En 1969, une nouvelle constitution donne aux Bahamas une autonomie totale. L'archipel

Port de Nassau

prend le nom de Commonwealth des Bahamas. A l'aube de l'indépendance en 1972, la tradition loyaliste des Abacos et d'Eleuthera amène les descendants des premiers colons à comploter pour faire sécession avec les autres îles et rester dans le giron de la Grande-Bretagne. Leur revendication restera sans succès. L'indépendance complète des Bahamas est proclamée le 10 juillet 1973 et la nation compte désormais au nombre des Etats souverains, mettant un terme à 325 années de domination britannique. Une nouvelle constitution est adoptée ; elle fixe clairement le rôle de la Grande-Bretagne. Les Bahamas deviennent membre indépendant du Commonwealth des nations. Le monarque britannique est reconnu comme le souverain et chef d'Etat officiel ; il nomme le gouverneur général. Selon la tradition britannique, les Bahamas possèdent un Parlement à deux chambres qui adopte les lois selon la constitution de 1973, un cabinet ministériel composé d'au moins neuf ministres, conduit par le Premier ministre et un système judiciaire indépendant. La Banque centrale des Bahamas est créée en 1974. En 1984, aidé des Américains, le gouvernement met un coup d'arrêt au trafic de drogue qui transite par les îles, après la révélation scandaleuse de la corruption d'éminents membres du gouvernement par les cartels colombiens de la drogue. Pindling, qui a été anobli par la reine en 1983, reste au pouvoir jusqu'en 1992, mais chômage et corruption sapent son autorité et mettent un terme à ses 25 années de « règne ». Les élections de 1992 sont remportées par le parti conservateur FNM (Mouvement national libre) dont le leader Hubert Ingraham devient Premier ministre. Le nouveau gouvernement accroît la confiance du public envers l'Administration et le secteur financier. Le Premier ministre dirige des visites « Equipes Bahamas » en Europe, en Amérique latine, en Asie et au Canada pour informer la communauté internationale des réformes entreprises et pour favoriser l'investissement étranger. En 1996, les 21 gouvernements locaux de district sont créés. De nombreuses institutions gouvernementales sont décentralisées, et les élus locaux se voient conférer de nombreuses décisions. En 1997, le FNM (Free National Movement) à qui l'on doit un ambitieux plan de privatisation est réélu avec 58 % des voix. Cette même année Pindling a été convaincu de corruption par une enquête administrative ; cependant aucune charge ne sera retenue contre lui. En 2001, le gouvernement cédant devant la pression internationale décide de rendre plus transparent le secteur de la finance internationale. Plusieurs banques ferment leurs portes. Les élections de 2002 amènent au pouvoir Perry Christie. 2003 marque le 30e anniversaire de l'indépendance de ce jeune État. « *Proud to be Bahamian* » (fier d'être Bahaméen) est la maxime qui rythme toute l'année et ses festivités.

En 2007, Perry Christie s'inclinera lors des élections et cèdera son fauteuil de Premier ministre à Hubert Ingraham, qui revient sur le devant de la scène.

Quelques figures de la piraterie

Henry Morgan, prince des pirates

Sir Henry Morgan, originaire du Pays de Galles et capitaine de son état, se forgea une réputation dans la flibuste qui n'était nullement usurpée. Né en 1635, d'une modeste famille de propriétaires terriens des Etats-Unis, il émigre très jeune vers les îles des Caraïbes qui lui apparaissent comme autant de promesses d'aventures. D'abord ouvrier agricole dans une plantation de La Barbade, il erre d'île en île jusqu'à prendre la direction d'un navire. Il choisit de s'établir à Port Royal, sur l'île de la Jamaïque, dont il fait son repaire principal.

Il écume les eaux des Grandes Caraïbes avec des incursions aux Bahamas durant le XVIIe siècle, pillant et rançonnant les navires et les Espagnols qui sillonnent les mers et les établissements côtiers. Les opérations menées, sacs, raids et pillages sont rigoureusement organisés et menées de main de maître.

L'Angleterre, trop contente de nuire à l'ennemi espagnol, ferme les yeux, soutient même les actions du flibustier en en finançant certaines, non sans percevoir sa dîme au passage, chacun y trouvant son compte.

Après le traité de Madrid qui réconcilie l'Angleterre et les Etats-Unis en 1670, le pirate n'est plus en odeur de sainteté. Son coup d'éclat est la prise de la ville de Panama en 1671, mais l'Angleterre ne le soutient plus et ne peut fermer les yeux. Arrêté et jugé à Londres par les Anglais, il sera acquitté avant d'être réhabilité, anobli et finalement nommé lieutenant gouverneur de la Jamaïque. A ce poste, il s'attellera à lutter… contre ses anciens compagnons et à en débarrasser la Jamaïque. Avec sa mort à Port Royal en 1688, une page se tourne, celle de la piraterie organisée.

Mary Read et Anne Bonney, deux femmes pirates

L'histoire de la flibuste s'écrit aussi au féminin et deux noms scintillent au firmament de la piraterie, ceux d'Anne Bonney et de Mary Read.

Cependant les règles et traditions flibustières n'autorisent pas les femmes à bord des navires et le cas de ces deux pirates est hors norme. Et pour qui douterait de la réalité de leur destin, il suffit de consulter les archives coloniales de l'Amirauté britannique de la Jamaïque pour se convaincre de leur existence.

Anne Bonney est la fille illégitime d'un avocat irlandais et de sa servante. Contrainte à l'exil sous la pression du scandale, la famille s'installe en Jamaïque où le père devient planteur. Dotée d'un fort caractère, Anne tourne le dos au brillant avenir qui lui était promis et échappe à l'emprise familiale pour s'enfuir avec un marin, James Bonney, sur un navire pirate. Ils s'installent sur l'île de New Providence et se marient, mais elle le quitte dès que celui-ci s'achète une moralité en devenant chasseur de pirates pour le compte du gouverneur de la Jamaïque.

La légende d'Anne Bonney commence avec sa rencontre avec le terrible Calico Jack ou capitaine Jack Rackham, popularisé sous le nom de Rackham le Rouge... par Hergé.

Lors d'une des escales du pirate à New Providence, Anne se fraye un chemin jusqu'à son lit, embarque sur son navire et opère avec l'équipage, déguisée en homme et armée jusqu'aux dents, tout en poursuivant son idylle. Prompte à l'abordage et habile à l'épée, elle se forge très vite une réputation légendaire de courage et de cruauté, et force le respect de ses acolytes.

Sur le même bateau se trouvait une autre femme pirate, Mary Read qui avait rejoint l'équipage un peu avant Anne Bonney. Dès son plus jeune âge, Mary, fille d'un officier de marine, avait défié l'aventure en s'engageant dans l'infanterie, puis sur différents bateaux, corsaires et navires marchands. Elle aussi est déguisée en homme. Les deux femmes deviennent amies ou amantes et leur histoire est en partie liée.

En 1720, le capitaine Barnet, un marin chasseur de pirates appointé par le gouverneur royal Woodes Rogers, attaqua le navire de Calico Jack à un moment où l'équipage, après moult libations, était fin saoul. Les deux femmes affrontèrent seules les assaillants, mais leur ardeur guerrière ne suffit pas à faire reculer les attaquants. Tous les prisonniers furent jugés pour piraterie et condamnés à la pendaison le 16 novembre 1720 en Jamaïque et exécutés quelques mois plus tard à Port Royal. Se déclarant enceintes, Mary et Anne évitèrent que leur sentence ne soit exécutée. Mary mourut en prison d'une fièvre tropicale. Anne donna le jour à un enfant, et pour une raison qui nous échappe encore, elle fut graciée, peut-être grâce à l'intervention de son père, devenu un riche propriétaire de Caroline du Nord. Elle disparut de la surface de la terre, laissant derrière elle intacte sa légende qui enfla, et nul n'entendit plus jamais parler d'elle.

▸ **Lire** *Lady Pirate, l'histoire de Mary Read* (Mireille Calmel, Editons XO).

Le capitaine Teach alias Barbe Noire

Edward Teach naquit à Bristol, en Angleterre, en 1680 environ, et mourut en 1718 en Caroline du Nord. Figure majeure de la piraterie et du folklore de la flibuste, il commença sa carrière maritime comme marin d'un navire corsaire anglais, pendant la guerre de Succession d'Espagne, dans la première décennie du XVIIIe siècle.

A partir de 1713, il devint pirate. Son énorme barbe noire, qui lui valut son surnom, envahissait la moitié de son visage et descendait jusqu'au milieu de sa poitrine.

D'un naturel coquet, il la portait tressée de rubans et enroulée autour des oreilles. Solide buveur, polygame, et grand amateur de femmes, il eut 14 épouses. D'humeur barbare, à la mine patibulaire, violent et imprévisible, il maintenait son équipage dans un état de soumission terrorisée.

« *Si de temps en temps, je ne tue pas un de mes matelots, ils oublieraient qui je suis* » déclarait-il volontiers. Il sévit principalement le long des côtes de Caroline, qu'il adopta comme repaire favori.

Sa carrière fut de courte durée. Il mourut dans la baie d'Ocracoke, en 1718, à l'issue d'un combat acharné avec les forces du gouverneur de Virginie, Alexandre Spotswood, qui se soulevaient contre le blocus de la ville de Charleston. Sa mort signa le déclin de la piraterie dans les eaux côtières de l'Amérique du Nord.

Pirates, corsaires, boucaniers, flibustiers et autres voyous des mers

▸ **Un bateau corsaire** est un bâtiment muni d'une autorisation d'un gouvernement, une lettre de marque ou de commission, en vue de capturer les navires ennemis ; ce sont les pirates privés du roi et le corsaire combat pour son pays et n'est pas en marge de la légalité. L'activité du corsaire cesse en même temps que la guerre. Quand il est capturé par l'ennemi, le corsaire est traité comme un prisonnier de guerre. Les Anglais les appellent « *privateers* », littéralement « guerriers privés ». Un grand nombre d'entre eux se tournèrent vers la piraterie quand les gains se firent substantiels.

▸ **Le bateau pirate** (du grec *« peiratus* », « qui tente fortune sur les mers »), en revanche, agit pour son propre compte, sans être mandaté par un gouvernement. Les pirates sont des hors-la-loi qui s'attaquent aux navires de toute nationalité par appât du gain. Ils sont pourchassés par toutes les nations. Une fois pris, les pirates sont jugés et pendus.

▸ **Le boucanier,** (à ne pas confondre avec l'anglais « *buccaner », «* corsaire »), n'est pas un marin. C'est un aventurier venu d'Europe le plus souvent, et plus particulièrement de Normandie. Les boucaniers forment une confrérie aux mœurs très libres, qui vit en marge de toute autorité. Ils s'installent dans des régions désertées par les colons, ils chassent le sanglier, le cochon ou le bœuf sauvages pour en récupérer la viande et le cuir. Après la chasse, les boucaniers se réunissent pour « boucaner », c'est-à-dire faire cuire et sécher les viandes à la fumée, ce qui assure une excellente conservation. On appelait « boucan » le lieu où l'on boucanait ; il se compose d'un quartier de terre défrichée, de claies pour boucaner les viandes et d'une aire pour mettre les cuirs à sécher arrosés de gros sel. Les boucaniers commercent avec les équipages hollandais, anglais et français qui ont besoin des peaux pour les équipements militaires ; en échange, ils reçoivent des armes, de la poudre et de l'alcool.

▸ **Le nom de flibustier** provient d'un mot anglais du XVIIe siècle, « *free booter* ». Il désigne les corsaires, mandatés par un gouvernement, ou les simples pirates qui se regroupent dans les îles des Antilles pour piller les colonies des Espagnols disséminées dans l'Atlantique.

Politique et économie

POLITIQUE

La reine Elizabeth II reste le chef de l'État, titre acquis le 6 février 1952. Elle est représentée par le gouverneur général, Arthur Dion Hanna, depuis janvier 2006. Le monarque est héréditaire. Le gouverneur est nommé par le souverain anglais.
Le troisième chef du gouvernement est le Premier ministre Hubert Ingraham (mai 2007), nommé par le gouverneur général, à l'issue des élections législatives. Le cabinet ministériel est désigné par le gouverneur général sur recommandation du Premier ministre.
Le pouvoir législatif est partagé par deux chambres. Le Parlement compte un Sénat (chambre haute) de seize membres désignés par le gouverneur général sur recommandation du Premier ministre, pour une période de cinq ans. L'Assemblée (chambre basse) compte quarante représentants élus directement par la population pour cinq ans. Les dernières élections ont eu lieu en mai 2007 et le FNM a reconquit le pouvoir face au PLP. Hubert Ingraham récupère le poste de Premier ministre du pays qu'il avait perdu en 2002 face à Perry Christie.
Le système légal est basé sur le droit anglais.

Découpage administratif

Le pays est divisé en 21 districts qui regroupent parfois plusieurs îles :

- **Acklins et Crooked Islands**
- **Bimini**
- **Cat Island**
- **Exuma**
- **Freeport**
- **Fresh Creek**
- **Governor's Harbour**
- **Green Turtle Cay**
- **Harbour Island**
- **High Rock**
- **Inagua**
- **Kemps Bay**
- **Long Island**
- **Marsh Harbour**
- **Mayaguana**
- **New Providence**
- **Nichollstown and Berry Islands**
- **Ragged Island**
- **Rock Sound**
- **San Salvador et Rum Cay**
- **Sandy Point**

Les différents partis politiques

- **PLP :** le Progressive Liberal Party, dirigé par Perry Christie.
- **FNM :** Free National Movement, mené par Hubert Ingraham.

ÉCONOMIE

Les Bahamas possèdent une des économies les plus florissantes de la zone Caraïbes. Le salaire minimum est d'environ 1 000 US$, sans impôt, ce qui garantit un pouvoir d'achat certain aux habitants.
La croissance économique rapide qui a marqué les années 1980 a faibli dans les années 1990, du fait d'une baisse des revenus touristiques et d'une augmentation du chômage. Depuis 1995, d'importants investissements dans le domaine touristique ont contribué à la relance de l'emploi. Malgré les dommages causés, en 1999 par l'ouragan Floyd, aux infrastructures et aux cultures agricoles, l'économie a progressé de 6 % cette même année et continue à progresser.

Tourisme et finances, les mamelles de l'économie

Le pays est totalement dépendant de l'industrie touristique qui génère l'essentiel des devises étrangères. Le tourisme représente environ 60 % du produit national brut, l'un des plus élevés de la région Caraïbes, soit 15 000 US$ par habitant. Presque la moitié de la population vit de l'industrie touristique. On a compté 5 millions de touristes en 2005 et chaque année les îles reçoivent dix fois plus de touristes qu'elles ne comptent d'habitants. Les Etats-Unis constituent le principal vivier de population touristique des îles, soit 82 % ; le Canada et les Européens arrivent ensuite à égalité. La construction d'hôtels, de complexes et de résidences est un facteur de croissance important du PIB. L'immatriculation de bateaux est également une source de revenus importante puisque seul 0,2 % des bateaux immatriculés aux Bahamas appartient à des ressortissants locaux. Les Bahamas sont aussi la première place financière off shore du monde. Le secteur bancaire extraterritorial s'est développé depuis l'indépendance. Ici les banques prospèrent. On ne compte pas moins de 400 établissements financiers de 36 pays dont certaines enseignes françaises. La finance est le second secteur de l'économie locale et représente 25 % du PNB. Le pays est un paradis fiscal et un centre bancaire pour les non-résidents, vaste plateforme d'accueil de sommes considérables, encore trop souvent d'origine occulte. Les compagnies d'assurances sont également très présentes, ainsi que les fonds mutuels et les sociétés d'investissement. En janvier 1990, la International Business Company Act (IBC), loi sur les compagnies d'affaires internationales simplifiant et réduisant la contribution des compagnies non résidentes, renforce la position du pays comme centre financier de pointe. Le secteur financier emploie environ 4 000 personnes dont 95 % de Bahaméens.

Industrie et agriculture, deux secteurs à la traîne

L'agriculture et l'industrie (ciment, sel, rhum, raffinage du pétrole, transformation de produits, produits pharmaceutiques) ne pèsent que 10 % du PNB. Langoustes et poissons sont exportés, mais ne sont pas élevés industriellement. L'agriculture, qui produit principalement des légumes et de la volaille, est le fait de petits exploitants. Elle n'emploie que 5 % de la population. Cultures vivrières ou minuscules plantations cherchent cependant à tirer le meilleur parti d'un sol pauvre en eau. L'essentiel des produits agricoles est consommé localement.
Cependant, ni la pêche ni l'agriculture locale ne suffisent à couvrir les besoins de l'archipel, à cause des centaines de milliers de touristes à nourrir, et les Bahamas doivent importer des produits agricoles comme des poissons et autres produits de la mer. Ces deux domaines progressent peu malgré les incitations gouvernementales.

Impôt ? Connais pas...

Aux Bahamas, les entreprises pas plus que les individus ne sont imposés directement. Les recettes du gouvernement proviennent de la perception de droits de douane, de droits sur le trafic aérien, et des droits à payer pour l'obtention d'un permis. L'absence d'imposition attire les investisseurs étrangers qui sont accueillis à bras ouverts, notamment dans les domaines du tourisme, de l'élevage de crevettes, de la production laitière et de fruits et légumes.

Les partenaires économiques

Le pays est totalement dépendant de ses importations, soit plus de 250 millions de dollars par an pour les seuls produits alimentaires, ce qui représente 80 % de la consommation. Les Etats-Unis fournissent 90 % des importations. Les exportations concernent principalement le poisson, la langouste, le rhum, le sel, les fruits et légumes et pèsent 536 millions de dollars (chiffres 2000). Les principaux partenaires économiques des Bahamas sont pour l'exportation les Etats-Unis (28,2 %), devant la France (16,5 %) et l'Allemagne (14 %), et pour les importations les Etats-Unis (32 %), la Corée du Sud (19 %) et l'Italie (18 %). Compte tenu de sa proximité avec les Etats-Unis et de sa complexité, le territoire est utilisé comme plate-forme d'émigration illégale vers les Etats-Unis. L'inflation est maintenue à un taux faible de l'ordre de 1,5 % par an.

Relations internationales

Les Bahamas sont membre des Nations unies et de l'Organisation internationale du travail, de la Communauté des Caraïbes (Caricom), du Mouvement des pays non alignés. Le groupe d'Action financière sur le blanchiment des capitaux a rayé les Bahamas de la liste des « pays non coopératifs ». Les Bahamas ne font pas partie de l'OMC, mais ont signalé leur intention d'y adhérer. En juillet 2000, le conseil général de l'OMC leur a accordé le statut d'observateur en prévision de leur adhésion.

Population et mode de vie

L'archipel des Bahamas compte 303 770 habitants selon les chiffres du dernier recensement de janvier 2009. La population des îles est noire à 80 %, métisse à 10 % et blanche à 10 %. La plus grande concentration de population, soit 68 %, se trouve sur l'île de New Providence qui abrite la capitale Nassau. Freeport, la capitale de Grand Bahama, est le second foyer de population, avec 16 %. La densité de la population est de 19,8 hab./km².

POPULATION

Les origines

Les plus anciennes familles bahaméennes ont des racines qui remontent aux premiers émigrants, c'est-à-dire il y a plus de deux siècles. Les îles ont été peuplées en plusieurs vagues : les premiers furent les colons anglais, puis vinrent les loyalistes américains qui fuyaient la révolution américaine.
Cette vague d'émigration a amené sur les îles deux catégories de colons : d'une part, les fermiers qui arrivèrent avec de larges familles et environ une centaine d'esclaves, et s'installèrent sur les îles extérieures ; d'autre part, les marchands et les militaires qui s'installèrent à Nassau espérant repartir en Amérique dès la fin de la guerre et qui étaient hostiles à toute forme de promiscuité raciale.
Ensuite, ce fut le tour des sudistes qui débarquèrent après la guerre de Sécession. Beaucoup de ces colons arrivèrent avec leurs esclaves.
A cette époque, les esclaves africains représentent la population la plus importante des îles. Ils arrivent des zones côtières de l'Afrique de l'Ouest et du Congo et sont issus des tribus Ashanti, Yoruba, Madingo, Fulani et Ibo. Ce sont les descendants des planteurs et de leurs esclaves qui comptent parmi les plus anciennes familles de l'archipel.

Hymne national bahaméen

Lift up your head to the rising sun, Bahamaland ;
March on the glory, your bright banners waving high.
See how the world marks the manner of your bearing !
Pledge to excel thro' love and unity,
Pressing onward, march together to a common loftier goal ;
Steady sunward, thro' the weather hide the wide and treach'rous shoal.
Lift up your head to the rising sun, bahamaland ;
Til the road you've trod lead until your God,
March on Bahamaland !

Timothy Gibson (1903-1978)

Une population jeune, urbaine et peu métissée

Les Bahamas avaient jusqu'à très récemment le deuxième taux de natalité le plus élevé au monde. Résultat : 60 % de la population a moins de 30 ans. Les femmes sont mères très jeunes, mais le nombre d'enfants dans la famille s'est considérablement réduit.
La population est essentiellement urbaine, 80 % se concentrent dans les grandes villes. Ainsi Nassau regroupe 200 000 personnes, soit 68 % de la population et Freeport compte 40 000 hab. Le reste de la population est éparpillé sur une quinzaine d'îles extérieures. Abaco, Andros et Eleuthera sont les principaux foyers habités. Plus les îles sont méridionales, moins elles sont peuplées. Et certaines d'entre elles se dépeuplent.
80 % de la population est noire, 10 % est blanche, d'origine anglaise, irlandaise, grecque, libanaise. Le métissage est quasiment absent des Bahamas. Toute trace de la population

amérindienne originelle a disparu depuis les premières années de la colonisation espagnole.
Les relations interraciales sont harmonieuses en apparence, même si les Bahaméens blancs souffrent d'un complexe de supériorité compte tenu de leur ascendance, et si les populations noires étrangères, notamment les Haïtiens, sont regardées avec un mépris certain.

Une mosaïque de micro communautés

La population bahaméenne, c'est aussi une population mosaïque composée d'un agglomérat de micro communautés arrivées sur l'île en vagues bien distinctes, liées à une activité économique ou à des remous politiques spécifiques.
Les communautés de descendants des loyalistes sont fières de leur ascendance et se revendiquent comme les plus « vrais » des Bahaméens. On en rencontre à Eleuthera, à Spanish Wells et à Harbour Island, à Abaco, à Marsh Harbour, à Cherokee Sound, à Green Turtle et à Treasure Cay... La plupart de ces établissements datent des vagues d'émigration loyaliste et sudiste.
Les descendants blancs des premiers colons sont appelés familièrement les « Conchy Joes » et ils sont aisément identifiables à leur peau claire, leurs cheveux blonds et leurs yeux bleus ou verts. Leur accent est sensiblement différent de celui des Bahaméens noirs. D'une manière générale, les Bahaméens blancs ont des positions sociales élevées, hommes d'affaires, propriétaires terriens, commerçants...
On pourrait s'étonner de voir sur les hauteurs de Nassau une église orthodoxe grecque traditionnelle. C'est qu'il existe une communauté grecque très active dans cette ville. Son origine remonte au début du XXe siècle quand la pêche à l'éponge battait son plein. Après le déclin de cette activité, les Grecs se sont volontiers tournés vers des activités commerciales et nombre d'entre eux possèdent des boutiques de duty free.
Les Cubains sont aussi présents notamment à Nassau. L'émigration cubaine est récente, liée aux problèmes politiques, sociaux et économiques de l'île voisine. Les Cubains possèdent souvent des commerces et des négoces et maintiennent vivantes leurs racines culturelles.
La dernière communauté notable est celle des Haïtiens qui émigrent pour la plupart

Les Abacos

clandestinement dans l'espoir de trouver du travail et de meilleures conditions de vie. Les autorités bahaméennes sont très strictes et les renvoient le plus souvent dans leur pays. Ils sont principalement employés pour des travaux pénibles que les Bahaméens refusent d'exécuter, comme la construction et l'agriculture. Ils sont d'autant plus mal intégrés que la langue constitue une barrière.
Enfin, il ne faut pas oublier une dernière communauté, très présente à New Providence, les retraités et résidents nord-américains qui colonisent les *condominiums* et les villas de bord de mer. Affichant un pouvoir d'achat élevé, ils constituent une manne financière non négligeable et influencent notablement l'offre touristique et commerciale (restaurants, bars, boutiques, spectacles...), notamment à Nassau.

Des patronymes hérités de la période de l'esclavage

Dans les villages des îles extérieures, les habitants portent le nom des plantations qu'occupèrent leurs ancêtres. Certains villages ne comptent qu'un nom de famille que tous les gens se partagent, ainsi à Man o War, tous les habitants s'appellent *Albright*, à Spanish Wells (Eleuthera), la moitié de la population porte le nom de *Pinder. Saunders*, *Malone*, *Lowes*, *Bethels*, *Alburys* sont autant de patronymes loyalistes que les familles sont fières de porter.

MODE DE VIE

American way of life

Le mode de vie bahaméen est très influencé par celui des Etats-Unis. Cette influence est particulièrement notable chez la jeune génération, qu'il s'agisse du langage, de la mode vestimentaire, de la musique et de la danse, de la nourriture et des références culturelles en général. Ainsi, les grandes chaînes de restauration rapide américaines sont largement représentées sur les îles et les hamburgers remplacent de plus en plus le traditionnel *peas'n rice*. Les jeunes Bahaméens qui font preuve de facilités particulières sur le plan sportif peuvent bénéficier aisément de bourses d'études aux Etats-Unis.

Éducation

Les Bahaméens sont bien éduqués et le taux d'analphabétisme est de l'ordre de 2 %. Le modèle d'éducation bahaméen est largement inspiré du système britannique. Les jeunes bénéficient d'une solide éducation. L'école est obligatoire jusqu'à 16 ans depuis une loi de 1996 qui a fait passer l'âge minimum pour quitter l'école de 14 à 16 ans. Ecoliers et lycéens portent un uniforme selon les traditions britanniques. La plupart des écoles sont adossées à une église. Pour les études supérieures, l'hôpital Princess Margaret abrite une école d'infirmières. L'université des Indes occidentales possède des campus sur différentes îles voisines (un campus à Kingstown en Jamaïque, un à Trinidad et Tobago, un à La Barbade et, dans l'archipel, deux campus à Nassau et un à Freeport). Pas moins de 14 nations des Caraïbes de langue anglaise partagent l'administration de cette université qui accueille sur chacun de ses campus des étudiants de tous ces Etats. Les Bahamas se sont fait une spécialité de l'enseignement dans le domaine du tourisme, l'université des Indes occidentales pour le management hôtelier et le tourisme est basée à Nassau.

La plupart des jeunes doivent s'expatrier pour leurs études supérieures, en Grande-Bretagne et aux Etats-Unis, profitant d'accords et de bourses. Une fois diplômés, ils sont nombreux à revenir sur leurs îles natales.

Langue

L'anglais est la langue officielle, parlée par l'ensemble de la population bahaméenne. L'accent en est un peu traînant, langueur caraïbe oblige, mais il reste parfaitement compréhensible après une courte acclimatation.

Certains vocables sont cependant adaptés, avec inversion de lettres (*aks* pour *ask* par exemple). C'est ce que l'on appelle le « *broken english* ».

Les vrais Bahaméens pratiquent également un patois qui varie sensiblement d'une île à une autre. Les divers accents bahaméens résultent de l'isolement des communautés qui vécurent longtemps en autarcie. Ce langage populaire est maîtrisé par l'ensemble de la population, mais surtout utilisé par la population noire. Il a des airs de famille avec le « Gullah », patois de Caroline du Sud. L'origine du patois bahaméen remonte à la période de l'émigration des loyalistes sur les îles et du parler typique qu'ils amenèrent avec eux.Les esclaves africains, les puritains anglais et les autres émigrants ont eux aussi laissé leurs influences et contribué à la naissance de ce patois métis. A Spanish Wells, les descendants des loyalistes parlent un étrange patois, combinaison de patois bahaméen, d'argot anglais et de parler irlandais.

Religion

La religion est une affaire sérieuse aux Bahamas. Pour s'en convaincre, il suffit de dénombrer les églises de multiples obédiences qui essaiment dans les îles et d'observer les foules endimanchées qui se précipitent dans la moindre chapelle le dimanche matin. Le soir, les ouailles fréquentent également les églises, répétant les chants religieux du dimanche. La vie religieuse fait partie intégrante de la vie sociale. Tradition puritaine oblige, certaines îles sont particulièrement dévotes ; ainsi à Spanish Wells, on est même allé jusqu'à interdire la vente d'alcool ! Les affaires religieuses font la une des quotidiens locaux. L'immense majorité des Bahaméens sont chrétiens, baptistes ou anglicans, héritage britannique oblige. Les églises adventistes, pentecôtistes, réformistes, et autres nouvelles églises aux noms folkoriques proches des sectes ont recruté des fidèles à l'instar des autres îles des Caraïbes. L'obeah est l'équivalent local du vaudou haïtien ou de la santeria cubaine. Syncrétisme entre religion chrétienne et anciennes croyances africaines, ce système de croyances populaires gouverne les relations entre les êtres animés et le monde des esprits.

Arts et culture

ARCHITECTURE

L'architecture traditionnelle bahaméenne est un héritage direct des premiers colons venus du Sud de l'Amérique. Leur maîtrise de la construction navale en bois sera appliquée à la construction de leurs maisons. Ils bâtissent leurs modestes cases en bois avec les ressources locales. La taille de la maison est fonction de la longueur des troncs utilisés et la plupart d'entre elles mesurent 9 m sur 12. Les maisons sont construites en hauteur pour éviter les inondations. En fonction de ses moyens, le propriétaire ajoutait un niveau, un auvent, une véranda sur un, deux ou trois côtés de la maison, protégée par une avancée du toit décorée de lambrequins de frises en bois découpé, soutenue par de fines colonnettes de bois, une terrasse en bois ciselé, des murets festonnés, qui permettent de prendre le frais et de recevoir.

Dans nombre de villages les cases de bois affichent des couleurs de maisons de poupées. Raffinées et secrètes, les cases créoles, toutes de lattes de bois, sont en général bicolores, blanches avec une couleur dominante toujours éclatante, rose vif, bleu turquoise, jaune mimosa, rouge, indigo, mauve, vert d'eau, bref toutes les nuances de la gamme sont utilisées et contrastent gaiement avec le bleu du ciel. De petits jardins aux pelouses impeccablement tondues sont abondamment fleuris de bougainvillées, d'hibiscus, et autres fleurs tropicales qui dégringolent des murs en cascades colorées violacées et rose fuchsia. Les jardins enserrent la case bahaméenne, tels des écrins de couleurs qui soulignent son aspect naïf. Les villages traditionnels sont un véritable festival de couleurs, source d'inspiration des aquarellistes du cru. Nombre de ces anciennes demeures existent encore aujourd'hui et sont protégées tels des joyaux du patrimoine national ; on admirera notamment à Nassau la « Balcony House », la maison la plus vieille de l'île et sur la baie de Harbour Island un cottage de colons loyalistes datant de 1797, maintenu en l'état. Cette tradition architecturale perdure.

Plus tard, des demeures coloniales cossues, construites en pierre, avec véranda et colonnes, furent bâties par les planteurs américains qui émigrèrent sur les îles. Ce style architectural, très « Autant en emporte le vent » a perduré dans le courant du XIXe siècle. On retrouve la magie luxueuse des anciennes demeures coloniales dans les quartiers huppés sur les hauteurs de Nassau. Cependant, la plupart des plantations sont aujourd'hui en ruine. Plus récemment, pour satisfaire la demande touristique et répondre aux normes d'un tourisme « à l'américaine », certaines régions ont laissé pousser des constructions de béton démesurées sans le moindre souci d'esthétique. La zone touristique de Cable Beach sur New Providence, Paradise Island, et Lucaya sur l'île de Grand Bahama, hérissées de vilains buildings géants, en sont les meilleures illustrations.

BUSH MEDICINE

La médecine traditionnelle, la *bush medicine*, est pratiquée par les Bahaméens depuis des siècles. Les traditions africaines sont à l'origine de ces savoirs si particuliers qui ont envahi les îles pendant la période de l'esclavage. Le *medicine man* est un legs de la culture africaine et les traditions sont transmises principalement de mère en fille. Les habitants de Cat Island, qui ont une réputation de longévité, la doivent à leur connaissance et à l'usage régulier des plantes que tout un chacun possède dans son jardin.

Plus d'une centaine de plantes sont répertoriées sur les îles pour leurs effets thérapeutiques, la plus connue étant l'aloe vera qui soigne les brûlures et a des effets laxatifs. Citons également le Kalamame qui joue le rôle de Viagra naturel, ou le *soricy* qui soigne les rhumes et la gorge.

La bagarine, l'hibiscus, la sauge et bien d'autres font la joie des apothicaires en herbe. De nos jours, l'isolement de certaines îles extérieures a contribué à préserver les pratiques traditionnelles.

FÊTES ET FESTIVITÉS

Un carnaval appelé « *Junkanoo* »

Le carnaval est une des expressions les plus authentiques de la culture bahaméenne. Il est une tradition très vivante sur toutes les îles de la région Caraïbes, de Cuba à Trinidad.

La célébration du carnaval date de la conquête espagnole, époque où les colonisateurs l'importèrent en Amérique. A l'origine, les deux périodes de sa célébration correspondaient aux jours précédant le Carême et le solstice d'été. Le carnaval est avant tout une fête populaire où l'improvisation collective joue un grand rôle. Toutes les classes de la société y participent. Aux Bahamas, il s'appelle «*Junkanoo* ». L'origine de ce mot est incertaine ; il dériverait du nom « John Canoe » d'un chef de tribu africaine qui demanda et obtint l'autorisation de célébrer des fêtes avec sa tribu après leur déportation sur les îles. D'autres en tiennent pour l'hypothèse du terme français « gens inconnus » qui désignerait les danseurs masqués. L'histoire du *Junkanoo* prend sa source dans une tradition datant de l'esclavage, aux XVIe et XVIIe siècles, quand les Africains se voyaient accorder trois jours de liberté pour célébrer Noël. Equipés de masques, de tambours et de cloches, ils défilaient bruyamment dans les villages des îles. Après l'abolition de l'esclavage, le *Junkanoo* disparaît quasiment, pour mieux renaître aujourd'hui. Il est l'équivalent du carnaval de Rio, ou du Mardi gras de La Nouvelle-Orléans. Les îles voisines de la Jamaïque, des Bermudes, de Trinidad possèdent elles aussi un carnaval du même type.

Les 26 décembre et 1er janvier, ce carnaval haut en couleur est célébré avec effervescence un peu partout sur les îles de l'archipel. Les rues retentissent des accords joyeux du *goombay*, la musique traditionnelle aux rythmes endiablés, qui accompagne le défilé, qui se nomme le « *Junkanoo Rush Out* ». La musique se rythme aux sons des tambours tendus de peaux de chèvre, des cors, des cloches de vaches en cuivre qui tintent gravement, et des sifflets qui stridulent. D'autres instruments moins traditionnels comme les cuivres, les trompettes, les trombones ont fait leur apparition plus récemment.

Les festivités atteignent leur paroxysme à Nassau, le jour du Boxing Day (26 décembre) quand le défilé démarre aux petites heures du jour, de 2h à 8h du matin. Sur Grand Bahama, le défilé se déroule le Jour de l'an à partir de 17h. Les groupes qui peuvent atteindre jusqu'à un millier de personnes sont organisés par thèmes gardés secrets, exprimés dans les costumes, la musique et la chorégraphie ; les différents groupes préparent leur défilé durant de longs mois avant d'apparaître publiquement le grand jour.

Les masques et les costumes rappellent les traditions et les coutumes du passé, un passé aux racines africaines, dont les différences culturelles se reflètent dans les groupes qui défilent. A l'issue de la parade, un comité de juges décerne les prix qui récompensent les meilleurs groupes. Une fois l'effervescence du *Junkanoo* retombée, les groupes se lancent très vite dans la préparation du carnaval de l'année suivante.

Junkanoo Parade à Nassau

Les Rhyming Spirituals

Par Diana Hamilton

A la fin de la guerre d'Indépendance, les loyalistes, restés fidèles à la Couronne anglaise, se réfugièrent sur les îles, emmenant avec eux leurs esclaves. C'est ainsi que les *Rhymings*, déjà chantés dans les plantations du Sud, s'enracinent dans la culture bahaméenne. Cette tradition, très empreinte de religiosité bien qu'elle se soit souvent transmise hors des murs de l'église, s'appuie largement sur l'imagerie biblique, des événements communautaires, et de la mer. On chante la foi, l'optimisme, la passion, mais aussi la fatigue et le combat.

Les *Bahamian Rhymings Spirituals* se chantent sans artifice et sont restés très authentiques notamment sur l'île d'Andros, où ils trouvent leur véritable expression dans la personnalité du légendaire guitariste et chanteur John Spence, à qui l'on se référait comme à « la voix du ciel ». Ces magnifiques hymnes et chants *a cappella*, liés à la mer, à la vie, à la mort, nous font voyager au temps des pêcheurs d'éponge. Ils sont l'expression la plus touchante et la plus étonnante de la musique et de l'âme profonde du petit peuple bahaméen. Les créateurs de ces chants assument un long héritage, tout en affirmant leur propre originalité. Ils créent ainsi un nouveau chaînon singulier dans l'évolution des sensibilités musicales depuis celle, non tempérée, de l'Afrique originelle, jusqu'à celle, bien connue, du gospel afro-américain d'aujourd'hui.

MUSIQUE

La musique locale est le *goombay*, mot bantou pour rythme, qui mélange des rythmes africains aux mélodies de la vieille Europe. Ce nom rappelle également les tambours tendus de peaux de chèvre qui donnent le tempo. Traditionnellement cette musique accompagne les danses du quadrille ou de la polka.

Les orchestres de *rake and scrape* interprètent le *goombay* avec des instruments improvisés qui accompagnent l'accordéon et la guitare, les maracas et un violon.

Des instruments plus modernes tels le saxophone ou la guitare électrique se sont ajoutés. Le gospel est très présent dans les célébrations religieuses, héritage du passage des loyalistes du sud des Etats-Unis. La congrégation chante accompagnée par des danses spirituelles et des applaudissements.

Il existe un célèbre studio d'enregistrement à Compass Point, le studio d'Island Records du Jamaïcain Chris Blackwell.

De nombreuses stars internationales, des Rolling Stones à Lenny Kravitz y enregistrent régulièrement avec des musiciens locaux.

La danse traditionnelle du *Jump in Dance*, consiste en un cercle de danseurs qui choisissent une personne qui danse en solo au milieu du cercle accompagnée par les chants et les clappements de main ; au bout de quelques minutes, le danseur du centre choisit un autre danseur pour accomplir sa performance au centre du cercle.

PEINTURE

Inspirés par les couleurs omniprésentes, celles de la mer, celles des flots de fleurs jaillissant avec profusion du moindre jardin, celles des maisons de bois aux lattes de bois peintes de teintes vives, les artistes locaux ont développé des talents d'aquarellistes.Sur toutes les îles, des galeries exposent des aquarelles de bonne facture pour des prix, somme toute, raisonnables. Paysages et marines sont les sujets les plus travaillés. Mais le grand peintre des Bahamas est sans conteste Amos Fergusson dont la renommée a largement franchi les récifs coralliens pour intéresser les grands musées du monde. Il est à lui seul la figure emblématique de la peinture bahaméenne, naïve et colorée (voir la rubrique « *Enfants du Pays* »).

Cuisine bahaméenne

La cuisine des Bahamas témoigne de l'immense diversité des produits locaux, qu'ils viennent de la terre ou de la mer. Cette gastronomie a su décliner les bienfaits d'une nature particulièrement généreuse dans une cuisine riche aux multiples influences.
La cuisine locale est un mélange d'empreintes britanniques, espagnoles, africaines et américaines, qui s'entremêlent pour donner une gastronomie originale aux saveurs diverses. C'est de ce mélange qu'elle tient son originalité et le moins que l'on puisse dire, c'est que la gastronomie locale n'engendre pas la monotonie. Colorée, pleine de vie, exotique, savoureuse, épicée, la cuisine bahaméenne est une cuisine traditionnelle et sophistiquée.

LES PRODUITS CARACTÉRISTIQUES

Un potager très fourni

De très nombreux légumes courants sous nos latitudes sont originaires de cette partie du monde, héritage des civilisations précolombiennes, comme les pommes de terre, le maïs ou le manioc. D'autres ont été importés au cours des grands voyages de découverte, dès les premiers pas de la colonisation, et se sont parfaitement acclimatés, tel l'arbre à pain et ses fruits très nourrissants rapporté des îles du Pacifique.
Il est bien difficile de dresser un panorama exhaustif du potager local. Avocats, patates douces, gombos verts et tendres, aubergines, poivrons verts ou rouges, haricots verts, rouges ou noirs, christophines – les chayottes provençales –, giraumons, potirons, tomates, oignons, le moins que l'on puisse dire de la palette des légumes, c'est qu'elle dépayse agréablement le palais.
Cependant l'agriculture locale est avant tout vivrière, et rares sont les fermes qui produisent en grande quantité. La diversité des légumes des plus classiques aux plus exotiques exalte l'imagination des cuisiniers.
Le *breadfruit*, le fruit de l'arbre à pain, est connu sur les îles grâce au capitaine Blight, celui-là même qui connut quelques déboires à bord de son navire le Bounty dans l'océan Pacifique. Ce gros fruit qui pèse environ deux kilos pousse sur un arbre aux feuilles immenses et se prête à toutes sortes de préparations. Les arbres procurent également des noix dont certaines se consomment telles l'amande et la noix de macadamia. Le *ackee*, fruit de l'*akaesia*, fut introduit dans la région au XVIIIe siècle par les esclaves noirs en provenance de l'Afrique de l'Ouest. Le fruit assez volumineux révèle trois globes de chair jaune et trois gros noyaux cachés sous une coque dure et rouge qui émet un gaz empoisonné en s'ouvrant. Le fruit n'est mûr qu'ouvert, fermé le *ackee* est vénéneux. Cuit, il prend l'apparence et le goût des œufs brouillés. Le manioc est un héritage précolombien, ses racines donnent une farine qui sert de base à de nombreuses préparations.
Le gombo est un petit légume vert qui se mange jeune et tendre. La patate douce a une chair ferme et sucrée. L'igname aux tiges grimpantes dont les racines se mangent après avoir été râpées est cuisiné en chips, en boules frites ou rôti. Le *callalou* est l'épinard local ; le potiron ou courge donne des soupes onctueuses et savoureuses qui ouvrent souvent un repas local. Les piments, les poivrons oiseaux, picorés par les oiseaux qui leur ont donné leur nom, relèvent chaleureusement la table. Parmi les légumes familiers, citons tomates, poivrons très présents dans la cuisine locale, maïs, lui aussi un héritage des premiers Indiens.

Le paradis des fruits

Si les fruits sont aujourd'hui innombrables sur les îles, il n'en a pas toujours été ainsi. A son arrivée dans le Nouveau Monde, Christophe Colomb n'y découvrit que peu de fruits indigènes, tels l'ananas et la goyave. Très vite, les échanges commerciaux avec les autres régions du monde, Afrique, Asie et Pacifique, vont permettre l'introduction de nouvelles espèces qui s'adapteront merveilleusement à leur terre d'asile. Ainsi, le citron et la canne à sucre sont originaires d'Asie, la mangue vient des Indes, un des héritages de la colonisation britannique, et la noix de coco de Malaisie. Tous les fruits exotiques les plus incroyables, connus et méconnus, aux parfums et aux saveurs riches et subtiles, sont au rendez-vous des tables bahaméennes.

Parmi les plus connus, citrons verts ou jaunes, oranges, mandarines, bananes, avocats, pastèques juteuses, pommes, ananas, noix de coco, prennent des saveurs exceptionnelles. On découvrira avec plaisir les moins communs, cédrats, papayes rafraîchissantes, caramboles sucrées et acidulées, plus décoratives que gustatives, fruits de la passion à la pulpe acidulée, goyaves aux graines dures, canne à sucre, corossols acidulés et rafraîchissants, pommes cannelle, caïmitiers aujourd'hui démodés, sapotilles au goût d'abricot ; les fruits rivalisent de couleur et de saveur. En sorbets, jus, cocktails, salades ou tels quels, on peut savourer des fruits tout au long de la journée.

Poissons et crustacés à l'honneur

Aux Bahamas, la mer se montre très généreuse, comment pourrait-il en être autrement avec autant de côtes et des eaux aussi poissonneuses ? Toutes les îles sont quotidiennement approvisionnées en poissons et en crustacés fraîchement pêchés. L'océan Atlantique, avec ses récifs coralliens, donne des poissons de toutes sortes, habitués des récifs coralliens ou migrateurs, espadon, mérou, *wahoo*, mahi mahi, langoustes pêchées au filet ou élevées en casier, crevettes, crabes, coquillages…

La tradition de la pêche perdure et, tout au long des côtes, se succèdent de petits villages de pêcheurs dont les barques colorées reposent sur le sable. Souvent regroupées en coopératives, les communautés de pêcheurs déversent sur les marchés des produits frais.

Ici, on n'est jamais à court d'idées pour accommoder le poisson, servi grillé, en sauce, relevé d'épices… Espadons, thons, rougets et daurades, parmi les plus courants, alimentent la table bahaméenne. Le mérou (*grouper*), véritable institution de la cuisine bahaméenne, s'accommode de différentes façons, en sauce à la mangue, au vin blanc, en sauce relevée d'épices. Les « *grouper fingers* » sont des filets débités en lamelles et frits en beignets servis en hors-d'œuvre. Le *bonefish,* ou albula, est le plus souvent cuit au four et servi nappé d'une sauce épicée. Les crustacés et les fruits de mer sont légion. La langouste grillée, arrosée d'un filet de citron vert, est incontestablement la reine des tables touristiques, ainsi que les crevettes. La langouste locale (d'avril à août) « *rock lobster* », sans pinces, mais avec la carapace recouverte d'épines, est une variété locale qui abonde. Elle est servie grillée ou au curry, accompagnée de noix de coco. Les crabes sont, eux aussi, fort savoureux. Le crabe de terre, *land crab*, cousin du crabe de mer dont la chair est savoureuse, abonde en été quand les averses le délogent de sa tanière au crépuscule. On le cuit dans sa coquille, type crabe farci, avec des épices. La tortue, malgré une protection officielle de l'espèce, est parfois servie en soupe.

Le lambi dans tous ses états

Le lambi, ou *conch*, tient une place d'honneur dans la table bahaméenne. Contrairement aux îles voisines où l'on impose l'interdiction de la pêche pendant les périodes de reproduction, et où certains se damneraient pour en consommer, la pêche et la consommation de lambis ne connaissent pas de trêve aux Bahamas, ce qui n'est pas sans inquiéter les spécialistes et militants écologiques.

Ce coquillage très courant est lié aux rites les plus anciens ; les Amérindiens l'ont sculpté en outils, en bijoux, l'ont utilisé comme instrument de musique et de communication. Aujourd'hui, une fois consommé, il sert à la décoration des jardins ou des intérieurs bahaméens.

Repas servi au Graycliff à Nassau

Le lambi, ou *conch*, est un grand mollusque qui se cache sous une coquille plutôt grossière de bonne taille. Sa chair blanche et très ferme devient un rien caoutchouteuse à la cuisson, c'est pourquoi elle nécessite une préparation particulière avant toute cuisson. Attendrie en général à la main, salée, fraîche et crue, taillée en petits dés, relevée de poivrons rouges et d'oignons, la *conch* est au cœur de délicieuses salades, *conch salad*, aromatisée d'oignons, de céleri, de coriandre, marinées dans le citron vert. Le consommé de lambi, *conch chowder*, est une soupe épaisse et relevée de conques rissolées, avec tomates, bacon, carottes, poivrons doux, pommes de terre, oignons, thym. Les *cracked conch* sont des beignets de lambis frits dans une pâte après avoir été attendris manuellement, servis accompagnés de frites. Les *conch fritters* sont des beignets d'un mélange de lambis, de poivrons, d'oignons, de tomates, en boulettes, enrobés d'une pâte de maïs, servis en entrée avec une sauce mayonnaise ou tartare.

Un régime également carné

Poulet, mouton, porc et bœuf sont très présents sur les cartes des restaurants. La viande de bœuf est importée, et en général d'excellente qualité. La viande rouge demeure rare dans la diète bahaméenne. Marinée dans de savoureux mélanges d'épices, elle est cuisinée en ragoût ou en grillade.

Épices

L'archipel est riche en épices aux saveurs multiples, franches ou nuancées. Cannelle, muscade, girofle, poivre et laurier font la joie des cuisiniers créatifs et des palais curieux et se retrouvent généreusement utilisés dans la cuisine des chefs… étrangers !
Les épices sont largement utilisées en décoction et pour relever des alcools.

LES BOISSONS

Parmi les boissons nationales le *goombay*, boisson pétillante et sucrée, sorte de punch aux fruits frais, est très populaire.

▶ **Le *switcher*** se fait avec le jus de différents citrons locaux.
Les fruits exotiques pleins de saveur et de vitamines se consomment en jus servis bien frais : mangues, fruits de la passion, goyaves, corossols…

▶ **L'eau de coco** délicieusement rafraîchissante est servie nature ou avec du lait et du gin.

▶ **La bière locale** est une blonde qui porte le joli nom de Kalik, très légère et blanche.

Kalik, la bière des Bahamas

La Heineken est brassée localement sous licence.

▶ **Le rhum** est la boisson nationale par excellence. Tous les degrés existent de 40 ° à 80 °. Le rhum bahaméen est le Nassau Royal. Il existe en version aromatisée, au coco ou à la banane. Si vous voulez apparaître comme un connaisseur, vous ne boirez du rhum qu'après le coucher du soleil comme le veut la coutume locale. On trouve aussi de la liqueur, Nassau Royale, qui est l'un des ingrédients de nombreux cocktails.

Cocktails

De ce côté, la carte est bien fournie, rhum et fruits obligent ! Quelques favoris des cartes des bars locaux :

▶ **L'eau de coco** battue au lait condensé et gin.

▶ **Planteur :** jus de limette, rhum et triple sec.

▶ **Bahama Mama :** rhum de canne et rhum de coco, jus de citron, d'ananas, d'orange et grenadine.

▶ **Yellowbird :** rafraîchissant mais corsé, rhum blanc, liqueur de banane, Brandy d'abricot, jus d'ananas.

▶ **Goombay Smash :** rhum, rhum de coco, jus d'ananas, de citron, triple sec.

LE RÉGIME BAHAMÉEN

Plats typiques

Si tout le monde connaît le *peas'n rice* (riz aux haricots) et les *fried conch*es (lambis frits), ce serait une erreur que de limiter à ces deux spécialités la carte bahaméenne. Épicée, subtilement relevée de saveurs tropicales, largement influencée par la cuisine du sud des États-Unis, la cuisine n'est jamais morose.

Le riz, aliment de base de la diète bahaméenne, tient une place de choix dans la table au quotidien.

Le *peas'n rice* ou *rice n'peas* est le plat basique de la table locale ; le riz est préparé avec des haricots ou des pois, cuisiné avec des tomates, relevé d'épices et d'oignons, avec parfois du bacon ; c'est un plat peu cher et nourrissant qui est fort populaire. Il accompagne presque toujours le plat principal, de viande ou de poisson.

Le repas typique démarre par un potage qui précède le plat principal. Le *breadfruit* (fruit de l'arbre à pain) cuit dans la braise et l'igname frit ou la banane plantain vapeur remplacent avantageusement la pomme de terre. La *souse* est une soupe traditionnelle dont les ingrédients (oignon, céleri, viande/poulet, pied de cochon ou langue de mouton ou queue de bœuf et poivrons) cuisent longuement dans l'eau.

Enfin quelques plats locaux portent de jolis noms tel le *fire engine*, un plat composé de corned beef et de riz blanc.

Un menu créole pourrait se composer comme suit :

- **Potage :** Chowder crémeux de conches ou soupe callalou.
- **Hors-d'œuvre :** Crabe farci ou filets d'espadon marinés.
- **Poisson :** Poisson volant au gingembre ou fruits de mer à la courge.
- **Accompagnement :** Igname rôti ou fruit de l'arbre à pain sauté.
- **Dessert :** Pain au coco ou beignets de citrouille.

Quelques gourmandises bien de là-bas...

Le *Johnny cake* est un petit pain de farine cuit à la poêle qui tirerait son nom de l'habitude que les marins avaient de l'emporter au cours de leurs voyages en mer ou «*journey*» ; on l'appelait alors le «*journey cake*» ; sa forme arrondie lui vaut d'être également appelé pain de lune. Il accompagne volontiers le petit déjeuner. On le retrouve également dans les îles hispaniques voisines sous le nom de «*yaniqueque*». Le *duff* à la goyave est un pudding bouilli, anglais d'origine, une espèce de gâteau roulé à la confiture de goyave, avec de la cannelle et de la muscade. Long à préparer et peu courant, il est souvent l'invité des tables de fête. Profitez de l'occasion si vous en croisez un sur une carte... La crème glacée à l'anone est également une gourmandise très prisée.

Modes de restauration

Influence américaine oblige, les Bahaméens ont une fâcheuse tendance à manger rapidement et à privilégier toutes les formes de restauration pratique. Ils mangent un peu n'importe où, sur un quai, sur une plage, dans une voiture... Ils sont nombreux à fréquenter les cafétérias et fast-foods. La cuisine à emporter a aussi les faveurs d'un grand nombre. Beaucoup de restaurants proposent une formule *take away* (à emporter) et un service de livraison à domicile.

Sur les Out Islands, de petits kiosques de nourriture à emporter ou à consommer sur place fleurissent en fin de journée.

Cuisine internationale à l'accent américain

Le développement touristique a popularisé une bonne cuisine internationale. Pizzas et hamburgers ne sont pas absents des cartes des restaurants ; que les inconditionnels se rassurent, les meilleures enseignes de fast-foods à l'américaine sont largement présentes. Les visiteurs américains ont importé avec eux les incontournables de la restauration classique. On trouve également des restaurants proposant une bonne cuisine italienne ou française.

Jeux, loisirs et sports

LE PARADIS DES PÊCHEURS

En matière de pêche, les Bahamas peuvent être qualifiées d'archipel de tous les records. Ici, les prises légendaires sont légion et tous types de pêche se pratiquent : la subtile pêche à la mouche dans les eaux peu profondes, la tranquille pêche côtière, la tonique pêche au gros, la pêche hauturière à la traîne…
Les îles les plus prisées par les pêcheurs sont Andros, Bimini, Grand Bahama, les Berry Islands, et Abaco. Dans cette région, les deux chenaux de New Providence et de Floride forment un gouffre de 3 000 m de profondeur caractérisé par une vie pélagique intense. Sur de nombreuses îles, la faible profondeur des platiers (*flats*) permet de pratiquer la pêche à pied, notamment dans les Joulter Cays du nord des Abacos.
De nombreux concours de pêche permettent aux plus fines lignes et moulinets de s'affronter, tels le Wahoo Fishing de Bimini et le Green Turtle Fishing Tournament pour les plus connus.

Les règles

Un permis de pêche est demandé pour les sorties en bateau. Le poids total des prises est limité à 10 kg par personne. Des poids minimums sont également imposés par espèce, 1,5 kg pour le mérou par exemple. Six dorades et sérioles peuvent être gardées, mais les autres poissons doivent être rejetés à la mer. Entre août et mars, six langoustes d'une taille minimum de 15 cm sans la tête, peuvent être pêchées. En mer, la touche entraîne les combattants à lutter plusieurs heures, sans céder un pouce de terrain. Le pêcheur ne peut être aidé qu'à remonter sa prise à bord.

Partir en mer

Dans chaque île, on trouve des marinas et dans chaque marina, on trouve des bateaux à louer, bien équipés pour la pêche avec, à la barre, des capitaines aguerris qui connaissent les meilleurs spots. En la matière, l'expérience du skipper est la clé du succès. Aucune difficulté

Pêche dans les eaux d'Eleuthera

donc pour la location de bateau. En revanche, il convient de réserver à l'avance son embarcation. Il faut compter environ 400 US$ par jour pour un à quatre pêcheurs.

Les meilleures périodes de l'année

- **Albula :** mars à septembre.
- **Amberjack :** été, automne.
- **Barracuda :** juin à août.
- **Espadon :** juin à septembre.
- **Espadon voilier :** mars à juin.
- **Maquereau :** printemps et été.
- **Marlin blanc :** mai.
- **Marlin bleu :** mai et juin.
- **Mérou :** hiver, début du printemps.
- **Palomine :** mars à août.
- **Snapper :** printemps et été.
- **Tarpon :** été.
- **Thon bleu :** mai.
- **Thon jaune :** mars à mai.
- **Thon noir :** mai à juillet.
- **Wahoo :** automne et hiver.

Calendrier des tournois de pêche

- **Wahoo King Fishing Tournament :** Bimini, janvier.
- **Bacardi Rum Billfish Tournament :** Bimini, mars.
- **Bahamian Outer Islands International Gamefish Tournament :** Long Island, mars.
- **Hemingway Championship Tournament :** Bimini, mi-mars.
- **His and Hers Tournament :** Berry Island, fin mars ou début avril.
- **Cat Cay Championship :** Cat Island, avril.

Le Grand Slam

Rares sont les bienheureux pêcheurs qui peuvent se vanter d'avoir réussi un Grand Slam ! Exploit mythique dans le monde de la pêche au gros, il consiste à attraper dans une même journée un espadon voilier, un marlin blanc et un marlin bleu.

- **Bimini Open Championship :** Bimini, avril.
- **Walker's Cay Fishing Tournament :** Abaco, avril.
- **Penny Turtle Billfish Ball :** Marsh Harbour, Abaco, avril.
- **Treasure Cay Silver Bullet Challenge :** Treasure Cay, mai.
- **Annual World Cup Blue Marin Tournament :** 4 juillet autour de San Salvador.
- **Annual Staniel Cay Bonefish Tournament :** Exuma, juillet.
- **Treasure Cay Summer Gamefish Tournament :** fin juillet.
- **Bimini Native Fishing Tournament :** Bimini, août.
- **Bonefish Festival :** Peace and Plenty Hotel, George Town, Exuma, août.
- **Small Boats Tournament :** Bimini, début septembre.
- **Bahama Bonefish Bonanza :** Peace and Plenty Hotel, George Town, Exuma, fin octobre.
- **Bimini Wahoo Fishing :** novembre.
- **Xanadu Wahoo Rodeo :** Freeport, Grand Bahama, novembre.
- **Wahoo Tournament :** Bimini, novembre.
- **Andros Big Yard Bonefish and Bottom Fishing Tournament :** Andros, fin novembre.

L'ARCHIPEL DE TOUTES LES PLONGÉES

La magie du grand bleu

Avec la troisième barrière de corail du monde derrière celles de l'Australie et du Bélize, qui se dresse sur plus de 250 km, plus de 4 000 km de tombants vertigineux, une profusion de mystérieux trous bleus s'enfonçant dans les abysses, de magnifiques jardins de corail aux couleurs insolentes, un nombre incalculable d'épaves de toutes les époques, les Bahamas sont reconnues comme une des meilleures destinations de plongée au monde, qu'il s'agisse de plongée avec bouteille ou de *snorkeling*.

Des plongeurs débutants aux plus aguerris, les amateurs de sensations fortes ou de simples découvertes marines, les accros des grands fonds, les amateurs de snorkeling, chacun trouvera une plongée à sa portée, de la plongée d'exploration à la simple découverte des récifs de surface.

On peut même « plonger » sans se mouiller en observant les fonds sous-marins depuis un bateau à fond de verre, c'est dire si les possibilités sont multiples.

Le corail est omniprésent dans les fonds marins des îles, des milliers de kilomètres de barrière de corail se déploient dans les eaux cristallines. Ayant pris naissance sur une vaste plate-forme océanique dont la profondeur ne dépasse pas 15 m, les formations coralliennes sont même parfois à demi immergées.

Des jardins de corail, qui peuvent s'explorer avec un simple masque et un tuba, se dessinent dans les eaux peu profondes, gigantesques réservoirs de vie et de nourriture pour tout type de vie sous-marine. Les conditions optimales sont ici réunies pour que le corail se développe à grande échelle. Les barrières de corail sont bâties sur plusieurs km et sont les plus importantes de toute la région Caraïbes.

Le relief sous-marin des îles est beaucoup plus tourmenté que celui de la surface. La topographie sous-marine est très diversifiée, tunnels, canyons, dômes, grottes, cuvettes creusées telles des arènes, murailles titanesques, cheminées, patates, épaves, tous peuplés d'une multitude de poissons tropicaux. Les trous bleus sont de vertigineux gouffres creusés à la verticale dans les récifs coralliens qui enferment dans leurs parois une eau d'un bleu profond.

Ces cheminées géantes se rencontrent parfois à terre et sont très nombreuses sur l'île d'Andros qui en compte environ 200. Grand Bahama est également très intéressante pour les amateurs de spéléologie sous-marine.

Une faune complexe et variée s'est développée dans cet univers. Les poissons de récifs émerveillent le visiteur sous-marin par la magnificence et l'insolite de leurs apparences. Fusiformes, plates, effilées, comprimées, la diversité de formes des poissons n'a rien à envier à la pluralité des robes qu'ils portent, des habits vivement colorés, des cuirasses d'or ou d'argent aux ternes tenues de camouflage. L'observation des mœurs et de la vie sociale des poissons est tout aussi fascinante. Au-delà de la barrière de corail, des tombants impressionnants dégringolent dans le bleu abyssal... De gros animaux pélagiques, requins, espadons, thazards, raies, tortues... peuplent cet univers fantastique.

Alors les plongeurs n'oublieront pas leur matériel et les débutants feront l'acquisition d'un masque, d'un tuba et d'une paire de palmes avant le départ pour profiter des innombrables possibilités offertes par les îles de l'archipel.

Les conditions de plongée

Les îles des Bahamas offrent des conditions de plongée tout à fait optimales et rarement égalées. Le gros atout des Bahamas en matière de plongée, outre sa faune sous-marine exceptionnelle, est l'extraordinaire visibilité qu'offrent les sites jusqu'à une soixantaine de mètres de profondeur. Le Gulf Stream agit comme une barrière océanique et protège l'archipel des trop-pleins des pluies et des eaux de rivières qui se déversent dans le golfe du Mexique, permettant aux eaux de rester cristallines. En plus du Gulf Stream, les Bahamas abritent des fosses sous-marines. Ce phénomène fournit les îles en eaux claires et permet aux sédiments de se déposer au fond de l'océan et non pas sur les récifs. Partout les eaux sont donc ultra limpides jusqu'à une grande profondeur. Aux îles, pas de courant intempestif, pas de vagues anarchiques, la mer est clémente, les courants peu fréquents et assez faibles garantissent des conditions de plongée optimales et confortables.

La douceur de la température de l'eau est exceptionnelle ; elle reste chaude tout au long de l'année et il n'est pas rare de trouver une eau à 29 °C à 30 m de profondeur en été, ce qui permet de plonger avec des équipements légers, voire sans combinaison.

Apprendre à plonger

Pour profiter pleinement et immédiatement du spectacle des fonds sous-marins, on conseillera aux débutants de prendre leurs premiers cours tant théoriques que pratiques en piscine avant le départ. Cependant, tous les centres de plongée proposent des initiations pour les novices avec environ deux heures de formation théorique et des baptêmes en piscine et parfois en mer dans des eaux peu profondes. Passé cette première initiation, ils découvriront la plongée sur un récif peu profond. On peut obtenir un brevet de plongée au bout de 3 à 5 jours de pratique. Les enfants dès 10 ans peuvent s'y initier et plonger sous la surveillance d'un adulte. Il y a 3 façons pour apprendre à plonger :

Le stage à l'hôtel : c'est une initiation courte de 2 heures environ qui n'est en rien un diplôme. Un cours théorique, une séance en piscine et une plongée sur un récif peu profond. On la désigne souvent comme une « introduction à la plongée autonome ».

Le stage pour obtention d'un brevet : ce « certificat de vacances » est une formation en alternance avec l'initiation à l'hôtel. En plus de la première étape, il faut répondre à un questionnaire, plonger en pleine mer et réussir un test final. Ce certificat s'obtient en 3 à 5 jours.

La formation théorique homologuée aux Bahamas : formation accélérée en 2 jours, cette formule intermédiaire se situe entre les deux précédentes.

Les centres de plongée

Aux Bahamas, proximité yankee exige et n'en déplaise aux plongeurs français qui préfèrent la fédération française (FFESMM), c'est la fédération américaine PADI (Professional Association of Diving Instructors), première organisation internationale de plongée, qui est de rigueur dans toutes les écoles de plongée. Les 22 centres de plongée de l'archipel appartiennent à la BDA (Bahamas Diving Association) dont les membres sont affiliés aux fédérations internationales et respectent les réglementations et standards de sécurité internationaux. Ils prennent en charge tous les plongeurs, des novices aux plus expérimentés, des plus jeunes (12 ans minimum) aux plus âgés. Les centres offrent plusieurs plongées quotidiennes et des plongées de nuit. Il est toujours préférable de réserver, quel que soit le type de plongée pratiqué. Pour toute information complémentaire, il faut prendre contact avec la Bahamas Dive Association (✆/Fax : (972) 267 6700 – bda@clinegroup.net) qui regroupe l'essentiel des centres de plongée des îles.

Équipement

Tous les centres offrent du matériel, masques, tubas, palmes, tenues Néoprène... à la location comme à la vente. Attention toutefois, les prix pratiqués sur place sont très élevés et le choix restreint. Mieux vaut donc partir avec son propre matériel, mais en cas de besoin, vous trouverez toujours sur place des palmes à vos pieds. Les eaux bahaméennes étant chaudes toute l'année, seules les plongées en eaux très profondes nécessitent une combinaison.

Sécurité

Quel que soit le type de plongée que vous pratiquerez, les centres de plongée exigeront un certificat médical d'aptitude à la plongée délivré par un médecin spécialiste. Si vous n'avez pas pensé à vous le procurer avant le départ, les centres possèdent des coordonnées de médecins aptes à délivrer ce certificat, mais cela vous fera perdre une demi-journée. Tous les bateaux de plongée sont équipés de radio VHF, de kit d'oxygénothérapie et de matériel de premier secours. Il existe un caisson de décompression à Nassau, un à Freeport sur Grand Bahama, un à San Salvador et un à Andros. Des évacuations aériennes sont prévues en cas de besoin depuis toutes les îles. Tous les centres de plongée sont équipés d'oxygène et de matériel de premier secours.

Quelques précautions élémentaires

Il ne faut pas plonger 24 heures avant de prendre l'avion.

Ne pas plonger malade ou à jeun.

Ne pas forcer la descente en cas de maux d'oreilles, le conduit auditif externe peut être infecté.

En cas d'essoufflement, cesser tout mouvement, reprendre son calme, récupérer un rythme respiratoire normal et arrêter la plongée.

En cas de refroidissement, il faut arrêter la plongée et se réchauffer.

La profondeur peut faire tourner la tête, la narcose peut commencer dès 30 m de profondeur. Dans ce cas, il faut remonter de quelques mètres et attendre la disparition des symptômes.

Respecter la mer

Les plongeurs se doivent de respecter l'environnement sous-marin et de suivre les règles imposées par les instructeurs. Ne pas toucher les poissons ou coraux, évidemment ne rien remonter à la surface.

L'absence du moindre des composants du milieu peut compromettre l'équilibre fragile du monde marin.

Attention aux palmes, aux genoux, aux appareils photo, qui peuvent heurter le fragile corail.

Casser un petit morceau de corail peut réduire à néant des décennies de développement.

À la découverte des fonds marins.

Eviter de plonger et de nager avec des bijoux brillants qui pourraient être confondus avec des sardines par de plus gros poissons.

Les différents types de plongées proposés

Snorkeling

Les plongeurs de surface pourront sans aucune difficulté découvrir des merveilles, armés d'un équipement simple, masque, tuba et paire de palmes.

De nombreux jardins coralliens se déploient à des profondeurs inférieures à 8 m et permettent une approche simple de la vie sous-marine même pour les enfants. La vie sous-marine y est dense, les poissons tropicaux y sont légion, ils sont une première initiation à la faune sous-marine.

Plongée sur épave

Les épaves sont très nombreuses dans les fonds bahaméens, victimes des pirates du XVIIIe siècle, des échoueurs du XIXe siècle, des tempêtes, des guerres et des accidents. Et comme si cela ne suffisait pas à la joie des explorateurs sous-marins, le gouvernement autorise de temps à autre le sabordage d'un bâtiment, vieux navire ou avion, qui servira à la stabilisation des fonds et au développement du corail et de la vie sous-marine ; par exemple celui du navire de guerre américain le *USS Adirondack*, vieux de 125 ans, qui gît dans les eaux de l'îlot Man o War où il fut coulé intentionnellement. La plupart des épaves reposent à moins de 18 m de profondeur. La moindre épave, enchâssée de corail, colonisée par des éponges tubulaires et arborescentes qui la protègent comme des tentacules maladroits, et habitée par des centaines de poissons, offre ses sensations toutes particulières.

Plongée de nuit

Tous les centres de plongée en proposent. Les plongées de nuit sont fort impressionnantes et réservent aux plongeurs beaucoup d'émotions uniques en leur genre. Elles se caractérisent par un champ de vision rétréci et offrent une autre approche du monde sous-marin. Les couleurs prennent alors toute leur intensité.

L'attention est focalisée par ce qui se détache dans le faisceau de la lampe. A la lueur d'une torche, on observera dans le faisceau lumineux des espèces qui ne se montrent et ne s'activent que la nuit pour se nourrir de plancton. En effet le phytoplancton descend dans les profondeurs de l'océan pour trouver des eaux plus fraîches durant les heures chaudes de la journée et remonte la nuit. Tous les organismes qui s'en nourrissent s'activent alors. Ce sera notamment l'occasion de découvrir la phase alimentaire du corail. En effet, le corail se déploie la nuit et capture le plancton qui est directement porté à l'estomac, par dilatation de ses polypes, parfois sur plusieurs dizaines de centimètres. De nombreux coquillages sortent du sable dans lequel ils s'enfouissent dans la journée, les étoiles de mer et les anémones se nourrissent de plancton. Profitant du manque de visibilité et du sommeil de leurs proies, des prédateurs, s'orientant à l'odorat, se mettent en chasse…

Plongée avec les dauphins

L'UNEXSO (association des explorateurs sous-marins) basé à Freeport (Grand Bahama) et le Dolphin Encounters de Blue Lagoon à 20 minutes de Paradise Island ont développé des programmes de rencontres avec les

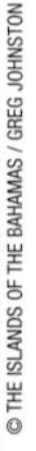

Exploration sous-marine aux Biminis

dauphins. Les programmes classiques consistent à approcher et à nager avec les dauphins dans un bassin, et seuls les plongeurs expérimentés le feront en mer. Une fois les plongeurs sur le site, un petit bateau les rejoint avec deux dauphins apprivoisés nageant sur les côtés. Les plongeurs agenouillés au fond de l'eau entendent les messages sonores échangés par les dauphins qui les rejoignent ; les dauphins répondent aux ordres des moniteurs. Parfois, des dauphins sauvages rejoignent leurs congénères et se joignent au ballet sous-marin (voir les chapitres « *Paradise Island* » et « *Grand Bahama* » pour le détail des programmes de rencontre). Des dauphins sauvages se rencontrent sur le White Sand Ridge (le rebord de sable blanc) le long du Bahamas Bank, à la pointe nord-ouest de l'archipel. Une bande de dauphins tachetés accepte la présence des hommes, mais préfère les plongeurs sans bouteilles. Ce sont les cétacés qui restent maîtres de ces rencontres, ils se montrent en général une fois par jour, sans qu'on puisse en prévoir l'horaire. Une fois les dauphins repérés par le pilote du bateau, les plongeurs sautent à l'eau sans bouteille, et alors commence le dialogue entre les hommes et les mammifères marins. Les centres qui proposent la plongée en *snorkeling* avec les dauphins se trouvent à Grand Bahama, à Abaco et à Bimini.

Plongée... avec les requins

La rencontre avec les grands prédateurs des mers est devenue une spécialité des Bahamas qui met un piment supplémentaire aux plongées. Les rencontres peuvent être fortuites, mais sont le plus souvent organisées, car on connaît les sites que fréquentent les squales. Le nourrissage des requins a vu le jour il y a 20 ans et se pratique dans 4 îles : New Providence, Freeport, Long Island (Stella Maris) et Andros. Les conditions d'observation et d'approche des requins sont très sécurisées, et les plongeurs s'engagent à respecter des règles éprouvées. Le requin le plus fréquent est le requin de récif, parfois accompagné de requins citron, marteaux, taureaux...

Les requins s'attroupent autour du bateau dès que celui-ci s'arrête sur le site habituel du nourrissage. Les plongeurs les voient avant même de se mettre à l'eau. Les squales font des cercles d'approche dès que les plongeurs se mettent à l'eau ; les plongeurs s'immergent et s'adossent au mur de corail et le rituel commence. Le nourrisseur, protégé d'une tenue en cotte de mailles, s'immerge avec un seau de poissons qu'il place face aux plongeurs, marquant ainsi le début du ballet sous-marin. Les requins peuvent être nourris à la main ou du bout d'une perche. Les prédateurs se disciplinent pour prendre leur nourriture à tour de rôle. Les requins passent parfois très près des plongeurs qui doivent pourtant s'abstenir de les toucher.

D'autres types de plongée mettent en contact requins et plongeurs en plein océan. Très contesté par les organisations écologiques et les biologistes marins, le *shark feeding* est pour certains déjà démodé, et largement battu en brèche par les défenseurs des équilibres de la biodiversité. En effet le *shark feeding* dérègle le biorythme des requins et dénature leur relation à leur environnement, il est jugé responsable des changements de comportement assez notables des requins qui associent plongeurs et nourriture. Le *shark feeding* reste néanmoins pratiqué, car il attire toujours de nombreux touristes.

Les croisières plongée

Des opérateurs américains organisent des croisières de plongées au départ de Miami et de Fort Lauderdale. Les bateaux ont une capacité d'une vingtaine de passagers et sillonnent les eaux bahaméennes en marquant des étapes dans différentes îles. Le programme des plongées est intense, de 4 à 5 plongées quotidiennes avec des plongées de nuit. Pour plus d'informations, contacter Blackbeard's Cruises (www.blackbeard-cruises.com), Ocean Explorer (www.oceanexplorerinc.com), Aqua Cat (www.aquacatcruises.com), Nekton Diving Cruises (www.nektoncruises.com), Carribean Explorer (www.explorerventures.com) ou Sea Dragon (www.seadragonbahamas.com).

Les spots de plongée

L'archipel offre aux plongeurs plus de 1 000 spots de plongée, répartis entre toutes les îles. Et encore, il ne s'agit que des spots répertoriés ; beaucoup d'autres sont à découvrir et le grand challenge des moniteurs des centres de plongée est d'explorer le relief sous-marin pour découvrir et baptiser de nouveaux spots. Ainsi dans certaines îles peu fréquentées des touristes, comme à San Salvador, la carte des plongées est encore à dessiner. Des trous bleus aux tombants, des épaves aux jardins de corail, des tunnels aux grottes sous-marines… rendez-vous au chapitre « Plongée » dans chacune des îles pour connaître les meilleurs spots.

GOLF

Une petite dizaine de parcours de golf ponctuent l'archipel, et quelques projets d'ouverture sont à l'étude. Les îles accueillent de nombreux tournois internationaux.

Techniquement variés, permettant des tactiques de jeux différentes et une grande variété de coups, compétitifs, bien dessinés par les plus fameux designers (Robert Trent Jones père et fils ou Dick Wilson, des noms synonymes de garantie) et réalisés dans le respect de l'environnement, les parcours conviennent à tous les types de joueurs, des débutants aux handicaps bas. Les îles sont de véritables écrins tropicaux pour les parcours, offrant de magnifiques échappées panoramiques sur la mer dont les eaux déclinent toutes les nuances des bleus et des verts. Dessinés à l'américaine avec de grands espaces ouverts très suggestifs, les fairways ondulants sont inscrits dans des écrins de verdure, ombragés d'essences tropicales, avec pour arrière-fond l'azur de l'océan.

TOUTES VOILES DEHORS

Les Bahamas se révèlent un véritable rêve de plaisancier. Chacun peut naviguer pour profiter à son rythme d'eaux limpides aux multiples nuances, de plages désertes, d'ancrages isolés, de baies secrètes…

La plupart des plaisanciers arrivent aux Bahamas avec leur propre bateau. Mais on trouve également des locations de bateaux pour des durées de quelques heures à plusieurs semaines. Partout dans les îles, des marinas sont très bien équipées et disposent de nombreux emplacements. De nombreuses régates émaillent le calendrier bahaméen. Elles se déroulent dans toutes les îles et attirent des plaisanciers des îles voisines et des Etats-Unis.

Calendrier des régates

- **Staniel Cay New Year's Day Cruising Regatta :** janvier.
- **New Year's Day Sailing Regatta :** Nassau/Paradise Island, janvier.
- **Mixed Dobles Regatta** : Exuma, janvier.
- **George Town Cruising Regatta** : Exuma, mars.
- **Bimini Sailing Regatta :** mars.
- **Family Island Regatta :** Exuma, avril.
- **Long Island Sailing Regatta :** juin.
- **Grand Bahama Sailing Regatta :** juin.
- **Around the Islands Sailing Regatta :** juillet.
- **All Andros and Berry Islands Independance Regatta :** Andros, juillet.
- **Cat Island Regatta :** août.
- **North Eleuthera Sailing Regatta :** octobre
- **All Abaco Sailing Regatta :** octobre.

Enfants du pays

Robert Antoni

Ce jeune romancier est né en 1958 aux Etats-Unis, il est arrivé aux Bahamas à l'âge d'un an et y a été élevé. Il est aujourd'hui porteur d'une triple nationalité et partage son existence entre les Etats-Unis, Trinidad et les Bahamas. Il est l'auteur de quatre romans, *My Grandmother's Erotic Folktales*, traduit en français sous le titre *Contes érotiques de ma grand-mère* (Éditions du Rocher, 2001), *Divina Trace* (1991), *Blessed Is the Fruit* (1997) et *Carnaval* (Éditions Denoël, 2005). L'île imaginaire de Corpus Christi est au cœur de sa fiction. Il enseigne la littérature et l'écriture dans diverses universités américaines.

Ronnie Butler

C'est l'un des meilleurs chanteurs du pays. Il évolue dans le domaine de la musique depuis plus de 50 ans. Son hit le plus fameux est *Burma Road* qu'il écrivit en 1967. Il s'est confronté à tous les styles, calypso, rock, *bluegrass*, funk, ballades romantiques. Aujourd'hui il se consacre à la production de jeunes artistes bahaméens.

Perry Christie

Né à Nassau le 21 août 1944. C'est l'ancien Premier ministre des Bahamas. Ce fils d'un chauffeur de taxi de Nassau a poursuivi ses études supérieures en Angleterre où il a été diplômé de droit en 1969. C'est le plus jeune Bahaméen à avoir été désigné au Sénat en 1974. Il a occupé de nombreuses charges officielles et ministérielles dont le Tourisme et l'Agriculture. Le 3 mai 2002, leader du PLP (Progressive Liberal Party), il a remplacé au poste de Premier ministre Hubert Ingraham, avant que ce dernier ne lui reprenne son poste en mai 2007.

A noter que ce brillant politicien est également un sportif de haut niveau, puisqu'il a remporté la médaille de bronze aux Jeux de l'Amérique centrale et des Caraïbes en 1962 pour le triple saut. Par ailleurs, il a fondé les Valley Boys, un groupe qui parade lors des défilés de *Junkanoo*.

Sean Connery

Normal pour James Bond de vivre dans le pays qui a été le théâtre de tant de ses aventures ! S'il est né en Ecosse en 1930, l'acteur est devenu un résident bahaméen depuis de nombreuses années. Il passe six mois de l'année dans sa résidence de New Providence à Lyford Cay. Si Sean Connery a pour la première fois revêtu le costume de James Bond en 1961 pour affronter le Docteur No, puis encore six fois (*Bons baisers de Russie, Goldfinger, Opération tonnerre, On ne vit que deux fois, Les diamants sont éternels, Jamais plus jamais*), sa filmographie compte plus de 75 films dont *Les Incorruptibles, Le Nom de la rose* et *A la recherche de Forrester*. Son dernier film, *La Ligue des gentlemen extraordinaires*, date de 2003.

A noter qu'en 2006 il reçoit le Lifetime Achievement Award décerné par l'American Film Institute pour l'ensemble de son œuvre.

Amos Fergusson

Le peintre le plus connu des Bahamas est né à Nassau en 1922. Il a travaillé comme peintre en bâtiment pour vivre, tandis qu'il commençait à peindre pour son « vrai travail ». Au début des années 1980, ses œuvres commencent à attirer l'attention, et il devient rapidement une valeur sûre pour les collectionneurs d'art populaire.
Entre 1985 et 1987, une grande exposition de ses tableaux parcourt les Etats-Unis et l'Europe. Son style est particulièrement vivant et intense, inventif et très coloré, oscillant entre art naïf et art abstrait. Sa peinture véhicule vitalité et chaleur, comme un écho aux îles et à leurs habitants. Ses tableaux sont exposés au Pompey Museum de Nassau, à la National Art Gallery of the Bahamas et au MOMA de New York.

Diana Hamilton

Cette artiste complète, à la fois auteur, compositeur et interprète, réside en France depuis une vingtaine d'années. Née à Nassau, elle a été élevée entre la capitale des Bahamas et l'île de San Salvador. Après avoir suivi des études de littérature aux Etats-Unis et à Paris, elle est partie découvrir le vaste monde, et ses voyages l'ont amenée d'Europe en Afrique. Son parcours musical s'est forgé en France où cette autodidacte intuitive commence à se produire dans de petites formations, à écrire et à composer.
C'est une habituée des petites salles parisiennes où elle peut communiquer au public son attachement à la culture bahaméenne et au métissage musical. Son premier CD, *A Bahamian in Paris*, est un voyage musical au fil de multiples styles et influences, blues cajun, country, calypso, jazz, hip hop.

Nehemiah Hield

Leader du groupe musical The Baha Men, né dans une famille de musiciens à Cooper's Town Abaco, il a vécu à Nassau dès l'âge de 7 ans. Il est devenu le chanteur du groupe The Average Age Band, en 1981, qui devint populaire avec le hit *Keep on Loving You*. En 1985, on le retrouve dans un spectacle de cabaret de Freeport, *Suarez*.
En 1987, il est producteur et chanteur du groupe B-22s (*Let your body rock*), part travailler à Los Angeles durant deux années puis rejoint les B-22s, fonde ensuite le groupe High Voltage qui prend le nom célèbre de The Baha Men, dont le hit *Who Let the Dogs Out* est un succès international, donne des concerts au Japon, aux Etats-Unis, travaille à la bande musicale du film *Mon père ce héros*, tourné dans le pays. En 1991, il obtient le Bahamian Grammy du meilleur chanteur.

Hubert Ingraham

Le leader politique est né à Pine Ridge sur l'île de Grand Bahama le 4 août 1947. Il a grandi à Coopers Town sur l'île d'Abaco, puis a étudié le droit à Nassau et s'est inscrit au barreau bahaméen en 1972, intégrant ensuite un cabinet de Nassau. Il rentre en politique en 1975 quand il est élu au bureau national du Parti progressiste libéral, le PLP. En 1976, il est élu président du parti puis, en 1977, il est élu à l'Assemblée. Réélu en juin 1982, il devient ministre. En 1987, il se présente en candidat indépendant aux élections, est élu et rejoint l'opposition officielle en 1990. En août 1992, à la tête du Free National Movement, le nouveau parti d'opposition, il devient Premier ministre, le chef du gouvernement, mettant fin au « règne » de 25 années de sir Pindling.

Il occupera deux mandats successifs. En 2002, Perry Christie le remplace à la tête de l'Etat avant qu'il ne récupère son poste à la faveur des élections de mai 2007.

Johnny Kemp

Dès l'âge de 13 ans, Johnny a commencé à chanter dans les clubs de Nassau. Il part à New York en 1979, s'installe à Harlem et développe de multiples talents, danse, écriture, comédie... Dans les années 1980, il écrit des chansons et devient vocaliste pour Millie Jackson, Glenn Jones, et Chance. Il signe un contrat avec Columbia et enregistre plusieurs albums dont les hits *Just Got to Paid* et *Secrets of Flying*.

Mark Knowles

Les Bahamas ont aussi leur enfant de la balle. Le tennisman Mark Knowles est né à Nassau le 4 septembre 1971, il a été élevé dans une famille de sportifs, sa mère étant professeur de tennis. Entraîné depuis l'âge de 4 ans, il a été formé à l'école de Nick Bolletieri en Floride. Spécialiste du double, il s'est hissé au premier rang mondial de sa catégorie avec le Canadien Daniel Nestor, le 24 juin 2002. Il a remporté avec lui ses trois titres du Grand Chelem : l'Open d'Australie en 2002, l'US Open en 2004 et Roland Garros en 2007.

Ricardo Knowles

Un exilé en terre de France. Ce jeune peintre qui a choisi de vivre en Normandie depuis 1996 est né à San Salvador en 1962. Il a étudié les beaux-arts en Pennsylvanie, à Philadelphie. S'il a choisi la France pour domicile, c'est parce qu'elle était le berceau du mouvement impressionniste qui le fascine. Sa peinture témoigne de sa passion pour la couleur et la lumière, transposant un style impressionniste dans une inspiration bahaméenne.
Ses scènes de rue, ses paysages, ses marines, sont autant d'évocations de son archipel natal. Depuis 1980, il a réalisé de nombreuses expositions individuelles ou de groupe, principalement aux Bahamas, en Grande-Bretagne et en France. Il a également réalisé des timbres pour le gouvernement bahaméen.

John Knox

Ce jeune artiste, sculpteur et peintre, né à Nassau en 1973, a été formé à l'école de design de Rhode Island. Il a enseigné pendant 9 ans au département d'art du Collège des Bahamas et il travaille actuellement à la National Art Gallery de Nassau. Propriétaire et manager des Popopstudios, studios d'art contemporain bahaméen, il a participé à de nombreuses expositions collectives et personnelles en Europe, aux Etats-Unis et dans les Caraïbes.

Lenny Kravitz

Le musicien est né le 26 mai 1964 à New York d'un père producteur d'origine juive russe et d'une mère actrice bahaméenne. Il a fait ses premiers pas de star dans une publicité pour Burger King. Après une tentative disco ratée avec son cousin sous le nom de Roméo, il sort son premier album, *Let Love Rule*, en 1989. Il joue de nombreux instruments de musique, batterie, guitare, piano.
Sa musique est un métissage de rock, de jazz, de rhythm and blues, de gospel, de soul, de reggae, inspiré de Mowtown et de Jimmy Hendrix. En 1990, il signe pour Madonna *Justify My Love*. Les albums se succèdent. Son charisme, sa maîtrise musicale et son style à part font de lui une immense star. Il a reçu le Grammy Award du meilleur artiste rock en 2000. Son dernier opus, intitulé *It is Time for a Love Revolution*, est sorti en 2008. Très attaché à ses origines bahaméennes, il possède une maison sur Eleuthera où il séjourne régulièrement.

Eddie Minnis

A la fois peintre, auteur de chansons et chanteur, Eddie Minnis est né sur l'île d'Eleuthera à The Current le 14 octobre 1947.
Après des études au collège Saint-John et au lycée de Nassau puis à l'université MacGill à Montréal, il a été diplômé en architecture. Cet artiste aux multiples talents est un self-made man, artiste qui a travaillé tous les matériaux, encre, aquarelle, pastels, puis s'est spécialisé dans l'huile et la peinture au couteau.
Il trouve son inspiration dans les scènes du quotidien pleines de couleurs vibrantes et dans la lumière intense des îles. Depuis 1969, il a participé à de nombreuses expositions collectives et a réalisé des expositions personnelles.
Il a créé une BD satirique, *Pot Luck*, qui a été publiée durant cinq années dans *The Nassau Guardian* pendant sept ans et dans *The Tribune*, entre 1977 et 1981. Depuis 1971, Eddy Minnis a également développé une autre corde à l'arc de ses talents : il est devenu auteur de chansons et compte 11 albums à son crédit.

Sir Lynden Oscar Pindling

Né le 22 mars 1930, Pindling restera connu dans l'histoire du pays comme le père de la Nation. Ce fut en effet le premier Premier ministre des Bahamas, poste obtenu après une longue carrière politique. Il prend en main les destinées de la Nation dès 1967 et mène le pays sur la voie de l'indépendance qu'il obtiendra en 1973. Pendant 25 années, il reste à la tête du pays, réélu cinq fois consécutives. Il a joué un rôle important dans le développement économique du pays, notamment pour les secteurs du tourisme et de la finance. Inquiété lors d'enquêtes gouvernementales concernant la corruption, il ne sera jamais inculpé. Il a été anobli par la reine d'Angleterre. Il est décédé en août 2000.

Sidney Poitier

Véritable icône dans son pays, le premier acteur noir à avoir été oscarisé fut le Bahaméen Sidney Poitier. Il en a fait du chemin, sir Sydney Poitier, depuis son enfance modeste dans un village oublié de l'île de Cat Island jusqu'à son anoblissement par la reine Elizabeth II. Né le 20 février 1927, dans une famille pauvre de Cat Island, au cours d'un voyage à Miami, il a vécu ses années d'enfance sur son île qu'il quitte jeune pour tenter sa chance aux Etats-Unis. Après avoir surmonté les difficultés que lui valent sa couleur de peau et son fort accent bahaméen au sein de l'industrie cinématographique, il apparaît dans son premier rôle, celui d'un jeune médecin face à Richard Widmark dans *No Way Out* en 1950. Il tourne la majorité de ses films en tant qu'acteur entre 1950 et 1970.

Parmi les plus connus, *Porgy and Bess* (1959), *Lilies on the Fields* qui lui vaudra son oscar en 1963, et *Devine qui vient dîner ce soir ?* (1967) qui montre le premier baiser entre un homme noir et une femme blanche à l'écran. Avec le film *Dans la chaleur de la nuit* (1967) où il joue le rôle du détective Virgil Tibbs, il s'impose comme un formidable acteur avant d'être un acteur noir. Il réalise son premier film en 1972, *Buck and Preacher* avec Harry Belafonte, cinq ans avant *Spike Lee*. Il dirigera par la suite plusieurs comédies. En avril 1977, il a été nommé ambassadeur des Bahamas au Japon et est aujourd'hui ambassadeur à l'Unesco.

Joseph Spence

Le pape de la *goombay* music et du *Junkanoo* est le descendant d'une longue lignée de musiciens, les Pinder. Guitariste, chanteur, il utilisait sa voix comme un instrument, en tirant des sons étonnants. Jouer était pour lui une sorte de transe dans laquelle il communiquait son esprit. Les membres de sa famille l'accompagnaient souvent. On dit de lui que son style a influencé Ry Cooder, qui a chanté avec lui avant sa mort en 1984.

Pauline Davis Thompson

C'est la figure emblématique du sport et de l'athlétisme dans le pays. Née le 9 juillet 1966, la sprinteuse est connue comme l'une des « Golden Girls », médaillée d'or aux Jeux olympiques de Sydney en 2000 pour le relais 4 x 100 mètres. Au fil d'une carrière de 20 années de compétition de course à pied, avec sept participations aux championnats du monde et cinq participations aux Jeux olympiques, elle a collectionné de nombreuses récompenses, médailles et trophées. En 1996, elle intègre l'équipe nationale des Bahamas du relais 4 x 100 mètres (Eldece Clarke-Lewis, Debbie Ferguson, Sevatheda Fynes, Chandra Sturrup) connue comme les « Golden Girls ». Ensemble elles décrochent la médaille d'argent aux Jeux d'Atlanta.

C'est le 30 septembre 2000, à Sydney, que pour sa dernière apparition en compétition, Pauline grimpe sur la plus haute marche du podium olympique, atteignant la consécration de sa carrière. Elle conquiert la médaille d'or avec son équipe du relais, elle prend le troisième relais, et court le 4 x 100 mètres en 22,27 secondes, battant son propre record. Le pays n'a pas attendu la médaille d'or pour rendre hommage solennel aux « Golden Girls ». L'équipe s'est vue offrir une sculpture murale à l'aéroport de Nassau et un timbre à son effigie en 1998. Diplômée de l'université d'Alabama en 1989, la sportive est devenue une femme d'affaires au service du gouvernement bahaméen ; elle est désormais responsable du marketing de l'office du tourisme des Bahamas à Atlanta en Géorgie.

Tonique Williams-Darling

Née le 17 janvier 1976, diplômée de l'Université de South Carolina en 1999, la bien-prénommée sprinteuse bahaméenne a été médaillée d'or aux Jeux de 2004 à Athènes et championne du monde du 400 mètres en 2005. Elle est, à ce jour, la seule médaillée olympique d'or individuelle du pays. Véritable star aux Bahamas, une route de New Providence porte même son nom.

L'anglais pour les globe-trotters

Quel que soit votre pays de destination, vous n'en franchirez réellement les frontières qu'en abattant – partiellement – celle de la langue, c'est-à-dire en communiquant avec les habitants. Pour communiquer, il vous suffit de comprendre... un peu et de vous faire comprendre. Nous nous proposons de vous y aider avec ces quelques pages.

En vous soufflant des "mots de passe" pour la plupart des situations que vous serez appelé à rencontrer dans vos voyages, nous mettons à votre disposition un sésame indispensable. Notre ambition n'est pas que vous vous exprimiez d'une manière académiquement parfaite, mais que vous entriez dans le monde anglophone d'un pas assuré. Vous aurez tout loisir par la suite, si le cœur vous en dit, d'approfondir vos connaissances par un apprentissage plus intensif.

Où parle-t-on l'anglais ? En un mot... partout ! Le monde anglophone s'étend bien au-delà des pays de langue anglaise : où que l'on aille, en effet, n'a-t-on pas recours à l'anglais pour comprendre et se faire comprendre ? Raison de plus pour vous y mettre – ou vous y remettre pour rafraîchir vos souvenirs. Nous vous promettons qu'en très peu de temps, avec un minimum de connaissances grammaticales, de vocabulaire utile et d'informations sur le pays, vous deviendrez un interlocuteur de choix, celui – ou celle – qui a fait l'effort de faire un pas vers l'autre en apprenant sa langue : cette démarche, encore trop rare, est très appréciée, et vous en serez largement récompensé(e) par l'accueil d'autant plus chaleureux que vous recevrez en échange.

Cette rubrique est réalisée en partenariat avec ASSiMiL Langues de poche

Prononciation - Intonation

Si vous trouvez la grammaire relativement facile, vous risquez en échange de rencontrer quelques difficultés avec la prononciation... Mais rassurez-vous, même les meilleurs anglicistes ont parfois des doutes ! Les règles de prononciation anglaises étant assorties de toute une gamme d'exceptions, bien trop nombreuses pour que nous vous les infligions ici, nous avons opté pour une prononciation figurée sous chaque mot, qui devrait vous rendre la vie plus facile. Dans cette transcription phonétique simplifiée, nous avons souligné les syllabes accentuées, car l'intonation, elle aussi, est difficile à maîtriser, et elle est très importante en anglais.

Quoi qu'il en soit, la meilleure façon de parler..., c'est de parler ! Plus vous pratiquerez, plus vous apprendrez vite.

La transcription phonétique utilisée ici

• Consonnes et groupes de consonnes

Lettre	*Trans. phonét.*	*Prononciation*	*Exemple*
b	*b*	comme dans *beau*	**beer** *bier*
c	*k*	comme dans *cloche*	**clock** *klok*
	s	comme dans *cirque*	**circus** *sœrkœss*
d	*d*	comme dans *dire*	**dear** *di^er*
g	*g/gu*	comme dans *gars*	**go** *gôou*, **give** *guiv*
	dj	comme dans *badge*	**george** *djordj'*
h	*H*	toujours "aspiré"	**house** *Haouss*
j	*dj*	comme dans *fidji*	**jeans** *djinns*
n	*n/nn*	comme dans *gamine*	**in** *inn*
r	*r*	langue au palais et légèrement recourbée en arrière	**rope** *rôoup'*
s	*s/ss*	comme dans *sel*	**sell** *sell*
	z	comme dans *bise*	**please** *pli:z*
sh	*ch*	comme dans *chaussure*	**shoe** *chou:^e*

◗ **sch**	*sk*	comme dans *ski*	**school** *skou:l*
◗ **sp**	*sp*	comme dans *spatule*	**spell** *spell*
◗ **st**	*st*	comme dans *stupeur*	**stone** *stôounn*
◗ **th** doux	*DH*	placez la langue sur les dents du haut et soufflez doucement	**that** *DHat*
◗ **th** fort	*TH*	même chose en soufflant fortement	**thorn** *THô:nn*
◗ **v**	*v*	comme dans *voiture*	**vote** *vôout*
◗ **w**	*w*	toujours comme dans *watt, whisky*	**window** *winndôou*, **where** *wèr*
◗ **x**	*x*	comme dans *exprès*	**taxi** *tèxi*
◗ **y**	*y/i*	comme dans *yahourt*, ou comme dans *lit*	**yes** *yèss*, **silly** *sili*
◗ **z**	*z*	comme dans *zèbre*	**zebra** *zibra*

• Pour les francophones, la prononciation du **-th** anglais est particulièrement difficile. Exercez-vous en poussant avec votre langue sur les dents du haut tout en soufflant (comme si vous aviez un cheveu sur la langue), vous devriez y arriver. Si c'est trop compliqué, laissez-vous guider par les transcriptions que nous vous proposons (par exemple, l'article défini **the** sera transcrit *DHœ*).

• Le **r** – autre difficulté de la prononciation anglaise –, ne se prononce pas lorsqu'il est suivi d'une consonne ; il sera alors suivi de ":", comme dans **barman** *ba:mèn* ; il se prononce, par contre, lorsqu'il est suivi d'une voyelle, comme dans **rat** *rèt*. N'oubliez pas : langue au palais et légèrement recourbée en arrière ; facile, non ?

• Quand vous verrez une consonne doublée (*kk, mm, pp,* etc.), c'est pour vous avertir que la voyelle qui précède doit être prononcée court. Exemple : **book** *boukk.*

• Le **h** est toujours "aspiré" (transcrit *H*) : expirez l'air comme si vous vouliez embuer un miroir.

• Le **n** est souvent figuré *nn*. Associé à une voyelle comme dans "gamin", il doit être prononcé "ine" comme dans "gamine".

Les autres consonnes ne posent pas de problèmes particuliers.

Voyelles

Lettre	*Trans. phonét.*	*Prononciation*	*Exemple*
◗ **a**	*a*	comme dans râle	**last** *last*
	è	comme dans mère	**back** *bèkk*
	èi	comme dans pays	**name** *nèim*
	ô	comme dans môle	**all** *ô:l*
	œ	un e dans l'o court comme dans cœur	**about** *œbaout*
◗ **e**	*è*	comme dans diète	**egg** *ègg*
	i^{e}	comme dans comédie	**deer** *di:*^{er}
	è^{e}	le è est prolongé d'un e	**there** *DHè*^{e}*r*
◗ **i**	*i*	comme dans mi	**sick** *sik*
	aï	comme dans aïe	**nice** *naïss*
	œ	comme dans œufs	**first** *fœ:st*
◗ **o**	*aou*	comme dans Raoul	**how** *Haou*
	ôou	le ô est suivi du son ou	**own** *ôounn*
	o	comme dans note	**not** *nott*
	ô	comme dans pôle	**short** *chô:t*
	a	comme dans lave	**love** *lav*
◗ **u**	*a*	comme dans basse	**bus** *bass*
	ou	comme dans chou	**sure** *chou*^{e}*:r*
	œ	comme dans œufs	**difficult** *diffikœlt*

La prononciation du **-er** en fin de mot s'apparente plutôt au "a" court ou au "e" muet suivi d'un léger "r". Dans notre transcription, nous mettrons un "er" en exposant.

Pour signaler qu'il faut allonger une voyelle, nous l'avons fait suivre de ":", comme dans **first** ou **short** *(fœ:st – chô:t).*

Diphtongues

Lettre	*Trans. phonét.*	*Prononciation*	*Exemple*
ay/ai	*èi*	comme dans *pays*	**pay** *pèi*
ea	*œ:*	comme dans *œuvre*	**earn** *œ:n*
	i:	comme dans *mie*	**lead** *li:d*
ee	*i:*	comme dans *amie*	**see** *si:*
ie	*è*	comme dans *cèdre*	**friend** *frènnd*
ou	*aou*	comme dans *Raoul*	**out** *aout*
	ou	comme dans *mou*	**you** *iou*
oy	*oï*	comme dans *boycotter*	**boy** *boï*
oo	*ou*	comme dans *bouc*	**book** *boukk*
	ou:	plus long comme dans *boule*	**cool** *kou:l*

Notez que la terminaison "**-ive**" se prononce généralement *-iff.* La préposition **of**, de, est plutôt prononcée *ov* de même que **give**, *donner*, est prononcé *guiv.*

L'accent tonique est généralement souligné. S'il porte sur une voyelle prononcée en diphtongue, il sera indiqué par un soulignement de la voyelle tonique.

Lorsque un mot se termine par **-tion**, nous transcrivons par *chœn.*

DÉCOUVERTE

Quelques mots que vous entendrez souvent

Voyons dès maintenant ces mots que nous serons amenés à rencontrer immédiatement et qui nous seront indispensables dans la vie quotidienne :

oui	**yes**	*yèss*
non	**no**	*nôou*
peut-être (il se peut que)	**maybe**	*mèïbi*
peut-être	**perhaps**	*pœrHaps*
merci	**thank you**	*THènk you*
s'il vous plaît	**please**	*pli:z*
et	**and**	*ènd*
ou	**or**	*or*
avec	**with**	*wiDH*
sans	**without**	*wiDHaout*
vrai	**right**	*raït*
faux	**wrong**	*wronng*
ici	**here**	*Hi:r*
là	**there**	*DHèer*
ceci	**this**	*DHiss*
cela / que	**that**	*DHat*
où est... ?	**where is...?**	*wèr iz*
où sont... ?	**where are...?**	*wèr ar*

L'ordre des mots dans la phrase

Dans la phrase anglaise, les mots se placent ainsi : **sujet** (qui ou quoi ?) **– verbe – complément d'objet** (qui ou quoi ?).

qui (sujet)	verbe	quoi (objet)
Jill	**books**	**a trip**
djil	*boukks*	*œ tripp*
Jill	réserve	un voyage

Dans la proposition affirmative, le sujet et le verbe se suivent toujours. Cet ordre sera donc conservé, même si d'autres éléments interviennent :

circonstantiel (de temps)	Sujet	verbe	circonstantiel (de lieu)
At nine o'clock	**John**	**goes**	**to the museum**
èt naïnn o klok	*djonn*	*gôouz*	*tou DHœ miouziœm*
À neuf heures,	John	va	au musée.

Cet ordre reste également inchangé dans les phrases plus complexes qui combinent propositions principales et subordonnées :

sujet	verbe	objet	conjonction	sujet	verbe
I	**eat**	**a pizza**	**because**	**I**	**am hungry**
aï	*i:tt*	*œ pidza*	*bikôouz*	*aï*	*èm Hangri*
Je	mange	une pizza	parce que	j'	ai faim

Verbes et temps

En anglais, les verbes et leurs conjugaisons nécessiteraient un chapitre entier. Contentez-vous de retenir les temps les plus importants, ceux que vous utiliserez dans toute conversation.

1 – Le présent (je vais),

2 – L'imparfait (il allait),

3 – Le passé composé (tu es allé),

4 – Le futur (nous irons).

Si vous savez conjuguer à ces quatre temps, vous pourrez converser sans problème. Oublions les nuances entre le passé (simple) et le passé composé, car même les personnes de langue maternelle anglaise ont parfois du mal à s'y retrouver !

La forme progressive

Avant de vous consacrer à l'étude des différentes conjugaisons, notez que l'anglais nous offre deux solutions :

• utiliser le temps dans sa forme simple : je vais (**I go** – *aï go*)

• ou indiquer l'accomplissement de l'action : je suis en train d'aller (**I am going** – *aï am goïnng*, mot à mot "je suis allant"). Cette deuxième forme s'appelle la forme progressive.

En anglais, la forme progressive est largement utilisée dans la conversation. Elle indique qu'une action ou un événement est en cours au moment où l'on parle. Elle s'emploie aussi pour parler du futur proche, comme le présent français. Ex : **I am seeing John tomorrow** *(aï am si:inng djonn toumorô)* : Je vois John demain.
Dans les deux cas, le français utilise généralement la forme simple.

Le présent

• Forme simple

L'anglais est plus simple que le français, car seule la troisième personne du singulier diffère des autres. Il suffit d'ajouter un **-s** à l'infinitif du verbe.

▸ **I eat**	*aï i:t*	je mange
▸ **you eat**	*you i:t*	tu manges
▸ **he/she/it eats**	*Hi/chi/it i:ts*	il/elle mange
▸ **we eat**	*wi i:t*	nous mangeons
▸ **you eat**	*you i:t*	vous mangez
▸ **they eat**	*DHèï i:t*	ils/elles mangent

Presque tous les verbes se conjuguent de cette façon. Notez toutefois que les auxiliaires "être" **(to be)** et "avoir" **(to have)** font exception. En voici la conjugaison :

▸ **I am**	*aï èm*	je suis
▸ **you are**	*you ar'*	tu es
▸ **he/she/it is**	*Hi/chi/it iz*	il/elle est
▸ **we are**	*wi ar'*	nous sommes
▸ **you are**	*you ar'*	vous êtes
▸ **they are**	*DHèï ar'*	ils/elles sont
▸ **I have**	*aï hèv*	j'ai
▸ **you have**	*you hèv*	tu as
▸ **he/she/it has**	*Hi/chi/it hèz*	il/elle a

▸ **we have**	*wi hèv*	nous avons
▸ **you have**	*you hèv*	vous avez
▸ **they have**	*DHèï hèv*	ils/elles ont

• **Forme progressive**

L'anglais simplifie notre formulation française "je suis en train de" suivi d'un verbe à l'infinitif, en faisant appel à l'auxiliaire **to be**, suivi du verbe**+-ing**.

▸ **I am travelling**	*aï èm trèvellinng*	je voyage (suis en train de voyager)
▸ **you are travelling**	*you ar' trèvellinng*	tu voyages (es en train de...)
▸ **he/she/it is travelling**	*Hi/chi/it iz trèvellinng*	il/elle voyage (est en train de, etc.)
▸ **we are travelling**	*wi ar' trèvellinng*	nous voyageons
▸ **you are travelling**	*you ar' trèvellinng*	vous voyagez
▸ **they are travelling**	*DHèï ar' trèvellinng*	ils/elles voyagent

La plupart des verbes anglais se construisent sur le même modèle : infinitif**+-ing**.

▸ **they are sleeping**
DHèï ar' sli:pinng
ils dorment (ils sont en train de dormir)

▸ **I am smoking**
aï am smôoukinng
je fume (je suis en train de fumer)

Le passé

Pour parler du passé, l'anglais utilise le **prétérit** (simple et progressif) et le **passé composé.** Le "prétérit" peut correspondre, selon le contexte, à notre imparfait, notre passé composé ou notre passé simple. Il s'emploie surtout pour parler d'actions ou de faits complètement terminés.

▸ **Last year I rented an appartment.**
last yi:r aï renntid ènn apa:tment
L'année dernière j'ai loué un appartement.

• **Forme simple**

Pour former le prétérit des verbes **réguliers,** il suffit d'ajouter le suffixe **-ed** à l'infinitif du verbe. Il existe – malheureusement – des verbes **irréguliers**, dont vous pourrez consulter la liste dans la rubrique suivante ; un conseil : apprenez-les en mémorisant pour chaque verbe l'infinitif, le prétérit et le participe passé.

Une consolation! Les verbes réguliers sont largement plus nombreux que les verbes irréguliers et se terminent toujours en **-ed** à toutes les personnes.

▸ **I rented**	*aï rènntid*	je louais/j'ai loué/je louai
▸ **you rented**	*you rènntid*	tu louais/as loué/louas
▸ **he/she rented**	*Hi/chi rènntid*	il/elle louait/a loué/loua
▸ **we rented**	*wi rènntid*	nous louions/avons loué/louâmes
▸ **you rented**	*you rènntid*	vous louiez/avez loué/louâtes
▸ **they rented**	*DHèï rènntid*	ils/elles louaient/ont loué/louèrent

Pour le verbe avoir, **to have** : **had** reste inchangé à toutes les personnes.

▸ **I had**	*aï hèd*	j'avais
▸ **you had**	*you hèd*	tu avais, etc.

Pour le verbe être, **to be** :

▸ **I was**	*aï waz*	j'étais
▸ **you were**	*you wèr'*	tu étais
▸ **he/she/it was**	*Hi/chi/it waz*	il/elle était
▸ **we were**	*wi wèr'*	nous étions
▸ **you were**	*you wèr'*	vous étiez
▸ **they were**	*DHèï wèr'*	ils/elles étaient

• **Forme progressive**

Elle s'emploie pour indiquer qu'une action était en train de se produire à un moment du passé. Exemple :

▸ **What did you do when I called you? – I was eating.**
wat did you dou' wènn aï kô:ld you – aï waz i:tinng.
Que faisais-tu quand (au moment où) je t'ai appelé ? – Je mangeais (j'étais en train de manger).

Récapitulons :

présent	présent progressif	prétérit	prétérit progressif
I eat	**I am eating**	**I ate**	**I was eating**
aï i:t	*aï am i:tinng*	*aï èit*	*aï waz i:tinng*

Conjugaison du verbe **to eat** (manger) au prétérit progressif :

▸ **I was eating**	*aï waz i:tinng*	je mangeais (j'étais en train de manger)
▸ **you were eating**	*you wèr i:tinng*	tu mangeais (tu étais en train de...)
▸ **he /she was eating**	*Hi/chi waz i:tinng*	il/elle mangeait (il/elle était en train de...)
▸ **we were eating**	*wi wèr i:tinng*	nous mangions (nous étions en train de...)
▸ **you were eating**	*you wèr i:tinng*	vous mangiez (vous étiez en train de...)
▸ **they were eating**	*DHèï wèr i:tinng*	ils/elles mangeaient (ils/elles étaient en train de...)

Si vous avez des difficultés à mémoriser le prétérit des verbes irréguliers, remplacez-le par la forme progressive, on vous comprendra tout aussi bien.

Le passé composé

En anglais, le passé composé se forme **uniquement** avec le verbe **to have** suivi du participe passé, qui se construit, lui aussi, en ajoutant **-ed** à l'infinitif du verbe (pour les verbes réguliers).

Conjugaison du verbe **to travel** (voyager) au passé composé :

▸ **I have travelled**	*aï Hèv trèvelld*	j'ai voyagé
▸ **you have travelled**	*you Hèv trèvelld*	tu as voyagé
▸ **he/she has travelled**	*Hi/chi/ Hèz trèvelld*	il/elle a voyagé
▸ **we have travelled**	*wi Hèv trèvelld*	nous avons voyagé
▸ **you have travelled**	*you Hèv trèvelld*	vous avez voyagé
▸ **they have travelled**	*DHèï Hèv trèvelld*	ils/elles ont voyagé

En français, nous utilisons le passé composé pour souligner qu'une action s'est déroulée et terminée à un moment non précisé du passé. En anglais, vous l'utiliserez pour indiquer que l'action a commencé dans le passé et continue dans le présent.

Deux conjonctions commandent l'utilisation du passé composé : **"since"** et **"for"**. Toutes les deux signifient «depuis» à une nuance près :

– **Since** indique **un moment particulier** écoulé dans le passé,

– **For** indique **une période** donnée.

À noter qu'en français, c'est la préposition «depuis» qui indique le commencement de l'action dans le passé. Le verbe conjugué au présent montre clairement la continuation de l'action au moment où l'on parle.

- **I have lived in London for one year.**
  aï Hèv livd inn Lonndonn fo: wan' yi:r
  Je vis à Londres depuis un an (sous-entendu : j'y vis encore actuellement).
- **Since Christmas she has waited for an answer.**
  sinnss kristmess chi Hèz wètid fo: ènn anns^er
  Elle attend une réponse depuis Noël.
- **For three months she has waited for an answer.**
  fo: THri: monnTHs chi Hèz wouètid fo: ènn anns^er
  Elle attend une réponse depuis trois mois.

Le futur

Le futur se forme essentiellement à partir de deux auxiliaires : **"shall"** et **"will"**, auxquels s'ajoute l'infinitif du verbe sans **to**. À l'origine, **will** signifiait "vouloir".

Shall s'emploie pour la première personne du singulier et du pluriel, et **will** pour les autres. Notez que dans la langue parlée **will** est souvent utlisé à toutes les personnes.

Conjugaison du verbe **to go** (aller) au futur.

I shall go	*aï chèl gôou*	j'irai
you will go	*you wil gôou*	tu iras
he/she/it will go	(etc.)	il/elle ira/ça ira
we shall go		nous irons
you will go		vous irez
they will go		ils/elles iront

En français, nous nous servons souvent du présent pour indiquer un futur proche. Dans ce cas, l'anglais utilise le présent progressif et non le présent simple :

- **What are you doing tomorrow?**
  wat ar' you douinng toumôro
  Qu'est-ce que tu fais (feras) demain ?

Auxiliaires de mode

Les auxiliaires de mode **can**, **may** (pouvoir) et **must** (devoir) servent à exprimer qu'une action peut ou doit se réaliser. Ils s'utilisent suivis du verbe à l'infinitif sans **to**. **Can** indique plutôt la possibilité physique d'accomplir une action. Exemple : "I can swim" (je sais nager, dans le sens de "je suis capable de...") ; **may** implique soit une demande d'autorisation dans une phrase interrogative : **"may I come in?"** (puis-je entrer ? ai-je le droit d'entrer ?), soit une éventualité dans une phrase affirmative : **"I may come tomorrow."** (il est possible que je vienne demain).

Auxiliaire de mode

Personne	présent	passé	infinitif
I	**can**	**could**	**read**
aï	*kèn*	*koudd*	*ri:d*
je	peux	pouvais	lire
she	**may**	**might**	**go**
chi	*mèi*	*maït*	*gôou*
elle	peut	pouvait	aller
they	**must**	*	**ask**
DHèï	*mœst*	—	*assk*
ils/elles	doivent	—	demander

* **Must** n'existe qu'au présent. À l'infinitif et aux autres temps, on doit faire appel aux formes de **to have to** (avoir à) : Exemple :

- **I had to leave my camera behind.**
  aï hèd tou li:v maï kamœra biHaïnnd
  J'ai dû laisser mon appareil photo.

Au présent, ces auxiliaires sont invariables à toutes les personnes et ne prennent donc pas de **s** à la troisième personne du singulier **(he, she, it)**. Ils n'ont pas de forme progressive. La négation s'exprime avec **not** ou sa forme contractée **n't**.
"he mustn't go" (il ne doit pas [s'en] aller).

Can n'a pas d'infinitif. On le remplace par **to be able to** (être capable de). Il n'a pas non plus de futur ; il est alors remplacé par **will be able to**. Au prétérit et au conditionnel, il se transforme en **could** dans certains cas.

- **I could not** (ou : **could'nt**) **walk.**
  aï koudd not (koudnn't) wôk
  Je ne pouvais pas marcher.

- **I could not see you.**
  aï koudd not si: you
  Je ne pouvais pas te voir.

L'auxiliaire de mode "vouloir" est traduit par **want**. Il se conjugue normalement à tous les temps. Si **want** est suivi d'un autre verbe, celui-ci sera obligatoirement précédé de **to**.

- **She wants another drink.**
  chi wonnts ennaDHer drink
  Elle veut un autre verre.

- **He didn't want to take her home.**
  Hi didenn't wonnt tou tèïk Hœ: Hôoum
  Il n'a pas voulu la raccompagner chez elle.

Liste des principaux verbes irréguliers

Infinitif	Prétérit	Participe passé	Traduction
to be	**was/were**	**been**	être
to become	**became**	**become**	devenir
to begin	**began**	**begun**	commencer
to break	**broke**	**broken**	casser
to buy	**bought**	**bought**	acheter
to catch	**caught**	**caught**	attraper
to come	**came**	**come**	venir
to do	**did**	**done**	faire
to drink	**drank**	**drunk**	boire
to drive	**drove**	**driven**	conduire
to eat	**ate**	**eaten**	manger
to fall	**fell**	**fallen**	tomber
to feel	**felt**	**felt**	sentir
to find	**found**	**found**	trouver
to fly	**flew**	**flown**	voler
to forget	**forgot**	**forgotten**	oublier
to get	**got**	**got**	devenir / recevoir
to give	**gave**	**given**	donner
to go	**went**	**gone**	aller
to know	**knew**	**known**	savoir / connaître
to lead	**led**	**led**	mener / conduire
to leave	**left**	**left**	laisser
to lose	**lost**	**lost**	perdre
to make	**made**	**made**	faire
to meet	**met**	**met**	rencontrer
to pay	**paid**	**paid**	payer
to put	**put**	**put**	mettre
to read	**read**	**read**	lire
to ring	**rang**	**rung**	sonner / téléphoner
to say	**said**	**said**	dire

▸ **to see**	**saw**	**seen**	voir
▸ **to send**	**sent**	**sent**	envoyer
▸ **to shut**	**shut**	**shut**	fermer
▸ **to sit**	**sat**	**sat**	s'asseoir
▸ **to sleep**	**slept**	**slept**	dormir
▸ **to speak**	**spoke**	**spoken**	parler
▸ **to take**	**took**	**taken**	prendre
▸ **to think**	**thought**	**thought**	penser
▸ **to understand**	**understood**	**understood**	comprendre
▸ **to wake**	**woken**	**woken**	(se) réveiller
▸ **to write**	**wrote**	**written**	écrire

La phrase interrogative

Les pronoms interrogatifs

▸ **where?**	*wèr*	où ?
▸ **what?**	*wat*	quoi ?
▸ **who?**	*Hou*	qui ?
▸ **whom?**	*Houm*	qui / à qui ?
▸ **whose?**	*Houz*	de qui / à qui ?
▸ **when?**	*wèn*	quand ?
▸ **why?**	*waï*	pourquoi ?
▸ **how?**	*Haou*	comment ?
▸ **how many?**	*Haou mènni*	combien de ? (+ pluriel)
▸ **how much?**	*Haou mœtch*	combien de ? (+ singulier)
▸ **how long?**	*Haou lonng*	combien (de temps) ?

L'ordre des mots dans la phrase interrogative

• Si le pronom interrogatif est le sujet : pas de changement.

sujet	verbe	objet (qui) (indirect)	objet (quoi) (direct)
Who	**told**	**you**	**that news?**
Hou	*tôould*	*you*	*DHèt niouz*
qui	dit	[à] toi	cette nouvelle
Qui	t'a donné		cette information ?

• Mais ceci est un cas rarissime, car la règle habituelle veut que l'on utilise l'auxiliaire do (faire), qui s'intercale entre le pronom interrogatif et le sujet.

pronom interrogatif	auxiliaire	sujet	verbe
When	**does**	**the boat**	**leave?**
wènn	*dœz*	*DHœ bôout*	*li:v*
quand	fait	le bateau	partir
Quand	part	le bateau ?	

auxiliaire	sujet	verbe
Does	**the boat**	**leave?**
dœz	*DHœ bôout*	*li:v*
fait	le bateau	partir
Le bateau part-il ?		

Réponses :	**Yes, it does.**	**No, it doesn't.**
	oui, il fait	*non, il ne fait pas*
	Oui.	Non.

• Au passé, vous interrogerez de cette façon :

auxiliaire	sujet	verbe	objet
Did	**my brother**	**forget**	**his ticket**
did	*maï broDH^er*	*fo:guèt*	*His tikètt*
faisait	mon frère	oublier	son billet

Mon frère a-t-il oublié son billet ?

Réponses :	**Yes, he did.**	**No, he didn't.**
	ièss, Hi did	*nôou, Hi diden't*
	oui, il a fait	non, il n'a pas fait
	Oui.	Non.

Notez que le verbe restant invariable, c'est l'auxiliaire **do** (faire) qui prend la forme du passé **did**. Cette forme reste inchangée à toutes les personnes.

Les salutations / La politesse

Bonjour ! (matin)	**Good morning!**	*goud mo:ninng*
Bonjour ! (après-midi)	**Good afternoon!**	*goud èftœ:noun*
Bonsoir !	**Good evening!**	*goudd ivninng*
Bonne nuit !	**Good night!**	*goud naït*
Bienvenu (e) !	**Welcome!**	*wellkomm*
Comment allez-vous (vas-tu) ?	**How are you?**	*Haou ar' you*
Très bien.	**Very well.**	*vèri well*
Comment allez-vous ? (plus formel)	**How do you do?**	*Hao dou you dou*
Merci, je vais bien.	**Thanks, I'm fine.**	*THankss aïm faïn'*
Salut ! (bonjour)	**Hello!**	*Hèlo*
Au revoir !	**Good bye!**	*goud baï*
Salut ! (au revoir)	**Bye-Bye! / Bye!**	*baï*
	Cheerio*!	*tchirio*
Salut ! (À plus tard !)	**See you (later)!**	*si you (lèt^er)*
À bientôt !	**See you soon!**	*si: you sou:nn*
Ça va.	**It's O.K.**	*its ôoukèï*
Je ne sais pas.	**I don't know.**	*aï doounnt nôou*
Je suis désolé/e. / Pardon.	**(I am) sorry.**	*(aï am) so:ri*
Il n'y a pas de quoi.	**You are welcome.**	*you ar' wellkomm*
Dites-moi...	**Tell me...**	*tèll mi*
Je ne me sens pas bien.	**I don't feel well.**	*aï doounnt fi:l well*
Aidez-moi, s'il vous plaît.	**Please help me.**	*pli:z hèlp mi*
À votre santé !	**Cheers!**	*tchi:rs*

***Cheerio** veut dire aussi "Santé !", "À la vôtre !".

- Comment t'appelles-tu ? / Comment vous appelez-vous ?
  What's your name?
  wotts yo:r nèïm

- Je m'appelle Jacques.
  My name is Jacques.
  maï nèïm iz Jacques

En général, les Américains s'appellent très vite par leurs prénoms.

s'il vous plaît / merci

- Passe(z)-moi le beurre s'il te (vous) plaît !
  Pass me the butter, please!
  pass mi DHœ batt^er pli:z

- Je vous (t') en prie / il n'y a pas de quoi !
  You're welcome!
  you:r welkomm

- Ce n'est rien !
  That's all right!
  DHats ô:l raït
- Comment ?
  Pardon?
  pa:donn

- **Thank you!** Merci !
- **Thanks!** Merci !
- **Thank you very much!** Merci beaucoup !
- **Thanks a lot!** Merci beaucoup !

Où est... ?

- Excusez-moi, s'il vous plaît. Où est... ?
  Excuse me, please. Where is...?
  ixkiouz mi, pli:z. wèr iz...
- Pouvez-vous m'indiquer le chemin pour... ?
  Could you tell the way to...?
  koudd you tèl mi DHœ wèï tou
- C'est là-bas à droite.
  It's over there on the right.
  its ôouver DHèr onn DHœ raït
- Tournez à gauche dans Queen's Street (la rue de la Reine).
  Turn left into Queen's Street.
  tœrn lèft inntou kouinns stri:t
- Allez tout droit, c'est en face de l'église.
  Go straight on, it's opposite the church.
  go strèït onn, its oppozit DHœ tchœrtch

DÉCOUVERTE

Bon voyage avec...

L'avion

- Je voudrais réserver un aller (aller-retour) pour New York.
  I'd like to book a (return) flight to New York.
  aïd laïk tou boukk œ (ritœ:nn) flaït tou Niou Yo:k
- Y a-t-il une correspondance pour Chicago ?
  Is there a connecting flight to Chicago?
  Iz DHèr œ konèkting flaït tou tchikègo

aéroport	**airport**	*è:po:tt*
arrivée	**arrival**	*œraïvœl*
atterrir	**to land**	*tou lènd*
bagages	**luggage/baggage**	*lœguèdj/bœguèdj*
comptoir d'information	**information desk**	*innformèïchœn dèsk*
départ	**departure**	*dipa:tch[er]*
horaire	**timetable**	*taïmtèbœl*
passager	**passenger**	*pœssèndjœr*
réservation	**booking**	*boukkinng*
salle d'attente	**departure lounge/hall**	*dipa:tch[er] laondj/Hô:l*
sortie	**exit**	*èxit*
vol	**flight**	*flaït*

Le bateau

- Quand le bateau part-il pour Ellis Island ?
  When does the boat leave for Ellis Island ?
  wènn dœz DHœ bôout li:v for èlissaïlènd

- Combien de temps la traversée dure-t-elle ?
  How long does the crossing take?
  Haou lonng doez DHœ krossinng tèïk

- Je voudrais réserver...
  I'd like to book...
  aïd laïk tou boukk...

- un billet pour...
  a passage to...
  œ passèdj to...

bateau	**boat**	*bôout*
bateau à vapeur	**steamer**	*sti:m^er*
canot de sauvetage	**lifeboat**	*laïfbôout*
côte	**coast**	*ko:st*
ferry	**ferry**	*fèrri*
gilet de sauvetage	**life-jacket**	*laïfdjèkèt*
port	**harbour**	*Harbo:r*
traversée	**crossing**	*krossinng*

Le train / Le bus

- Où est l'arrêt du bus / la gare routière ?
  Where is the bus stop / station?
  wèr iz DHœ bas stop/stèïchœn

- Un billet pour Philadelphie, s'il vous plaît.
  A ticket to Philadelphia, please.
  œ tikèt tou filœdèlfia pli:z

- Combien coûte un billet pour... ?
  How much is a ticket to...?
  Haou mœtch iz œ tikèt tou

- Quand y a-t-il un bus / train pour... ?
  When is there a bus / train to...?
  wènn iz DHhèr œ bas/trèïnn tou

compartiment	**compartment**	*kommpa:tment*
conducteur	**driver**	*draïv^er*
départ	**departure**	*dipa:chœr*
direction	**direction**	*dirèkchœn*
(non)-fumeur	**(non)-smoker**	*(nœn)-smôouk^er*
prix	**fare**	*fè:r*
terminus	**terminus**	*terminœs*
wagon lit	**sleeper**	*sli:p^er*

La voiture

- Où est la station service la plus proche ?
  Where's the nearest petrol-station?
  wèrz DHœ ni:rest pètrol stèïchœn

- Le plein s'il vous plaît !
  Full, please!
  foul pli:z

- Pouvez-vous contrôler l'huile / la batterie / la pression des pneus ?
  Can you check the oil / battery / tyre pressure?
  kèn you tchèk DHi oïl/bèttri/taïer prèchœr

- Je suis en panne !
  I have a breakdown!
  aï Hèv œ brèkdaoun

- Pouvez-vous remorquer ma voiture ?
  Can you take my car in tow?
  kèn you tèk maï ka: inn taou

DÉCOUVERTE

autoroute	**motorway**	*moto:wèï*
batterie	**battery**	*bèttri*
feux tricolores	**traffic-lights**	*trèffik-laïts*
freins	**brakes**	*brèks*
gasole	**diesel fuel**	*di:sel fioul*
moteur	**engine**	*èndjinn*
ordinaire	**regular petrol**	*règuiouer pètrol*
parking	**car park**	*ka: pa:rk*
permis de conduire	**driving licence**	*draïvinng laïssennss*
phares	**headlight**	*Hèdlaït*
super	**super petrol**	*sœpper pètrol*

Hébergement

Hôtel / Pension

- Bonjour, je voudrais une chambre simple/double pour deux nuits.
  Hello, I'd like a single room/double room for two nights.
  Helleou, aïd laïk œ sinngœl roum/dobbœl roum for tou naïts

- C'est combien ?
  How much is it?
  Haou mœtch iz it

- Le petit déjeuner est-il compris ?
  Is the breakfast included?
  iz DHœ brèkfest inkloudid

ascenceur	**lift/elevator**	*lift/èlèvèïtœr*
auberge de jeunesse	**youth hostel**	*youTH host'l*
chambre avec petit déjeuner	**bed and breakfast**	*bèd ènd brèkfœst*
chauffage	**heating**	*Hi:tinng*
clef	**key**	*ki:*
couverture	**blanket**	*blènkètt*
douche	**shower**	*chaouer*
drap	**sheet**	*chi:t*
étage	**floor**	*flo:r*
lit	**bed**	*bèd*
oreiller	**pillow**	*pilœou*
place de camping	**campsite**	*kèmpsaït*
réception	**reception**	*rissèpchœn*
robinet	**water-top**	*woter top*
sac de couchage	**sleeping-bag**	*sli:pinngbèg*
salle de bains	**bathroom**	*bèTHroum*
tente	**tent**	*tènnt*
toilettes	**toilet/lavatory**	*toïlèt/lèvetri*

- Avez-vous une place pour une petite tente / caravane ?
  Have you got a place for a small tent / caravan?
  Hèv you gott œ plèïss for œ smô:l tènt / kèrèvèn

- Où sont les douches / prises de courant ?
  Where are the washing-rooms / sockets?
  wèr ar' DHœ waching roums / sokèts

Au restaurant

- Pouvons-nous avoir le menu, s'il vous plaît ?
  Can we have the menu, please?
  kèn wi Hèv DHœ mèniou, pli:z

- Nous aimerions commander.
  We would like to order.
  wi woud laïk tou o:der

- Je prendrai une soupe de tomates et du poulet rôti, s'il vous plaît.
  I'll have tomato soup and roast chicken, please.
  aïl Hèv tomèto soup ènd rost tchikœn, pli:z

Nota : En anglais, on ne vous souhaitera pas **"bon appétit"**, tout au plus pourrez-vous entendre :

- **Enjoy your meal!**
  endjoï yô:r mi:l
  Prenez-plaisir [à] votre repas.

- Pouvons-nous avoir l'addition, s'il vous plaît ?
  Can we have the bill, please?
  kèn wi Hèv DHœ bill, pli:z

- Le repas était excellent.
  The meal was excellent.
  DHœ mi:l ouaz exssèllœnnt

bière	**beer**	*bi^er*
boisson	**drink**	*drinnk*
café	**coffee**	*koffi*
cuit au four	**baked**	*bèïkt*
déjeuner	**lunch**	*lœntch*
dessert	**dessert**	*dizœrt*
dîner	**dinner**	*dinn^er*
eau minérale	**mineral water**	*minnèrol wat^er*
frit	**fried**	*fraïd*
fromage	**cheese**	*tchi:z*
fruit	**fruit**	*frou:t*
gâteau	**cake**	*kèïk*
glace	**ice-cream**	*aïsskri:m*
hors d'œuvres	**starter (GB)**	*sta:t^er*
hors d'œuvres	**appetizer (US)**	*èpœtaïz^er*
jus de fruit	**juice**	*djou:ss*
lait	**milk**	*milk*
légumes	**vegetables**	*vèdjètèbœls*
pain	**bread**	*brèd*
petit-déjeuner	**breakfast**	*brèkfœst*
poisson	**fish**	*fich*
poivre	**pepper**	*pèpp^er*
porc	**pork**	*po:k*
poulet	**chicken**	*tchikœnn*
sel	**salt**	*sô:lt*
souper	**supper**	*sœpp^er*
veau	**veal**	*vi:l*
végétarien	**vegetarian**	*vèdjètèrienn*
viande	**meat**	*mi:t*
volaille	**poultry**	*poltri*

Le shopping

- Bonjour, vous vendez des cartes postales ?
  Hello, do you sell postcards?
  Hellôou, dou you sell postka:ds

- Je veux acheter une chemise, s'il vous plaît !
  I want to buy a shirt, please!
  aï wonnt tou baï œ chœrt, pli:z

- C'est combien / Combien ça coûte ?
  How much is it?
  Haou mœtch iz it

- Pouvez-vous changer de l'argent ?
  Can you change money?
  kènn you tchèïnndj manni

- C'est trop cher.
  This is too expensive.
  DHiss iz tou ixpènsiff

- Je n'aime pas ça / Ça ne me plaît pas.
  I don't like it.
  aï dôounnt laïk it

acheter	**to buy**	*tou baï*
boucher	**butcher**	*batcher*
boulanger	**baker**	*bèïker*
boutique	**boutique**	*bouti:k*
carte bancaire	**cheque card**	*tchèk ka:d*
carte postale	**postcard**	*postka:d*
ceinture	**belt**	*bèlt*
chemise	**shirt**	*chœrt*
chèque	**cheque**	*tchèk*
cher	**expensive**	*ixpènnsiff*
pas cher	**cheap**	*tchi:p*
distributeur automatique de billets	**cash-machine (GB)**	*kèch mœchinn*
distributeur automatique de billets	**A.T.M. (US)** *	*èï-ti:-èmm*
imperméable	**raincoat**	*rennkôout*
journal	**newspaper**	*niouzpèïppœr*
jupe	**skirt**	*skœ:t*
kiosque	**kiosk**	*kiosk*
magasin	**shop**	*chopp*
grand magasin	**department store**	*dipa:tmennt stor*
magasin de souvenirs	**souvenir shop**	*souvennir chopp*
monnaie	**change**	*tchèïnndj*
pantalon	**trousers**	*traouzœrss*
papeterie	**stationer**	*stèïchœnner*
poste	**post office**	*pôoustoffiss*
pressing	**dry-cleaner**	*draï-cli:nner*
pullover / tricot	**pullover**	*poulôouvœr*
robe	**dress**	*drèss*
supermarché	**supermarket**	*sœpœrma:kèt*
timbre	**stamp**	*stèmp*
vendre	**to sell**	*tou sèll*
veste	**jacket**	*djèkètt*

* **A.T.M. : automated teller machine** (mot à mot : « machine-caissier-automatisée »).

- Où puis-je changer de l'argent ?
  Where can I change money?
  wèr kèn aï tchèïnndj manni

S'orienter dans le temps

L'heure

une heure	**an hour**	*ènn aouer*
une minute	**a minute**	*œ minnitt*
une seconde	**a second**	*œ sèkœnd*
une demi-heure	**half an hour**	*haff œnn aouer*
un quart d'heure	**a quarter of an hour**	*œ qwo:ter ov ènn aouer*
ponctuel, à l'heure	**in time**	*inn taïmm*

- Quelle heure est-il, s'il vous plaît ?
  What's the time, please?
  wots DHœ taïm pli:z

- Quelle heure est-il ?
  What time is it?
  wot taïm iz it

- Pouvez-vous me dire l'heure ?
  Can you tell me the time?
  kènn you tèl mi DHœ taïm

- Il est tard / tôt.
  It's late / early.
  its lèit / œ:li

Pour la première demi-heure, de 0 à 30 minutes, par exemple 9h10, dites d'abord les minutes : **ten** (dix min) suivies de **past** (passé, après) suivies de **nine** (9 heures) – **ten past nine**.

Pour la deuxième demi-heure, de 30 à 60 minutes, par exemple 9h40 ou 10 heures moins 20, dites d'abord les minutes **twenty** (vingt min) suivies de **to** (jusqu'à, avant) **ten** (dix heures) – **twenty to ten**.

- deux heures vingt-quatre
  twenty four minutes past two
  touènnti fo: minnitts pèst tou

- dix-sept heures trente
  half past five
  haff pèst faïv

- quinze heures quarante-cinq
  a quarter to four
  œ qwo:ter tou fô:

- douze heures / midi
  twelve o'clock
  touèlv o klok

jour	**day**	*dèï*
semaine	**week**	*wi:k*
mois	**month**	*mannTH*
date	**date**	*dèït*
hier	*yesterday*	*yèsstœdèï*
demain	**tomorrow**	*toumorô:*
aujourd'hui	**today**	*toudèï*

Pendant la journée

(le) matin, (dans la) matinée	**(in the) morning**	*inn DHœ mo:nninng*
ce matin	**this morning**	*DHiss mo:nninng*
(à) l'heure du déjeuner	**(at) lunch time**	*ètt lœntch taïm*
(dans l') après-midi	**(in the) afternoon**	*inn DHi: èftœ:nou:nn*
soir	**evening**	*iv'ninng*
ce soir	**tonight**	*tounaït*
(dans la) nuit	**(in the) night**	*inn DHœ naït*

Les jours de la semaine

dimanche	**Sunday**	*sœnndèï*
lundi	**Monday**	*monndèï*
mardi	**Tuesday**	*tiouzdèï*
mercredi	**wednesday**	*wenn'esdèï*
jeudi	**Thursday**	*THœ:sdèï*
vendredi	**Friday**	*fraïdèï*
samedi	**Saturday**	*sètœhdéï*
le lundi	**on Monday(s)**	*on mondèï(z)*

Les mois

janvier	**January**	*djannioueri*
février	**February**	*fèbroueri*
mars	**March**	*ma:tch*
avril	**April**	*èipril*
mai	**May**	*mèï*
juin	**June**	*djounn*
juillet	**July**	*djoulaï*
août	**August**	*o:gœsst*
septembre	**September**	*sèptèmber*
octobre	**October**	*oktôouber*
novembre	**November**	*nôouvèmber*
décembre	**December**	*dissèmber*

Les saisons

saison	**season**	*sizonn*
printemps	**spring**	*sprinng*
été	**summer**	*sammer*
automne	**autumn**	*o:tœmn*
hiver	**winter**	*winnter*

Les nombres

0	**zero**	*zirôou*
1	**one**	*wann*
2	**two**	*tou*
3	**three**	*THri:*
4	**four**	*fo:*
5	**five**	*faïv*
6	**six**	*six*
7	**seven**	*sèvenn*
8	**eight**	*èïtt*
9	**nine**	*naïnn*
10	**ten**	*tènn*
11	**eleven**	*ilèvenn*
12	**twelve**	*touèlv*
13	**thirteen**	*THœrti:nn*
14	**fourteen**	*fo:ti:nn*
15	**fifteen**	*fifti:nn*
16	**sixteen**	*sixti:nn*
17	**seventeen**	*sèvennti:nn*
18	**eighteen**	*èïti:nn*
19	**nineteen**	*naïnnti:nn*
20	**twenty**	*touènnti*
30	**thirty**	*THœrti*
31	**thirty one**	*THœrtiwann*
40	**forty**	*fo:ti*
50	**fifty**	*fiffti*
60	**sixty**	*sixti*
70	**seventy**	*sèvennti*
80	**eighty**	*èïti*
90	**ninety**	*naïnnti*
100	**hundred**	*Hanndred*
500	**five hundred**	*faïv hanndred*
1 000	**thousand**	*THaouzend*
10 000	**ten thousand**	*tènn THaouzend*

NEW PROVIDENCE ET PARADISE ISLAND

New Providence – Nassau

New Providence

- **Population :** 210 832 hab. (60 % de la population locale).
- **Superficie :** 215 km².

L'ancienne république des Pirates, entre glamour et charme colonial... La petite île de New Providence est, à elle seule, un parfait résumé des Bahamas, une île qui conjugue l'exotisme tropical et le charme colonial, avec une pincée d'affairisme.
Capitale économique et politique des Bahamas, l'île de New Providence abrite la capitale administrative, politique et commerciale de l'archipel, Nassau, et le siège du gouvernement bahaméen. L'île de New Providence compte trois zones touristiques bien distinctes : le centre-ville de Nassau qui, comme toute capitale, compte des monuments historiques et de nombreuses boutiques, des hôtels, des restaurants et des bars ; la zone de plages de Cable Beach, (qui doit son nom au câble sous-marin qui la relie à la Floride), qui est le lieu de villégiature par excellence et est célèbre pour les immenses complexes hôteliers qui bordent ses immenses plages de sable immaculé et, en dernier, l'île de Paradise Island, ancienne enclave privée, reliée à New Providence par deux grands ponts, qui est aussi une zone entièrement dédiée au tourisme. La côte sud est peu urbanisée et ne compte quasiment pas de structure touristique. C'est une zone résidentielle d'habitations qui ne présente pas de réel intérêt pour le visiteur étranger.

NASSAU

La capitale politique, administrative, économique et touristique de l'archipel est une ville charmante ; c'est la plus ancienne cité de l'île. Capitale minuscule, elle se situe sur la côte nord de l'île et concentre la majorité des habitants de l'archipel. Construite à flanc de collines ensoleillées et dominant une mer aux reflets turquoise, Nassau exhale un charme tout particulier, né de ses contrastes. Si l'ancien repaire de pirates s'est reconverti en oasis du tourisme de luxe, Nassau compte encore en son centre quelques vestiges historiques intéressants et possède la plus grande concentration d'édifices coloniaux de l'archipel.

C'est une ville à la fois populaire et sophistiquée qui entremêle, sans fausse note, modernisme et charme colonial à la britannique, tant dans son architecture que dans son ambiance faite de nonchalance et d'agitation contrôlée.

Les vieilles demeures à nobles colonnades encadrées de pelouses impeccablement tondues y côtoient les grands hôtels de luxe aux proportions parfois démesurées. Nassau est une ville portuaire et un port franc, tout à la fois cosmopolite et affairée. Le quartier des affaires, qui est également un centre commercial florissant, se situe en front de mer, face à Paradise Island.

Immédiatement au sud du port se trouve le centre historique qui tient en quelques *blocks* de maisons. Ses édifices gouvernementaux sont reconnaissables à leur couleur rose, les édifices historiques et de belles maisons colorées de style colonial émaillent les rues.

Plus haut sur la colline, on entre dans les faubourgs de Nassau, quartiers d'habitation qui ne doivent rien au tourisme.

Les immanquables de New Providence et de Paradise Island

- **Déambuler dans le centre historique** et découvrir les édifices coloniaux.
- **Voyager dans le temps** au musée des Pirates.
- **Faire des achats hors taxe dans Bay Street** et marchander au Straw Market.
- **Déguster une salade de *conches*** sur Potter's Cay.
- **Rencontrer les dauphins** de Blue Lagoon Island.
- **Vivre des sensations fortes** sur les toboggans d'Atlantis.

New Providence et Paradise Island

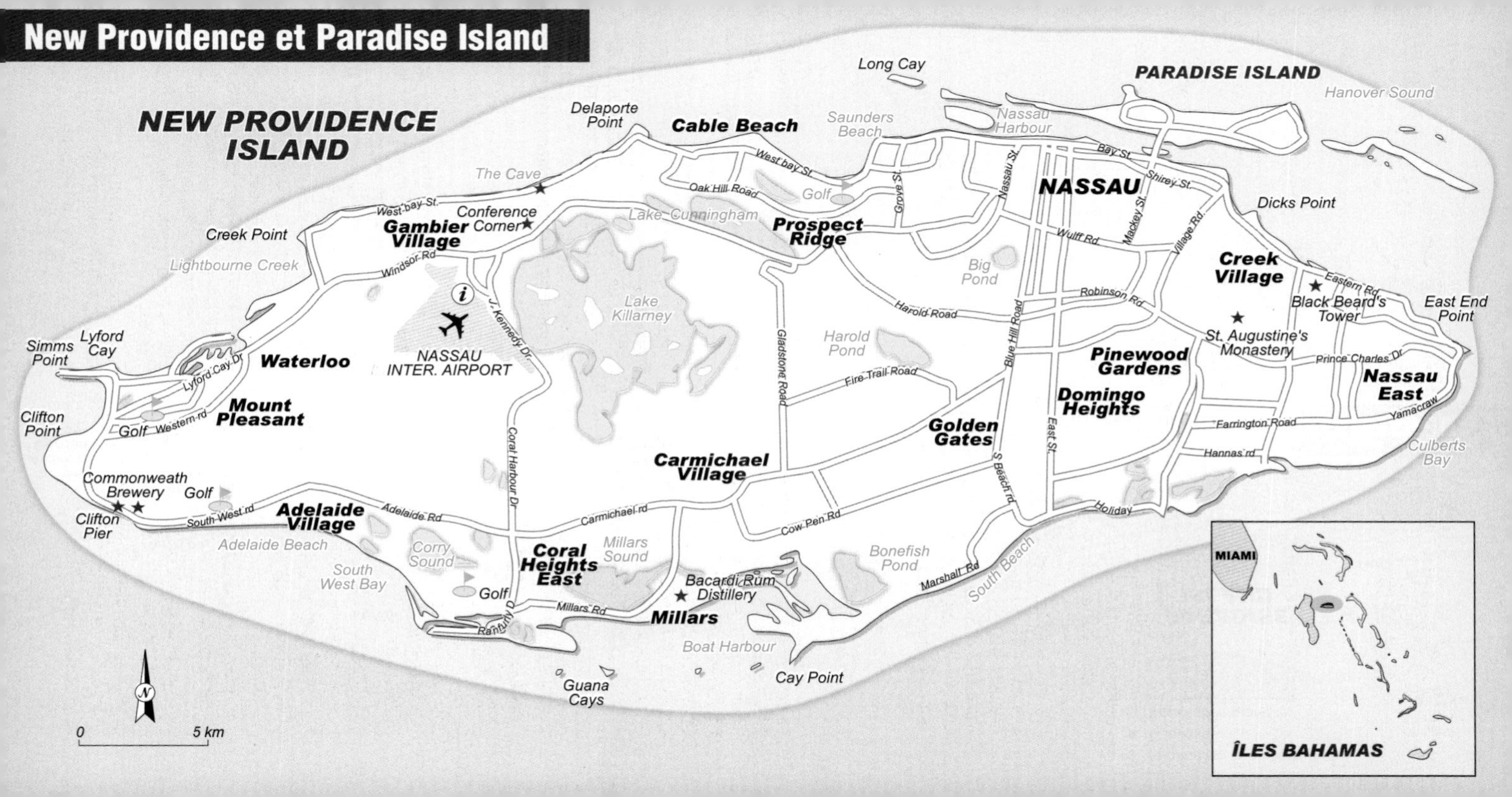

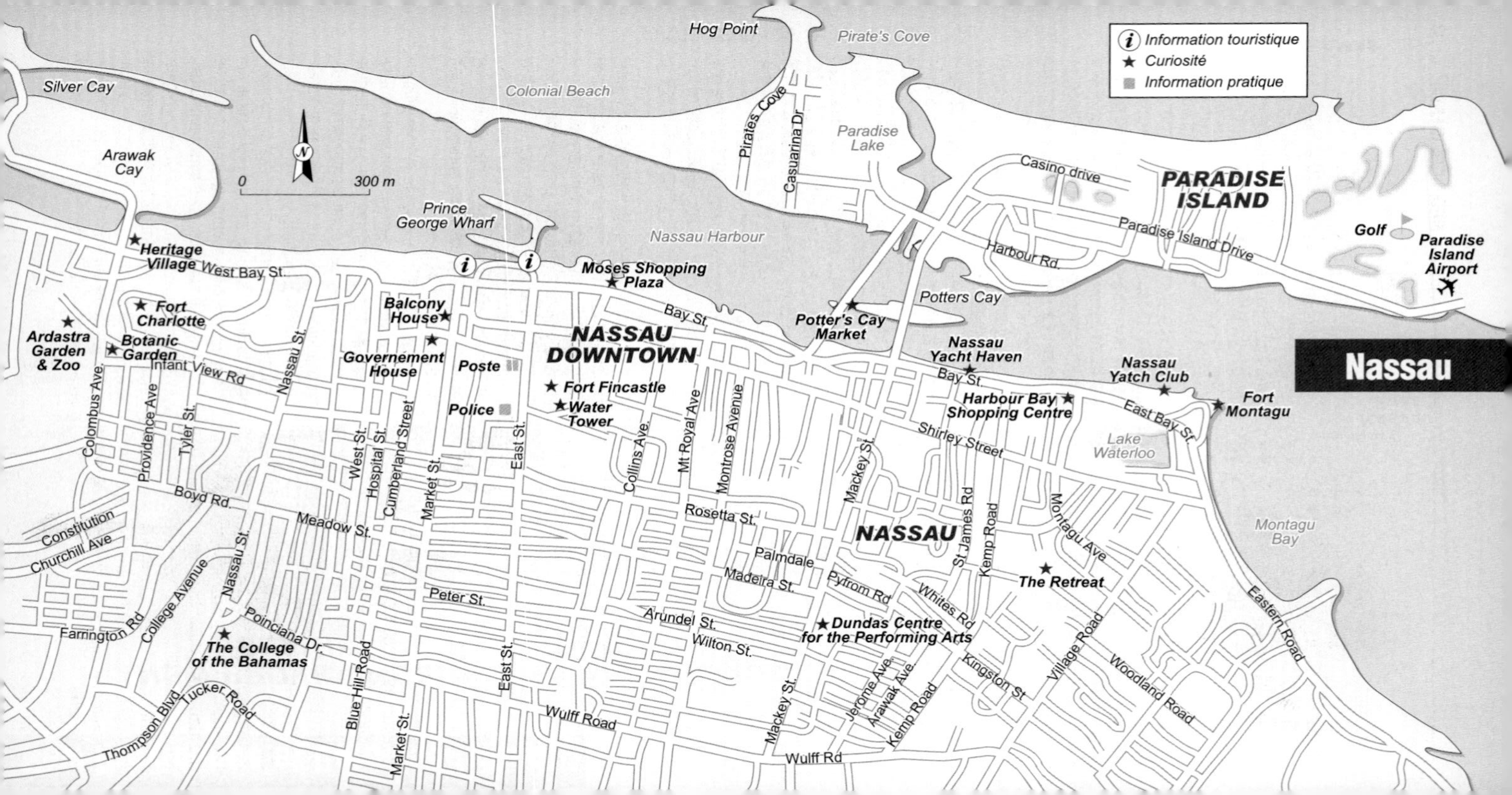
Nassau
Information touristique
Curiosité
Information pratique
0
300 m
Hog Point
Pirate's Cove
Silver Cay
Colonial Beach
Arawak Cay
Pirates Cove
Casuarina Dr
Paradise Lake
Casino drive
PARADISE ISLAND
Paradise Island Drive
Harbour Rd.
Golf
Paradise Island Airport
Prince George Wharf
Nassau Harbour
Potters Cay
Heritage Village
West Bay St.
Moses Shopping Plaza
Fort Charlotte
Balcony House
Bay St.
Potter's Cay Market
Ardastra Garden & Zoo
Botanic Garden
Intant View Rd
Nassau St.
Governement House
Poste
NASSAU DOWNTOWN
Nassau Yacht Haven
Nassau Yatch Club
Fort Montagu
Fort Fincastle
Water Tower
Police
Harbour Bay Shopping Centre
East Bay St.
Colombus Ave.
Providence Ave
Tyler St.
West St.
Hospital St.
Cumberland Street
Market St.
East St.
Collins Ave.
Mt Royal Ave
Montrose Avenue
Mackey St.
Shirley Street
Lake Waterloo
Boyd Rd.
Meadow St.
Rosetta St.
NASSAU
St James Rd
Kemp Road
Montagu Ave
Montagu Bay
Constitution
Churchill Ave
Palmdale
Madeira St.
Pyfrom Rd
Whites Rd
The Retreat
College Avenue
Peter St.
Arundel St.
Dundas Centre for the Performing Arts
Farrington Rd
Poinciana Dr.
The College of the Bahamas
Wilton St.
Eastern Road
Blue Hill Road
Village Road
Woodland Road
Kingston St
Jerome Ave.
Arawak Ave.
Thompson Blvd
Tucker Road
Wulff Road
Wulff Rd

On y croise des petits écoliers en uniforme, jupes plissées et cravates aux couleurs des écoles.

Le port qui se déploie dans la passe étroite qui sépare Nassau de Paradise Island est très actif, du petit matin à la tombée de la nuit.

S'y rencontrent tous les types d'embarcations, des bateaux de pêche aux allures traditionnelles, de rapides vedettes à moteur d'excursions ou équipées pour la pêche au gros, des bateaux courrier trapus et démodés, les fameux *mail-boats*, de gigantesques paquebots de croisières, véritables gratte-ciel sur mer dont la taille dépasse l'imagination, d'élégants yachts de luxe arborant pavillon étranger, et de modestes coquilles de noix aux carcasses vieillissantes dont on a bien du mal à deviner la destination.

C'est le temps nécessaire aux croisiéristes pour déferler sur la ville et parcourir en rangs serrés les rues commerçantes du centre ; un seul objectif, investir et dévaliser les boutiques en duty free, bijouteries, maroquineries, boutiques d'alcool et de tabac et faire fonctionner l'économie locale.

Les matinées sont particulièrement mouvementées ; puis le centre-ville retrouve progressivement sa torpeur au cours de l'après-midi pour s'endormir paisiblement vers 18h-19h, heures de fermeture des bureaux et des commerces.

Quand vient la nuit, le centre-ville, déserté en un clin d'œil, entre en léthargie sous une nappe de silence et de solitude.

La vie se tourne alors vers les centres touristiques que constituent les grands complexes hôteliers de Cable Beach ou de Paradise Island. Là se trouvent les bars, les restaurants, les boîtes de nuit et les deux casinos de l'île.

Musarder dans Nassau, c'est un peu comme arpenter les rues d'un village de poupées. La rue principale aux façades de boutiques colorées, bien léchées, les sabots des chevaux tirant des calèches qui résonnent gaiement, les limousines démesurées qui emportent leur clientèle anonyme ou trop connue et protégée des regards indiscrets par des vitres teintées, les façades roses des édifices gouvernementaux, la joyeuse effervescence du Straw Market, (le marché de la vannerie ou de Paille), les hommes d'affaires cravatés se pressant au milieu des touristes en tenue légère, tout concourt à faire des rues de Nassau un décor d'opérette.

Un peu d'histoire

L'histoire de Nassau commence avec la brève visite des aventuriers d'Eleuthera qui n'y firent qu'une halte sans s'y établir. Néanmoins, l'île en gardera quelque temps le nom de Sayle Island, du nom du capitaine Sayle qui menait cette expédition. Fondée en 1666, Charles Town n'est à ses débuts qu'un repaire de malfrats où les tavernes et autres lieux de perdition sont plus nombreux que les maisons d'habitation. En 1684, les Espagnols pillent la ville en représailles aux attaques incessantes des pirates sur leurs galions transportant de précieuses marchandises entre le Nouveau Monde et l'Europe. La majorité de la population quitte l'île pour se réfugier en Amérique. En 1695, la ville est reconstruite et baptisée Nassau du nom du nouveau souverain britannique, prince d'Orange-Nassau. Un fort est construit pour défendre la ville, le fort Nassau, à l'emplacement de l'actuel hôtel British Colonial Hilton. La ville est de nouveau attaquée en 1703 par une coalition des armées françaises et espagnoles qui unissent leurs forces pour détruire Fort Nassau. Les pirates prennent la ville en main et y proclament alors leur république. S'ensuit une période de dérives et de débauches qui exaspère le gouvernement anglais.

En 1714 la signature du traité d'Utrecht met fin aux rivalités entre les Anglais et les Espagnols. Les pirates ne sont plus en odeur de sainteté.

En 1718, le pirate repenti Woodes Rogers est envoyé sur l'île comme gouverneur par la Couronne anglaise pour remettre de l'ordre dans la ville et mettre sur pied une administration digne de ce nom. Il propose aux pirates d'acheter leur reddition et nombre d'entre eux acceptent. Les récalcitrants doivent se replier sur des îles voisines. La piraterie est officiellement stoppée.

Au milieu du XVIIIe siècle, le centre-ville se construit autour du Strand (aujourd'hui Bay Street) et de Market Street, qui constituent le cœur de la ville. Les édifices gouvernementaux voient le jour, l'Assemblée, le tribunal, la cathédrale, la prison…

À partir de 1760, sous la houlette du gouverneur William Shirley, ancien gouverneur du Massachusetts, la ville se tourne vers la modernité, de nouvelles rues sont construites, un réseau d'égouts est créé. L'afflux d'émigrés en provenance des États d'Amérique aide la ville à se développer rapidement grâce à son port bien abrité au fond d'une anse protégée et à ses ancrages sûrs.

En 1787 commence le règne du gouverneur Dunmore. Corrompu et dépravé, il est beaucoup critiqué par ses contemporains. Il ordonne la construction de deux forts pour défendre la ville, le fort Charlotte et le fort Fincastle. La fin du XVIIIe siècle marque une ère de prospérité pour Nassau. La population est composée de riches familles blanches, d'esclaves et de domestiques noirs libres. En 1807 l'Angleterre abolit le trafic des esclaves, puis l'esclavage en 1834. Les Noirs libérés vont apporter leurs bras et aider à la construction d'une ville moderne. De nombreux édifices ou constructions datent de cette époque comme les « escaliers de la Reine », une voie vers les hauteurs de la ville taillée dans le rocher. Le XXe siècle est marqué par des phases successives de faste et de débâcles économiques, liées à l'ère de l'éponge, la Prohibition, la Seconde Guerre mondiale et la révolution cubaine (voir « *Histoire du pays* »).

Transports

Bus

Les bus locaux, appelés *jitneys*, desservent toute l'île. Ils circulent de 7h à 19h-20h, avec un intervalle de 10 à 20 minutes selon les lignes. Au-delà de 20h, il vous faudra utiliser les taxis. Le coût du *jitney* est de 1,25 US$ par personne quelle que soit la nature du trajet. Les arrêts sont marqués par des poteaux, mais la plupart des *jitneys* s'arrêtent sur un simple signe de la main et vous déposent où vous voulez. La ligne 10 (terminal sur George Street) dessert le centre-ville et Cable Beach. La ligne 16 part du centre pour rejoindre l'ouest de la ville et le pont de Paradise Island. A noter qu'aucun *jitney* ne passe le pont. Pour la partie est de l'île, les bus partent de Frederick Street. Les bus pour les *malls* partent de Marlbourgh Street East. Prendre un *jitney*, c'est approcher un peu de l'âme bahaméenne, découvrir une atmosphère locale chaleureuse et sans chichis. On y échange des commentaires sur l'actualité, des commérages et des informations sur fond de calypso ou de reggae, parfois même on y fredonne en chœur les derniers tubes à la mode.

Ferry

▶ **Les ferries de la compagnie Bahama Fast Ferries** (✆ 323 2166 – www.bahamasferries.com – Terminal et guichets sur Potter's Cay Dock, à Nassau) sont un moyen sûr et rapide de gagner certaines îles depuis Nassau. Les rotations sont régulières, le transport est rapide et les horaires respectés. Il est prudent de réserver sa place à l'avance.

La compagnie relie quotidiennement Nassau à Spanish Wells, à Harbour Island et à Eleuthera (plusieurs escales). Compter 2 heures de trajet. 65 US$ pour un trajet simple adulte, 45 US$ enfant, et 125 US$ pour un aller-retour adulte et 85 US$ aller-retour enfant.

▶ **Le Bahamas Searoad Sea Link** transporte passagers et véhicules entre Nassau et Eleuthera 3 fois par semaine. Il dessert également Andros chaque jour à des horaires différents, avec trois étapes Andros nord, centre et sud ; compter 90 US$ aller-retour par adulte et 55 US$ pour un enfant. Le trajet dure environ 3 heures. George Town, la capitale des Exumas est desservie le lundi et le mercredi (90 US$ aller-retour par adulte et 55 US$ par enfant). Sandy Port, à Abaco, est desservi le mercredi, le vendredi et le dimanche (mêmes tarifs).

Location de voitures

Toutes les enseignes de loueurs de voitures sont représentées à l'aéroport international.

■ **AUTO ESCAPE**
✆ 0800 920 940, appel gratuit en France, 33(0)4 90 09 28 28
www.autoescape.com
Une formule nouvelle et économique pour la location de voitures. Un broker qui propose les meilleurs tarifs parmi les grandes compagnies de location. Cette compagnie, qui loue de gros volumes de voitures, obtient des remises substantielles qu'elle transfère à ses clients directs. Payez le prix des grossistes pour le meilleur service. Pas de frais de dossier, pas de frais d'annulation.

■ **AVIS**
✆ 326 6380, Bureau à Nassau :
✆ 326 6380

■ **BUDGET**
✆ 377 7405

■ **DOLLAR**
✆ 377 7231 à l'aéroport international.
Autre adresse : British Colonial Hilton.

■ **HERTZ**
✆ 377 8684

Location de scooters

Dans les hôtels de Cable Beach et sur Bay Street notamment.

Taxis

Se déplacer en taxi est très courant sur l'île, et les véhicules sont nombreux. Les tarifs sont établis officiellement, donc non négociables, et aucun taxi officiel n'y déroge. Donc pas de mauvaises surprises. Parfois un chauffeur anonyme en maraude propose ses services à des tarifs compétitifs, mais comme partout c'est à vos risques et périls, quoique les périls sur les îles soient rares... Il faut compter 11 US$ pour aller de Nassau à Paradise Island, 27 US$ pour l'aéroport, 32 US$ de Paradise à l'aéroport. Les tarifs se comprennent pour deux personnes, les personnes supplémentaires sont facturées en général 3 US$ de plus.

Pratique

Tourisme

Trois centres d'information sont à votre disposition : à l'aéroport, sur Rawson Square et sur le quai Prince George dans le centre de Festival Place.

■ ASSISTANCE TELEPHONIQUE EN FRANÇAIS
✆ 302 2057

■ MINISTERE DU TOURISME
Bolam House, George Street.
✆ 322 7500 – Fax : 328 0945

■ NASSAU WALKING TOURS
✆ 325 8687, 323 3182
Du lundi au samedi, de 10h à 16h. La visite dure 2 heures environ et coûte 10 US$ par personne.
Ces visites guidées de Nassau se font à pied et démarrent au bureau du tourisme du Dock Prince George. Le guide est, bien sûr, un professionnel du tourisme. C'est une bonne option, peu coûteuse, pour découvrir l'essentiel de Nassau en un minimum de temps.

Poste et télécommunications

Le principal et le plus central se trouve dans Festival Place, au débarcadère des bateaux de croisière. Il propose, tourisme oblige, un large éventail de timbres colorés à thématiques variées, des membres de la famille royale d'Angleterre aux poissons et oiseaux tropicaux, qui égayeront joliment les cartes postales.

Internet

■ ASAP SERVICES
East Bay Shopping Center
✆ 394 6447 – asap@bahamas.net.bs

■ CHIPPIES WALL STREET CAFÉ
✆ 356 2092 – chippies@chippieswsc.com

■ CYBER CAFE
Nassau Beach Hotel
cybercafe1@coralwave.com
Ouvert de 9h à 21h du lundi au vendredi, de midi à 21h le samedi et de 15h à 21h le dimanche. Compter 5 US$ les 15 minutes.
Service de fax et de photocopie, téléphone international.

■ KOBI'S
Bay Street, en étage
✆ 323 0464

Bay Street, centre-ville de Nassau

■ **TIKAL**
Bay Street
Ouvert tous les jours de 9h à 19h. Le centre Internet se trouve au premier étage d'une boutique de souvenirs. Prix très compétitifs : 10 cents la minute.

Argent

De nombreuses banques sont concentrées dans le centre-ville. La plupart possèdent des distributeurs de billets. Les grands hôtels proposent tous un service de change, mais les taux sont plus élevés que dans les banques.

■ **ABM BANKING**
Bay Street
Du lundi au vendredi de 9h30 à 15h.

Sécurité

■ **POLICE**
✆ 322 4444

■ **URGENCE, POLICE ET POMPIERS**
✆ 919

Santé

■ **AMBULANCE**
✆ 322 2221

■ **CENTRE MEDICAL**
68, Collins Street
✆ 322 7853

© THE ISLANDS OF THE BAHAMAS

Centre-ville de Nassau

■ **COLE TOMPSON**
Bay Street
✆ 322 2062
Ouvert de 9h à 18h du lundi au samedi et de 10h à 14h le dimanche.
Ce drugstore est bien fourni en médicaments OTC sans ordonnance comme en médicaments sur ordonnance. Presse étrangère.

■ **HEAVEN SENT PHARMACIE**
Nassau Street
✆ 326 4629, 380 2436 (24h/24).
pharmacie ouverte 24h/24.

■ **NUMERO MEDICAL D'URGENCE**
✆ 394 2582

■ **PRINCESS MARGARET HOSPITAL**
✆ 322 2861

■ **SECOURS EN MER**
✆ 327 3877

■ **WEST BAY MEDICAL CENTER**
West Bay Street.
✆ 328 4041

Librairies

■ **THE ISLAND BOOK SHOP**
Bay Street, 2e étage.
✆ 322 1011

■ **LEE'S BOOK CENTER**
Parliament Street
✆ 322 2128

■ **NASSAU STATIONERS LIMITED**
Rosetta Street
✆ 322 7614

Hébergement

A Nassau, les possibilités d'hébergement sont très nombreuses et proposent un large éventail de tarifs, allant des hôtels locaux modestes aux petits hôtels de charme exclusifs, jusqu'aux grandes structures démesurées à l'américaine et aux clubs tout compris.

Bien et pas cher

Les tarifs des établissements de cette rubrique montent jusqu'à 75 US$.

■ **HARBOUR MOON HOTEL**
Bay et Deveaux Streets
✆ 323 8120 – Fax : 328 0374
Compter 55 US$ pour une chambre double sans petit déjeuner.
Situé un peu en dehors du centre commercial,

en direction de Paradise Island, cet édifice moderne et quelque peu décrépit affiche immédiatement sa fonctionnalité. Pas de charme, pas d'effort de décoration, ni même d'accueil chaleureux. Les 30 chambres sont banales mais correctes, et pour le prix, il n'y a rien à dire.

■ MIGNON GUEST-HOUSE
12, Market Street
✆ 322 4771
vendor@vendor.adress.com
Comptez 50 US$ pour une chambre double. Fermé en juillet.
Situé en plein cœur du centre historique, cet hôtel modeste propose 6 chambres avec ventilateur et air conditionné, avec salle de bains partagée. Une cuisine est à la disposition des clients. Le tout est bien tenu par une famille d'origine grecque, à un prix défiant toute concurrence.

■ PARK MANOR HOTEL
45, Market Street
✆ 356 5471
www.parkmanorhotel.com
info@parkmanorhotel.com
Entre 65 US$ et 69 US$ pour deux personnes avec petit déjeuner continental, thé et café compris. Comptez 79 US$ pour trois, 90 US$ pour quatre et entre 110 et 115 US$ pour six.
L'hôtel est bien situé, au cœur de Nassau. Les 7 chambres et studios peuvent accueillir de 2 à 6 personnes. Ils sont bien équipés (TV, téléphone, air conditionné) et possèdent un coin cuisine avec réfrigérateur et four à micro-ondes. Une petite piscine agrémentée de chaises longues permet de se détendre. Le restaurant (fermé le dimanche) sert une cuisine locale traditionnelle entre midi et 18h. L'ambiance est sympathique, presque familiale. Un bon rapport qualité-prix.

■ TOWNE HOTEL
40, George Street
✆ 322 8450 – Fax : 328 1512
www.townehotel.com
reservations@townehotel.com
Compter entre 80 US$ et 100 US$ pour une chambre double, petit déjeuner continental compris.
Situé dans une jolie rue ombragée du centre de Nassau, à deux pas de tous les centres d'intérêt, l'hôtel distille un petit parfum de province avec ses allures de grande maison familiale. L'édifice est récent et fonctionnel. Les 46 chambres, correctes et simples (TV, téléphone, ventilateur et air conditionné), donnent sur une agréable cour intérieure où s'inscrit une piscine en mouchoir de poche. Un bon choix dans cette catégorie de prix.

Confort ou charme

■ BREEZES SUPERCLUBS
Cable Beach
✆ 327 6153
Fax : 327 5155
www.superclubs.com
Compter entre 140 US$ et 200 US$ selon la chambre et la saison.
L'hôtel donne directement sur la plage de Cable Beach ; les différents édifices encadrent les nombreuses piscines et Jacuzzi. L'hôtel-club pratique la formule du tout-inclus, du petit déjeuner aux digestifs du soir. Les chambres, réparties en 4 catégories, donnent toutes sur la plage. Elles sont équipées de TV, de téléphone, de coffre-fort, de planche à repasser, de sèche-cheveux... De nombreuses activités sportives sont proposées parmi lesquelles, originalité, une école de trapèze-volant et de trampoline. Les sports nautiques sont multiples (planche à voile, voile, canoë, ski nautique...) et les sports terrestres ne sont pas en reste : 3 courts de tennis, une piste de jogging, basket, volley-ball, bicyclettes, un centre de fitness... Trois types de restauration, buffet international, spécialités et grill ; quatre bars, discothèque, piano-bar. Les soirées sont animées de spectacles, puis la discothèque prend le relais. Les transferts hôtel-aéroport sont offerts. L'hôtel est réservé à une clientèle de plus de 14 ans.

■ BUENA VISTA
Delancy Street
✆ 322 2811
Fax : 322 5881
A partir de 90 US$ pour deux.
Cette ancienne demeure noble du XIXe siècle se trouve sur les hauteurs de Nassau dans une zone résidentielle, non loin du centre-ville. Au cœur d'un vaste parc se dresse un édifice d'un autre temps, dont l'architecture, la décoration et l'ambiance sont une véritable invitation à un voyage aux temps des plantations, style « Autant en emporte le vent ». Les six chambres, très vastes, se trouvent à l'étage et portent chacune un nom de fleur tropicale. Les salles de bains sont immenses et chaque chambre possède la télé et un ventilateur, seule concession à la modernité.

La décoration, désuète à souhait, ne manque pas de charme. Au premier niveau se trouvent un vaste salon accueillant et la salle de restaurant, qui attire une clientèle locale élégante, idéale pour dîner en bonne compagnie. D'ailleurs on est ici au siège du Rotary club local. On y sert en grande pompe une cuisine locale très traditionnelle et quelques plats internationaux classiques à tendance italienne. On recommande le Bahamian Seafood Platter. Le personnel est charmant et attentif. Bref, voilà un hôtel qui, loin d'être un des plus confortables de la ville, est certainement un des plus charmants, et qui offre un excellent rapport qualité-prix.

■ DILLET'S GUEST HOUSE
Dunmore Avenue
Strachan Street, Chippingham.
✆ 325 1133
Fax : 325 7183
www.islandeaze.com
dillets@batelnet.bs
A partir de 100 US$ la chambre pour deux, petit déjeuner inclus.
Cette belle maison familiale de 7 chambres pleines de charme date du début du XXe siècle. Elle se dessine au cœur d'un vaste jardin ombragé d'essences tropicales. Les chambres sont bien décorées et possèdent la TV. Deux d'entre elles disposent d'une kitchenette. Se prélasser dans une balancelle sur la véranda, prendre le thé à 17h avec des pâtisseries gourmandes, plonger dans la petite piscine ou faire la sieste au creux d'un hamac, autant de façons de profiter de l'endroit. Outre le confort et l'intimité, on apprécie la gentillesse de l'accueil. Repas servis sur réservation. Une adresse de charme.

■ GRAND CENTRAL HOTEL
Charlotte Street
✆ 322 8356
Fax : 325 2018
www.grand-central-hotel.com
Compter 86,95 US$ pour une chambre double et 76 US$ pour une simple.
35 chambres petites et simples (air conditionné, TV, téléphone) dans un édifice moderne très central et sans grand charme. Le service est un peu nonchalant. Ce n'est pas une des meilleures adresses.

■ EL GRECO HOTEL
West Bay et Augusta Streets
✆ 325 1121 – Fax : 325 1124
Compter entre 120 US$ et 140 US$ pour une chambre double selon la saison.
L'hotel a été entièrement refait en décembre 2008. Bien situé, face à la mer et à la plage publique, à l'entrée du centre-ville, à proximité des restaurants et des bars de Downtown, l'hôtel propose 27 chambres tout à fait correctes, vastes et impeccablement tenues, avec air conditionné, TV, téléphone. Une charmante piscine s'abrite dans un jardin fleuri et ombragé. Une bonne adresse dans cette catégorie de prix.

■ NASSAU PALM RESORT
West Bay Street
✆ 356 0000 – Fax : 323 1408
www.nassau-hotel.com
info@nassau-hotel.com
Compter entre 104 US$ et 114 US$ pour une chambre double.
Un grand édifice moderne en double U, face à la plage, à deux pas du centre-ville de Nassau. Les 185 chambres sont fonctionnelles et bien équipées (air conditionné, TV, téléphone, sèche-cheveux, cafetière, coffre-fort) et décorées dans un style fleuri local. Les chambres du rez-de-chaussée bénéficient d'une petite terrasse et certaines d'un Jacuzzi. Deux piscines encadrées de chaises longues, un centre de fitness climatisé avec appareils de torture pour entretenir sa forme, une agence de voyages et un bar complètent les services. Pour gagner la plage, il suffit de traverser la rue.

■ ORANGE HILL BEACH INN
Dunmore Avenue
Strachan Street
✆ 327 7157 – Fax : 327 5186
www.orangehill.com
info@orangehill.com
A 20 minutes du centre de Nassau et à 5 minutes de l'aéroport. De 110 US$ à 145 US$ pour une chambre simple selon la saison et de 125 US$ à 170 US$ pour une double.
Voilà un hôtel fort sympathique et où l'on se sent vraiment en vacances. Il est niché dans un grand jardin, sur le flanc de la colline « Orange », qui domine la mer turquoise et une jolie plage de sable blanc. Seul bémol, il est situé un peu loin du centre-ville et de Cable Beach qu'il faudra rejoindre en *jitney* (le jour) ou en taxi (la nuit). En revanche, l'hôtel se trouve non loin de l'aéroport, ce qui en fait une halte commode en cas de départ matinal ou d'arrivée tardive. Les 32 chambres se logent dans une bâtisse de deux niveaux. Bien équipées (air conditionné, mini-réfrigérateur, TV, balcon ou terrasse), elles sont très confor-

tables. Elles dominent une piscine plaisante. Le restaurant, à l'atmosphère décontractée, sert une bonne cuisine locale et internationale. Quant à l'accueil, il est fort chaleureux, et l'on n'hésitera pas à vous donner moult conseils pour visiter Nassau.

■ **QUALITY INN**
West Bay et Nassau Streets
✆ 322 1515 – Fax : 322 1514
www.qualityinn.com
Compter 93 US$ pour une chambre double.
Voisin du Nassau Palm Hotel, l'hôtel se signale par une architecture de béton gris en front de mer. Les 63 chambres sont impersonnelles, mais confortables (air conditionné, planche à repasser, TV, cafetière, sèche-cheveux). Les chambres dominent une petite piscine.

Luxe

■ **BRITISH COLONIAL HILTON NASSAU**
1, Bay Street
PO Box N-7148
✆ 322 3301 – Fax : 302 9010
www.hiltoncaribbean.com
nashi_sales@hilton.com
A partir de 185 US$ pour une chambre double avec petit déjeuner.
Construit sur le site de l'ancien fort de Nassau, c'est le plus grand hôtel du centre-ville, mais aussi le premier hôtel construit à Nassau, aujourd'hui classé monument historique. Entièrement refait en 2009, il est idéalement situé en plein cœur de Nassau, à quelques pas des principales curiosités comme le Straw Market et des boutiques de détaxées. Les 291 chambres s'abritent dans un imposant édifice de style colonial qui a récemment été rénové. Grand luxe à l'américaine : air conditionné, TV, accès Internet, planche à repasser, minibar, cafetière. Piscine, gymnasium, bars et restaurants, boutiques. La plage privée de l'hôtel, qui fait face à Paradise Island, est un véritable privilège en plein centre-ville.

■ **GRAYCLIFF**
West Hill Street
✆ 322 2796 - 322 2796/7
Fax : 326 6110
www.graycliff.com – info@graycliff.com
A partir de 270 US$ la chambre double selon la saison.
Nichée dans le cœur du vieux Nassau, dominant le palais du Gouvernement, cachée par un haut mur, c'est une bâtisse vieille de plus de deux siècles qui affiche le charme d'un hôtel de tradition.

© PEPEIRA, TOM - ICONOTEC

© ATAMU RAHI - ICONOTEC

Plages de Nassau

© THE ISLANDS OF THE BAHAMAS

Bay Street, centre-ville de Nassau

© THE ISLANDS OF THE BAHAMAS

Nassau, vue sur Cable Beach

Les 20 chambres sont vastes, toutes différentes, d'un style très classique, à l'anglaise, et bien équipées (air conditionné, bain ou Jacuzzi, sèche cheveux, TV, téléphone, coffre fort). Elles portent chacune un nom lié au pays. L'immense parc tropical cache deux piscines, l'une grande et l'autre plus intime, et un centre de fitness. Le salon est un havre convivial où l'on peut prendre un verre ou un thé en journée ; le soir il se transforme en piano bar et accueille une chanteuse locale. Le restaurant est une escale gourmande de renom : ambiance raffinée et intime, vérandas fraîches et jardins en terrasses (voir « *Restaurants* »). Une merveilleuse cave à cigares et un petit atelier de fabrication combleront les amateurs (voir « *Points d'intérêt* »)

■ SHERATON NASSAU BEACH RESORT
West Bay Street, Cable Beach
✆ 327 6000 – Fax : 327 5968
www.sheraton.com/nassau
sheratoncablebeachreservations@sheraton.com
A partir de 150 US$ la chambre.
694 chambres et suites qui arborent toutes un spacieux balcon ou patio donnant sur l'océan Atlantique, l'aire de baignade ou les jardins luxuriants.L'accueil y est chaleureux et typique des Bahamas. L'hôtel jouit d'un emplacement idéal sur la plus spectaculaire plage de Nassau qui s'étend sur 300 mètres de sable blanc. Vous y profiterez de la générosité des Bahamas, d'aménagements prévenants et d'une myriade d'activités telles que la natation, la plongée avec masque et tuba, la voile et d'autres sports aquatiques palpitants. Vous disposerez d'une aire de baignade de près de trois hectares proposant trois bassins d'eau douce agrémentés de cascades, de grands bains à remous et d'un bar « pieds dans l'eau ». Vous pourrez tenter votre chance la nuit tombée au casino Crystal Palace. Vous pourrez également savourer la cuisine des Caraïbes dans un des merveilleux restaurants et bars-salons, que vous recherchiez une ambiance décontractée ou un cadre raffiné. Vous pourrez, en seulement quelques minutes, vous rendre dans le centre très animé de Nassau afin d'y découvrir une vie nocturne locale.

■ A STONE'S THROW AWAY
Tropical Garden Road
✆ 327 7030 – Fax : 327 7040
www.astonesthrowaway.com
info@astonethrowaway.com

En été, compter 175 US$ pour une chambre double avec vue sur le jardin et 235 US$ avec vue sur mer. En hiver, compter 200 US$ pour une vue sur jardin et 290 US$ pour une vue sur mer. Le petit déjeuner est compris.
Située sur les hauteurs de Nassau, non loin de l'aéroport et à deux pas de la plage, cette adresse est une halte de grand charme. La vieille et imposante bâtisse bahaméenne offre dix chambres raffinées et douillettes décorées avec soin, meubles de bois et influences asiatiques, couleurs sereines et équipements sophistiqués. Les terrasses, où de profonds sofas aux coussins moelleux invitent à la paresse, offrent de magnifiques échappées sur l'océan. Le petit déjeuner et le déjeuner sont servis en terrasse. Pas de service de dîner. Jolie piscine nichée dans le jardin tropical, service de massage. Adresse idéale pour un court séjour en dehors des hôtels gros porteurs de la capitale.

■ WYNDHAM NASSAU RESORT & CRYSTAL PALACE CASINO
West Bay Street, Cable Beach
✆ 327 6200 – Fax : 327 4346
www.wyndhamnassauresort.com
550 chambres et 86 suites toutes rénovées pour ce complexe hôtelier de rêve. L'hôtel offre un confort et des prestations haut de gamme. Vous pourrez profiter d'une magnifique piscine à débordement, d'un toboggan en spirale et d'un lagon privé pour votre baignade. Bien sûr, l'hôtel est entouré de jardins luxuriants, d'une plage de sable blanc où de nombreuses activités nautiques sont à votre disposition, moyennant un supplément : pêche, parachute ascensionnel, ski nautique, jet ski, voile… Pour vous divertir, vous pourrez également aller jouer au golf, juste en face, ou bien au casino. 400 machines à sous et 40 tables de jeu sur 2 790 m² sont là pour vous faire rêver du jackpot.Vous pourrez vous attabler dans l'un des 8 restaurants et lounges. La formule *all inclusive* est disponible à la demande. Un club enfants vous permettra de vous relaxer en toute tranquilité.

Restaurants

Au-delà des traditionnels fast-food américains disséminés un peu partout, voilà une sélection des différentes tables de l'île.

Bien et pas cher

■ ATHENA RESTAURANT AND COCKTAIL BAR
Charlotte et Bay Streets
✆ 322 1936
Ouvert du lundi au samedi de 8h à 18h et le dimanche de 8h à 16h.
Cuisine méditerranéenne avec des spécialités grecques, souvlaki, tzatziki, tarama et ouzo, servies en salle ou en terrasse, qui surplombent la rue commerçante de Bay Street. Les prix restent raisonnables et l'atmosphère y est plutôt chaleureuse.

■ BAHAMIAN KITCHEN
Trinity Place, en retrait de Bay Street
✆ 325 0702
bahamiankitchen@yahoo.com
Ouvert du lundi au samedi de 11h à minuit. Compter entre 10 US$ et 20 US$ le plat.
Une bonne adresse pour goûter un peu de l'âme locale. La cuisine locale orientée vers

Bay Street, centre-ville de Nassau

les produits de la mer y est bien servie et bon marché. Peu fréquenté par les touristes, c'est un endroit à découvrir.

■ CAFE SKANS

Bay Street
✆ 322 2486
Ouvert tous les jours de 8h à 19h. Compter environ 15 US$.
Située en plein cœur de l'artère commerçante, cette cafétéria est très fréquentée par des employés des boutiques et des bureaux environnants. Dans un décor très basique, on mange une cuisine internationale simple et sans surprise, à des prix modiques. Quelques spécialités grecques également. Bon service de petit déjeuner.

■ CONCH FRITTERS

✆ 323 8778
Ouvert de 7h à minuit, tous les jours. Compter de 10 US$ à 36 US$.
Voilà un restaurant qui ne désemplit pas du matin au soir. Dans une grande salle colorée, autour de tables conviviales, on déguste une cuisine sans surprise. La carte est longue et complète, de la cuisine internationale aux spécialités locales. On dîne aux accords du trio musical qui égaye les soirées en fin de semaine ou au rythme des hits distillés par les écrans vidéo. Sympathique carte de petits déjeuners servis tôt le matin, ce qui est pratique en cas de départ aux aurores.

■ EUROPA

Charlotte Street
✆ 328 4360
Ouvert de 8h à 18h du lundi au vendredi, de 10h à 18h le samedi, fermé le dimanche.
Petite cafétéria, idéale pour prendre un bon espresso, ce qui est rare à Nassau ; service de petit déjeuner et restauration légère, salades, plats simples et sandwichs.

■ FLAMINGO GOURMET CAFE

1, Bay Street
✆ 325 8510
Ouvert du lundi au samedi de 8h à 22h.
Tenue par des Cubains, cette cave à cigares – on y trouve les meilleures marques cubaines –, qui vend également du café cubain d'excellente qualité, propose une courte carte de cuisine cubaine et de sandwichs à déguster soit en intérieur, au cœur d'arômes mêlés de café et de tabac au rythme du son cubain, soit en terrasse. Musique *live* certains soirs de fin de semaine.

■ **HARD ROCK CAFE**
Charlotte Street
✆ 356 0430
Ouvert du dimanche au jeudi, de 11h à 23h, et vendredi et samedi, de 11h à 2h.
Où l'on retrouve toute la panoplie du mythique café. Carte à l'américaine, boissons et boutique pour les collectionneurs. Malgré un sympathique balcon terrasse dominant la rue, l'ambiance n'est pas très explosive. Le Hard Rock est principalement fréquenté par les croisiéristes américains en « permission ». Petit musée dédié à la mémoire du rock.

■ **PIRATE PUB'N GRUB**
Malborough et George Streets
✆ 356 3759
Ouvert de 9h à 18h tous les jours et jusqu'à 2h les vendredis et samedis.
Le pub du musée des Pirates offre un décor très britannique, grand bar et décor de bois dans une atmosphère confinée et obscure. La cuisine est internationale, grillades et viandes, poissons et sandwichs. Le bar est accueillant et l'ambiance sympathique.

■ **SBARRO**
Bay Street
✆ 356 0800
Ouvert de 7h30 à 21h en centre-ville et 23h à Cable Beach, tous les jours et jusqu'à minuit les vendredi et samedi.
Ici, pas question de gastronomie, mais l'adresse est pratique, pas chère, et on est servi rapidement. Les restaurants sont impeccablement tenus. Ce sont des fast-foods de spécialités italiennes et de plats classiques. Les plats sont exposés en vitrine, pizzas, pâtes (fettucinis, lasagnes), salades, viandes grillées ou en sauce, avec des formules complètes, ce qui permet de choisir son repas en fonction de son appétit et en toute connaissance de cause. Service de petit déjeuner avec des formules économiques.
Autre adresse : Face au Nassau Beach Hotel, Cable Beach (Tél 327 3076).

■ **TWIN BROTHERS**
20 Downtown Parliament Street
✆ 322 7387
Ouvert du lundi au samedi de 11h à 18h. Fermé le dimanche.
Une deuxième adresse à Arawak Cay. Dans une jolie maison folklorique vivement colorée ou sur une vaste terrasse abritée, une carte classique de poissons et de produits de la mer (lambis), de viandes, et cuisine bahaméenne *(finger grouper, cracked conch*, gombos), menu enfants à petit prix. On peut aussi y prendre un daiquiri ou un *Bahama Mama* dans la journée pour faire une pause au cours de la visite de la ville. Une autre adresse à Arawak Cay.

À Arawak Cay

A 10 min à pied du centre de Nassau (le bus 10 en direction de Cable Beach y fait un arrêt), cet endroit est connu par les habitants de Nassau sous le nom très évocateur de « Fish Fry ». C'est un rendez-vous très couru des Bahaméens le soir, et surtout en fin de semaine. C'est l'endroit idéal pour découvrir la cuisine locale dans une ambiance bon enfant qui n'a rien de surfait. Les restaurants, abrités dans de pimpantes cases de bois multicolores, s'alignent le long du bras de mer. Ils proposent tous des plats basiques et populaires, salades de *conch, conch fritters, grouper fingers*..., des boissons locales, bières et daiquiris, certains possèdent un billard, et les ambiances musicales sont différentes. Vous pourrez d'ailleurs y retrouver une des deux enseignes de Twin Brothers (voir rubrique précédente). Sur l'arrière, des hommes décortiquent en un tournemain des lambis à la chaîne sur de petits établis de bois en fonction de la demande des restaurants. En plusieurs endroits des montagnes de coquillages vides forment de véritables cimetières de lambis qui amènent à se poser la question de la surexploitation du coquillage et de la survie de l'espèce qui n'est nullement protégée, même en période de reproduction.

■ **SEAFOOD HEAVEN**
Fish Fry, Arawak Cay
✆ 322 5344
Compter entre 15 US$ et 20 US$ le plat.
Grand restaurant de bois brun, il sert une excellente cuisine locale à base de produits de la mer évidemment. Souvent bondé, il faut en général faire la queue pour avoir une table. Mais la cuisine est très bonne et plutôt bon marché.

■ **TRAVELLER'S REST**
West Bay Street, loin du centre en retrait de Gambier
✆ 327 7633
Ouvert tous les jours de 11h à 22h30. Compter 25 US$ par personne.
Face à la mer, la terrasse abritée du restaurant du voyageur invite à l'indolence. On peut préférer la salle intérieure, très chaleureuse et colorée. L'endroit est peu fréquenté par les

touristes et c'est plutôt bon signe. C'est une clientèle d'habitués et l'ambiance y est parfaitement locale. Ici, la cuisine est exclusivement bahaméenne, très copieusement servie, en toute simplicité. C'est l'endroit idéal pour découvrir les *cracked conch* ou les *grouper fingers*. On peut aussi y boire un daiquiri et profiter de la plage après le repas.

Potter's Cay

Sous le pont de Paradise Island, se trouve le marché aux poissons et aux fruits et légumes. Au cœur du port de Nassau, en bordure de mer, de petites guinguettes en rangs serrés arborent de jolies couleurs vives. Elles proposent une cuisine locale de poissons et de fruits de mer typiquement locale et bon marché. C'est l'endroit parfait pour découvrir les saveurs de la salade de *conch* ou des *conch fritters* arrosés d'une Kalik bien fraîche en observant l'activité du port. Il faut compter environ 12 US$ par personne pour un déjeuner.

Plus chic

■ CAPRICCIO RISTORANTE
Nassau Arcade, West Bay Street,
Cable Beach.
✆ 327 8547
Ouvert de 11h à 22h du lundi au samedi et de 17h à 22h le dimanche. Compter 25 US$ par personne.
Spécialités italiennes importées et servies aux accords de la musique classique. Ambiance romantique à l'intérieur ou à l'extérieur. Produits frais de très bonne qualité pour ce restaurant installé à Cable Beach depuis près de 25 ans.

■ GREEN SHUTTERS
48 Parliament Street
✆ 325 5702 ou 322 3702
Ouvert de 11h30 à 22h30, tous les jours sauf le dimanche.
Dans un décor de pub anglais classique, grand bar, tables de bois et lumières tamisées, on déguste une cuisine classique de viandes et de poissons. L'endroit possède la plus large carte de bières de Nassau, tradition british oblige. *Happy hours* entre 16 et 19h. Bonne ambiance en fin de journée.

■ PORTOFINO RESTAURANT
British Colonial Hilton Hotel
Ouvert tous les jours de 6h30 à 22h30. Réservation recommandée.
Cuisine bahaméenne (*conch chowder, conch fritters*) et internationale (sandwichs, burgers et salades) simple. service agréable et ambiance décontractée, mais toute proportion gardée. Buffet le midi et dîner à la carte.

■ SEÑOR FROG'S
Navy Lion Road,
à côté de l'hôtel British Colonial
✆ 323 1771, ou 323 1778
Ouvert tous les jours de 11h à 2h.
Petit frère des célèbres restaurants mexicains, Señor Frog's est sans doute l'endroit le plus déluré du coin, rendez-vous à la mode des locaux comme des touristes. Atmosphère électrique et cuisine mexicaine sont les recettes du succès. Les tables sont réparties entre une grande terrasse abritée donnant directement sur l'eau face au port de Nassau et ses incroyables ferries et aux lumières de Paradise Island, et une vaste salle au mobilier haut en couleur, égayée d'écrans vidéo, qui diffusent les derniers clips américains et latinos. On y déguste de vraies spécialités mexicaines, tacos et *fajitas, enchiladas, buritos et chimichangas*, et des grands classiques internationaux, des burgers aux ailes de poulet à l'américaine, dans une ambiance joyeuse et bruyante. Un orchestre anime les soirées, et il n'est pas interdit de danser. Attenante, une boutique (ouverte de 10h à 1h) propose une large collection de produits griffés, du tee-shirt à la tasse en passant par la casquette…

■ THE SHOAL RESTAURANT
Nassau Street
✆ 323 4400
Service de transport gratuit depuis les hôtels. Voilà une excellente adresse pour savourer la cuisine locale, (*grouper, conch*, poulet et viandes cuisinés « bahamian style »), copieusement servie. Prix moyens.

Bonnes tables

Les bonnes tables de Nassau reçoivent une clientèle élégante et, en général, « habillée », clientèle de résidents ou d'affaires ; les touristes n'y sont pas les plus nombreux.

■ BUENA VISTA
Delancy Street
✆ 322 2811 – Fax : 322 5881
Compter environ 45 US$ par personne. Réservation recommandée.
Installée dans un manoir historique de Nassau, voilà une adresse de charme pour découvrir la vie sociale de Nassau et goûter à une nourriture sophistiquée. Y dîner, c'est comme faire un voyage dans le temps.

■ CAFE MATISSE

Bank Lane, derrière Parliament Square
✆ 356 7012 – Fax : 356 7014
www.cafe-matisse.com
Fermé dimanche et lundi et en août. Ouvert de midi à 23h. Compter de 50 US $ à 100 US$. Réservation recommandée pour le dîner.
Il faut le chercher tant il est discret ce petit restaurant italien à l'ambiance intime, niché dans une maison historique du XVIIIe siècle. On y mange dans un charmant jardinet ou en salle élégante. La cuisine y est soignée, et la carte propose les classiques italiens, antipasti, pâtes, viandes et d'excellentes pizzas. Le service est attentif et chaleureux, les desserts sont faits maison et la carte des vins très complète. Une excellente adresse.

■ CHEZ WILLIE

West Bay Street
✆ 322 5364
Ouvert tous les jours pour le déjeuner et de 18h30 à 23h pour le dîner. Compter 50 US$ par personne, sans le vin.
La cuisine oscille entre adaptations de la gastronomie française (filet mignon, soupe à l'oignon) et spécialités bahaméennes (*conch chowder*, *grouper* sauce noix de coco). Elle est servie dans une salle climatisée d'une élégance un rien rococo ou dans un patio frais à la lueur des chandelles. Le mercredi, soirée bahaméenne, avec animation, musique et spécialités culinaires locales (65 US$ par personne). Le dimanche, possibilité pour les groupes de se faire servir un brunch de 11h30 à 16h30 pour 25 US$ par personne.

Table du Graycliff à Nassau

■ GRAYCLIFF

West Hill Street.
✆ 322 2796 - 322 2796/7
Fax : 326 6110
www.graycliff.com – info@graycliff.com
Fermé samedi et dimanche pour le déjeuner.
Ouvert depuis 30 ans, ce restaurant est une institution de la bonne société de Nassau et est réputé comme le meilleur restaurant des Caraïbes. Elégant et raffiné, il propose une cuisine raffinée italienne et française avec quelques plats d'inspiration bahaméenne. Au nombre des spécialités, la chaudrée de *conch*, la bisque de langouste, le mérou sauce dijonnaise, ou le carré d'agneau au thym. Le service se fait dans une véranda couverte et climatisée. La carte des vins est très riche (quelques 175 000 bouteilles) et propose quelques raretés hors de prix. Cave à cigares et démonstration de fabrication. Une des tables les plus chères de Nassau où il faut impérativement réserver, car le restaurant affiche sans cesse complet.

■ THE HUMIDOR CHURRASCARIA

Graycliff Hotel
West Hill Street – ✆ 322 2796
Fermé le dimanche. Ouvert seulement pour le dîner. Compter 40 US$ par personne sans les boissons. Réservation recommandée.
Ambiance conviviale de bistrot pour cette table dans la tradition brésilienne. Un grand buffet d'entrées pour démarrer. Les spécialités de brochettes de viandes sont ensuite servies à volonté jusqu'à ce que les convives rendent les armes, en retournant le carton indiquant aux serveurs qu'ils sont repus. Une bonne adresse pour les amateurs de viandes et les gros appétits.

■ MOSO ET BLACK ANGUS GRILLE

Au Wyndham Nassau Resort
West Bay Street, Cable Beach
✆ 327 6200 – Fax : 327 4346
www.wyndhamnassauresort.com
Compter 50 US$ pour un repas copieux.
Moso est un excellent restaurant aux saveurs de l'Asie. Les sapidités Chinoises, combinées à la cuisine Thaï et Japonaise vous réveilleront les papilles. De plus, la vue sur mer est fort appréciable. Black Angus Grille, son voisin, fera saliver les amateurs de viande. Celle-çi est délicieuse et tendre à souhait. La déco est traditionnelle et ressemble à celle d'une « Steak House » américaine. Il faudra compter un peu plus que pour le Moso mais, encore une fois, les quantités sont impressionnantes.

■ **POOP DECK**
West Bay Street sur la plage de Sandy Port
✆ 327 3325
Compter de 10 US$ à 50 US$ par personne. Ouvert du mardi au dimanche de midi à 22h30. Fermé le lundi.
Un nom et deux adresses, très appréciées des locaux, quasiment une institution. Idéal pour savourer une cuisine locale de spécialités de la mer d'excellente tenue, sur une terrasse face à l'océan. Essayer le surf and turf, une grillade mixte de viandes et de poissons, ou les crevettes au beurre de câpres. Crabes et mérous sont également au programme. On peut choisir son poisson et sa cuisson.
Autre adresse : East Bay Street, Nassau Yacht Heaven (Tél 393 8175). Ouvert tous les jours aux mêmes horaires.

Sortir

Bars

■ **22 ABOVE LOUNGE**
Au Wyndham Nassau Resort
West Bay Street, Cable Beach
✆ 327 6200
Fax : 327 4346
www.wyndhamnassauresort.com
Vous pourrez prendre un verre au 22 Above Lounge, qui vous séduira par son ambiance chic et sa musique *live*, avant d'aller vous détendre et jouer quelques billets au Casino juste en dessous.

■ **CAFE HABANA**
Bay Street, en étage
✆ 323 2272
Une terrasse en étage sur la rue commerçante pour déguster un *mojito* ou un daiquiri bien frais, en épiant la vie de la rue.

■ **PIRATES OF NASSAU**
King Street et George Street
✆ 356 3759
Fax : 356 3951
www.pirates-of-nassau.com
Happy hours entre 16h et 19h. Karaoké le samedi.
Le pub n'offre pas une cuisine très sophistiquée, mais une bonne ambiance.

■ **SEÑOR FROG**
La bonne adresse du moment. La terrasse est très agréable, l'ambiance survoltée et le volume sonore vite accablant, mais c'est l'endroit où il faut passer une soirée.

Casinos

New Providence possède deux casinos, un sur Cable Beach et l'autre sur Paradise Island. Ils sont ouverts 24h/24.

■ **ATLANTIS CASINO**
Paradise Island
✆ 363 3000
Le plus grand casino des Caraïbes. 79 tables de jeu et 1 000 machines à sous-abritées sous un dôme gigantesque orné de fenêtres panoramiques.

■ **WYNDHAM NASSAU RESORT**
Cable Beach
✆ 327 6200
Le Crystal Palace Casino offre 750 machines à sous et 75 tables de jeu. Salon de paris sur des événements sportifs avec écrans de TV.

Discothèques et vie nocturne

■ **CHARLIE'S**
Bay Street
Une nouvelle adresse de la vie nocturne de Nassau.

■ **CLUB WATERLOO**
A l'est du pont de Paradise Island.
✆ 393 7324 – clubwaterloo@yahoo.com
Ouvert du mercredi au dimanche. Compter 25 US$ l'entrée.
Des orchestres animent les soirées de cette discothèque, une des plus courues de l'île depuis 28 ans, qui compte 5 bars et des pistes de danse intérieures et extérieures.

■ **COCKTAILS AND DREAMS**
Western Esplanade, West Bay Street
✆ 328 3745
Le club donne directement sur la plage, non loin de Arawak Cay. On y danse dedans et dehors. *Happy hours* le mercredi jusqu'à minuit.

■ **THE DROP OFF**
Bay Street, à l'est de Rawston Square
✆ 322 3444
Véritable boîte de nuit locale sur Bay Street où vous pourrez entendre les derniers succès du coin.

■ **FLUID LOUNGE**
Bay Street✆ 356 4691
Ouvert du jeudi au dimanche à partir de 22h.
Un décor assez basique pour une discothèque somme toute très classique.

Points d'intérêt

Le centre historique de Nassau mérite bien qu'on lui consacre une journée, voire deux jours de visite. Dans la mesure du possible, on vous recommande de concentrer les visites sur des matinées pour échapper à la chaleur de l'après-midi et profiter de l'ambiance plus tonique de la ville le matin. Une flânerie dans le centre vous permettra de prendre le pouls de la capitale de l'archipel, de découvrir les édifices gouvernementaux et les vieilles demeures coloniales reconverties en musées. Bay Street est l'artère principale qui longe la baie et concentre l'activité et l'animation citadine. Les boutiques y étalent leurs vitrines élégantes, les bars et les restaurants se succèdent ; par les rues perpendiculaires on aperçoit la mer scintillante. Deux squares jumeaux marquent le centre nerveux de Nassau, Rawson Square face au quai, et Parliament Square qui fait face au premier sur Bay Street.

■ PARLIAMENT SQUARE

Bay Street

Le petit square est encadré des principaux édifices gouvernementaux construits pour la plupart au XIXe siècle, notamment le Parlement et la Cour suprême. Leur style créole, leur couleur rose pastel (couleur symbolique qui est aussi celle de l'oiseau national, le flamant rose), leurs colonnes, en font une parfaite illustration du style colonial britannique. Une statue de la reine Victoria, tout à fait impériale, face aux édifices à colonnades, rappelle les liens historiques entre les Bahamas et la Grande-Bretagne.

■ LA RELÈVE DE LA GARDE À GOVERNEMENT HOUSE

La relève de la garde (Blue Hill Road et Duke Street) s'effectue un samedi sur deux. Si vous avez la chance d'être là le bon samedi (pour connaître les dates ✆ 322 2020 – www.bahamas-tourisme.fr/les-evenements/ –), n'oubliez pas votre appareil photo. Depuis 1801, c'est la demeure officielle du gouverneur général des Bahamas, représentant de la reine. Une statue de Christophe Colomb se dresse au milieu des escaliers menant à l'édifice, érigée en 1830 pour commémorer la découverte de l'archipel. Il ne faut pas manquer également l'ouverture de la Cour suprême.

■ L'OUVERTURE DE LA COUR SUPREME

Un autre événement majeur est l'ouverture de la Cour suprême qui a lieu 4 fois par an (janvier, avril, juillet, octobre). Une imposante procession marque l'ouverture de la session de la Cour suprême à Rawson Square. Vous admirerez la parade de la fanfare de la Royal Bahamas Police Force Band accompagnant en grande pompe les figures des gardes harnachés. Les musiciens, en grand uniforme blanc souligné de rouge, arborent des tuniques en peau de léopard et sont coiffés de traditionnels casques coloniaux à pointe. Tout l'apparat des cérémonies officielles avec un côté folklorique fait de cette cérémonie un souvenir inoubliable.

■ BALCONY HOUSE MUSEUM

52, Market Street

✆ 302 2621

Officiellement ouvert du lundi au vendredi, de 10h à 16h30. Entrée avec participation libre.

Au cœur du centre-ville, la modeste maison de bois, la plus ancienne de la ville (elle date du XVIIIe siècle) se signale par sa façade rose et blanche. Elle possède une structure classique à deux niveaux surélevés. Elle doit son nom au balcon de bois qui orne son second niveau. Elle abrite un musée où l'on découvre l'intérieur d'une demeure d'un autre temps avec un mobilier d'époque. Une visite émouvante qui exhale un parfum d'autrefois.

■ CHRIST CHURCH CATHEDRAL

George Street

La cathédrale fut construite en 1837 sur le site de la première église des Bahamas, datant, elle, de 1670. En 1861, le diocèse de Nassau la consacra comme cathédrale. C'est une église de proportions modestes, dominée par une tour carrée de style gothique. A l'intérieur, vous pourrez admirer un cloître et un toit en bois massif.

■ ÉGLISE GRECQUE ORTHODOXE

West Street

Glissez juste un coup d'œil à cette petite église dans la tradition hellénique, qui rappelle l'importance de la colonie grecque sur l'île. Elle a été construite en 1932 et possède un dome de style byzantin.

■ FABRIQUE DE CIGARES GRAYCLIFF

West Hill Street – ✆ 302 9191

Ouvert de 8h30 à 17h.

La visite de l'atelier est une occasion de tout connaître de la fabrication du cigare. Une équipe d'une quinzaine d'artisans cigariers cubains officie dans cet atelier modeste qui a la réputation de fabriquer d'excellents cigares très prisés des connaisseurs. Les ouvriers cubains ont importé tout leur savoir-faire pour fabriquer les cigares dans les règles de l'art. La marque Graycliff est née en 1997 et propose une vingtaine de modèles. Elle a été récompensée à de nombreuses reprises dans différents pays.

■ FESTIVAL PLACE

Prince George Wharf, Bay Street
✆ 323 3182, 323 3183
Ouvert tous les jours de 8h à 20h.
C'est sur le port, au cœur de Nassau, que le centre d'accueil des croisiéristes se déploie au terminal des croisières. Cet immense hall aux couleurs vives comporte des boutiques et des services touristiques. 47 stands de vendeurs de produits artisanaux et souvenirs, un bureau de poste, un centre de communication, un bureau du tourisme, des loueurs de véhicules, bref, de quoi satisfaire toutes les demandes des visiteurs.

■ FORT CHARLOTTE

Ouvert de 9h à 16h30. Entrée libre.
Construit à la fin du XVIIIe siècle, sur une colline qui domine la côte, et terminé en 1787, le fort construit par Lord Dunmore a été baptisé du nom de la femme du roi George III. Il avait pour mission de protéger l'entrée ouest du port de Nassau des attaques des Espagnols. Un pont qui enjambe le fossé protecteur permet de franchir les remparts et la tour principale. Une petite exposition sur l'histoire de la capitale est présentée lors d'un tour guidé d'une quinzaine de minutes. Une belle vue sur Nassau s'offre depuis le fort.

■ FORT FINCASTLE

Ouvert de 8h à 17h, tous les jours, sauf jeudi.
En partant du marché de paille, en direction de l'intérieur. Construit en 1793 sur ordre du gouverneur lord Dunmore, le fort à la massive silhouette de navire faisait partie des constructions défensives de la ville. Au sommet du fort se trouve la Water Tower, un modeste château d'eau, et le phare haut de 40 m qui domine Nassau et offre une vue panoramique, la plus élevée du coin. Des guides vous y attendront. On l'atteint par le « *Queen Staircase* », l'escalier de la Reine, dont les 65 marches auraient été taillées dans une pierre calcaire d'un bloc par plus de 500 esclaves qui y travaillèrent 16 ans dans les années 1800 afin de célébrer les 65 ans de règne de la reine Victoria.

■ FORT MONTAGU

East Bay Street, Montagu Bay.
C'est le plus ancien des trois forts qui défendaient la ville. Il domine l'entrée du port. Il fut construit en 1741 dans la pierre calcaire locale.

■ HISTORICAL LIBRARY MUSEUM

Shirley Street et Elizabeth Avenue.
✆ 322 4231
Ouvert du lundi au vendredi de 10h à 16h et samedi de 10h à midi. Entrée libre.
Cette construction originale, de forme octogonale, était l'ancienne prison de Nassau, construite en 1797.

Fabrication de cigares au Graycliff à Nassau

Les anciennes cellules contiennent maintenant des livres et des documents historiques. La collection présentée est modeste et porte sur l'histoire du pays. De nombreux plans et cartes émaillent l'exposition. Une intéressante section est consacrée aux Indiens lucayans, les premiers habitants des îles.

■ JARDIN ET ZOO ARDASTRA

à la sortie de Nassau en direction de Cable Beach sur Chippingham Road.
✆ 323 5806 – Fax : 323 7232
www.ardastra.com – info@ardastra.com
Ouvert tous les jours de 9h à 17h, dernière entrée à 16h30. Parade des flamants à 10h30, à 14h30 et à 16h30 et des perroquets à 11h, à 13h30 et à 15h30. Entrée adultes 15 US$, enfants de 4 à 12 ans 7,50 US$.
Le jardin a ouvert ses portes en 1937, sous la houlette d'un botaniste jamaïcain, Hedley Edwards, qui décida d'importer des flamants de l'île d'Inagua dès 1950. En 1982, le jardin est racheté par un Bahaméen qui développe la collection d'animaux pour en faire le seul zoo de l'archipel. Des centaines d'animaux, iguanes, singes, lémuriens, jaguars, serpents, oiseaux (flamands roses et perroquets), sont à découvrir dans un immense jardin tropical. On observera des espèces endémiques menacées d'extinction, tels le boa constrictor ou l'iguane de roche. Les fameux flamants roses répondent aux ordres et paradent avec une précision toute militaire au cours d'un court spectacle parfaitement orchestré qui a lieu dans une petite arène de bois. Des séances de nourrissage de perroquets colorés des îles du Pacifique sud, qui raffolent des pommes, sont organisées pour le plus grand plaisir des enfants.
Parmi les curiosités botaniques, on observera l'arbre national bahaméen, le « *lignum vitae* » et la fleur nationale « *the yellow elder* ». Une belle collection d'orchidées s'offre également aux botanistes amateurs.

■ NASSAU BOTANICAL GARDEN

Chippingham Rd
✆ 302 2000, 323 5975
Ouvert de 8h à 16h du lundi au vendredi et de 9h à 16h le week-end.
Le jardin qui abrite l'herbarium national compte plus de 1 600 espèces végétales, des arbres, des fleurs tropicales et des plantes dont beaucoup d'espèces indigènes. La reconstitution d'un village lucayan permet d'imaginer la vie de ce peuple avant l'arrivée de Christophe Colomb.

■ NATIONAL ART GALLERY

Villa Doyle
West Street et West Hill Street
✆ 328 5800
www.nagb.org.bs – info@nagb.org.bs
Entrée 5 US$; étudiants, enfants et seniors (plus de 65 ans) 3 US$. Ouvert du mardi au samedi de 11h à 16h.
Le musée s'abrite depuis 2003 dans la villa Doyle, un manoir datant de 1860 qui a été restauré pour retrouver sa splendeur initiale. L'édifice comporte deux niveaux avec galeries à colonnettes. La collection de peintures, sculptures, céramiques et photographies d'artistes bahaméens est un témoignage de la création locale depuis la période coloniale jusqu'à nos jours. On y verra d'intéressantes photographies anciennes, des œuvres de l'époque coloniale, de la pré-indépendance et des œuvres contemporaines mettant à l'honneur de jeunes artistes.

■ PIRATES OF NASSAU

King Street et George Street
✆ 356 3759 – Fax : 356 3951
www.pirates-of-nassau.com
Ouvert du lundi au samedi de 9h à 18h et le dimanche de 9h à midi. Entrée 12 US$ et 6 US$ pour les enfants de 4 à 17 ans.
Il suffit de franchir le seuil du musée pour se retrouver de plain-pied dans l'ancienne république des Pirates… Cet intéressant musée raconte l'histoire de la piraterie dans les îles avec une alternance de coins didactiques et de mises en scène spectaculaires qui retracent les hauts faits des grandes figures de la piraterie. D'impressionnantes figurines de cire restituent des scènes de pillage, de bataille, de duels, de ripailles et de beuveries d'une façon plutôt réaliste. Une réplique grandeur nature du vaisseau *Revenge* est exposée. A la sortie du musée, se trouvent un pub sympathique (voir Restaurants) et une boutique bien pourvue en souvenirs en tous genres.

■ POMPEY MUSEUM OF SLAVERY AND EMANCIPATION

Bay Street
✆ 326 2566, 326 2568
Du lundi au vendredi de 10h à 16h30 et le samedi de 10h à 13h.
Le musée fut en partie détruit lors de l'incendie qui ravagea de nombreux édifices de Bay Street le 4 septembre 2000. L'édifice qui porte le nom évocateur de « *Vendue House* », abritait autrefois une salle de ventes aux enchères d'esclaves qui fonctionnait au XVIIIe siècle.

National Art Gallery

Le musée attend une nouvelle adresse pour rouvrir ses portes. Il propose une exposition d'artisanat, d'histoire, des témoignages de la période de l'esclavage et de l'émancipation sur les îles. Il présente également une collection de l'artiste bahaméen Amos Fergusson, internationalement connu, qui peint dans un style naïf (voir « *Enfants du pays* »).

■ POPOPSTUDIOS

26 Dunmore Avenue, Chippingham
✆ 323 52 50
www.popopstudios.com
johncox@coralwave.com

Ce studio de l'artiste John Cox est tout à la fois un studio de création et une galerie, une boutique. Le centre a pour vocation de promouvoir de jeunes talents bahaméens avec diverses formes d'expressions, peintures, sculptures, photographies, collages, créations de bijoux... Visite sur rendez-vous. John vous recevra chaleureusement et vous fera partager sa passion de la création et son érudition sur l'art local, car il travaille également à la Galerie Nationale.

■ POTTER'S CAY

Le marché de poissons et de crustacés où la *conch* règne en maître se tient sur un îlot entre Nassau et Paradise Island. C'est un des endroits les plus authentiques de la capitale et le contraste entre les centres touristiques et cet îlot aux accents caribéens est frappant. De nombreux stands servent de bars et de restaurants populaires. On y consomme une bière fraîche en jouant aux dominos ou on y déjeune d'une salade de *conch* ; on peut également y acheter du poisson frais. Au cœur de Potter's Cay, la « *battery* » marque l'emplacement d'anciens canons.

■ LA PROMENADE EN CALECHE

Départ de Woodes Rogers Walk de 10h à 13h et de 15h à 19h. Compter 10 US$ par personne.

C'est la façon la plus romantique et désuète de découvrir les différentes facettes de la capitale au rythme lent du pas d'un cheval harassé de chaleur.

■ STRAW MARKET

Bay Street
Ouvert tous les jours sauf dimanche, jusqu'à 18h30.

Initialement situé en retrait de Rawson Square, le long de Woodes Rogers Walk, le marché de la vannerie a, lui aussi, été victime de l'incendie qui a ravagé le quartier. Plus qu'un marché de la vannerie, c'est un grand marché d'artisanat qui déploie ses petits étals surchargés en rangs serrés sous un chapiteau initialement prévu comme provisoire.

Straw Market

Les artisans et commerçants vendent leurs articles dans une atmosphère haute en couleur, surchauffée, bruyante et bon enfant. Certains tressent et brodent eux-mêmes paniers et chapeaux, poupées, nattes et autres articles de vannerie… Vous y trouverez des cadres, des sculptures, des instruments de musique, des tee-shirts, des babioles en tout genre... C'est également ici que vous verrez à l'œuvre les habiles tresseuses de cheveux qui, en deux temps trois mouvements, vous changent une tête avec une coiffure à l' « afro » (le tarif en vigueur est de 2 US$ la tresse, mais on peut négocier en fonction de la quantité). Ici, le marchandage est bien sûr de mise et les bonnes affaires ne se concluent qu'après moult discussions.

Sports et loisirs

Bateaux à fond de verre

■ WOODES ROGERS WALK

Le long du port

Différents bateaux proposent une balade autour de Athol Island. Les départs sont fréquents. Compter 15 US$ par personne, les prix varient d'un opérateur à l'autre.

Golf

■ BLUE SHARK GOLF CLUB

South Ocean Drive

✆ 362 4546 – Fax : 362 4549

http//:bluesharkgolf.com

Par 71. Un 18-trous où les les trous 10, 11 et 12, surnommés « les dents du requin », seront décisifs... Cours collectifs ou individuels possibles sur demande.

■ CABLE BEACH GOLF CLUB

West Bay Street, Cable Beach

✆ 677 4175

www.crystalpalacevacations.com/golf

Le driving range est gratuit, vous paierez juste la location des balles. Il est possible d'y prendre des cours pour 40 US$ de l'heure.

Crée en 1928, c'est le plus ancien golf des Bahamas. C'est un 18-trous très agréable et praticable même pour les débutants. Un shuttle viendra vous chercher si vous résidez dans un hôtel à Cable Beach et des réductions non négligeables vous seront accordées si vous logez au Sheraton Nassau Beach Resort ou au Wyndham Nassau Resort. Dans tous les cas, c'est le lieu idéal pour vous détendre si vous êtes lassés de la plage.

■ OCEAN CLUB GOLF COURSE

Paradise Island

✆ 363 3000

Club semi-privé. Comptez... une petite fortune.

Dessiné par Joe Lee, le parcours est un 18-trous par 72. Il se déploie dans un cadre exceptionnel entre palmiers et mer, sur un terrain luxuriant et arboré en bordure de la mer qui le cerne sur trois côtés. Il a été revu récemment par Tom Weiskopf. Il est couvert de deux sortes d'herbes dont une particulière pour les fairways, la *Paspalum*, qui s'arrose à l'eau de mer. Ce parcours abrite des espèces d'oiseaux migrateurs.

■ SOUTH OCEAN GOLF CLUB

✆ 362 4391

Par 72. Le n° 16 est particulièrement difficile.

Plongée

Les clubs ci-dessous organisent aussi bien des plongées à New Providence qu'à Paradise Island.

■ BAHAMA DIVERS

East Bay Street

Yacht Heaven Marina

✆ 393 5644 – Fax : 393 6078

www.bahamadivers.com

bahdiver@coralwave.com, reservations@bahamadivers.com

Deux emplacements sur Paradise Island. Centre de plongée Padi. 2 bateaux. Le centre organise deux plongées quotidiennes et une plongée de nuit, ainsi que des initiations. Sorties de snorkeling biquotidiennes, durée 3 heures. Transport hôtel aller-retour gratuit de Cable beach ou de Paradise Island.

■ STUART COVE'S DIVE

✆ 362 4171 – www.stuartcove.com

Transfert depuis les hôtels inclus. Futé : une réduction de 5 US$ est offerte pour toute réservation par Internet.

Situé sur la côte sud de l'île, le centre propose plusieurs types de plongées : plongée libre et plongée avec bouteilles, plongée requins. L'originalité proposée par le centre est la plongée en « scooter motorisé avec scaphandre », sans aucun doute la plus originale des expériences proposées, idéal pour ceux qui ne pratiquent pas la plongée avec bouteilles. 95 US$ par personne. 40 minutes sous l'eau à 15 m de profondeur. La bulle permet une visibilité totale.

Autres activités nautiques

■ DOLPHIN ENCOUNTERS

One Marina Drive
✆ 363 1003/7150
www.dolphinencounters.com
info@dolphinencounters.com

Accueil en français. Réservations indispensables. 4 départs quotidiens : 8h30, 10h30, 13h30, 15h30 ; se présenter 30 minutes avant le départ.

Cet organisme est le seul à proposer un programme interactif et éducatif avec une rencontre avec les dauphins. Cette expérience est réellement originale et inoubliable pour les grands comme pour les petits. Le départ se fait du terminal ferry de Paradise Island, la durée totale de l'excursion est de 3 heures à 3 heures 30, quel que soit le programme choisi. L'excursion commence par un transfert d'environ 20 minutes en bateau rapide jusqu'au Blue Lagoon Island, l'île du Lagon bleu, lieu de tournage du film Splash et lieu de résidence de la star internationale Flipper. Les 16 dauphins qui vivent dans la propriété, constituée d'enclos marins, tournent dans de nombreux films et documentaires. Les deux programmes qui durent environ 30 minutes sont précédés d'une mini conférence éducative sur les dauphins (durée 10 minutes). Deux programmes sont proposés : *The Close Encounter*, la rencontre avec les dauphins (85 US$, gratuit pour les enfants jusqu'à 3 ans), et *Swim with the dolphins*, la nage avec les dauphins (165 US$). On peut aussi prendre un billet de simple observateur (20 US$). Le premier programme consiste en une séance d'approche et de caresses, à demi immergé jusqu'à la taille sur une plate-forme flottante dans un bassin délimité par des pontons où évoluent les dauphins. Le second programme, la nage avec les dauphins, permet d'évoluer dans un grand bassin avec les mammifères. Différentes approches sont organisées, sous la houlette d'un dresseur et rien n'est laissé au hasard. Le clou du programme est le *foot-pushing*, qui permet au nageur de se faire propulser dans l'eau par deux dauphins qui le poussent en prenant appui sur ses plantes de pieds, sensations garanties. Les réservations sont obligatoires. Enfin la dernière attraction en date est la rencontre avec les otaries. Trois départs par jour (8h30, 10h30, 13h) pour une durée d'1/2 heure (80 US$ par personne).

■ ISLAND WORLD ADVENTURE

Marina Drive
Paradise Island
✆ 363 3333
www.islandworldadventures.com
sales@islandworldadventures.com

Compter 190 US$ la journée pour un adulte et 140 US$ pour un enfant de moins de 12 ans.

Cette agence propose une excellente excursion d'une journée dans les îles voisines des Exumas qui vous laissera des souvenirs plein la tête. Le départ a lieu tôt le matin (8h environ) du port de Paradise Island et le retour se fait vers 18h. Les bateaux, très rapides, procurent des sensations impressionnantes. En moins d'une heure et demie de navigation à très grande vitesse, surfant sur la crête des vagues, on se retrouve sur une île de Robinson Crusoé, absolument déserte, eaux turquoise et sable immaculé.

Cet îlot des Exumas est exploité par la compagnie qui y garantit une tranquillité absolue. Des pontons de bois facilitent l'accès à la zone de restauration abritée sous un toit de palmes où un buffet délicieux et copieux et un bar attendent les visiteurs. La plage est aménagée de quelques parasols de palmes. Des requins et des raies ont pris l'habitude de venir chaque jour à heure fixe pour profiter des reliefs du repas des visiteurs qui les nourrissent depuis les pontons. Le ballet des poissons qui se disputent âprement la nourriture est alors impressionnant. Diverses activités sont proposées, snorkeling (équipement fourni), balade à la découverte de l'îlot, farniente...

Au retour, on visite un îlot où une grande colonie d'iguanes évolue en liberté, une espèce protégée. Peu farouches et très gourmands, ils dévorent les fruits qu'on leur propose au bout d'un bâton.

Le retour se fait en fin d'après-midi, après une journée bien remplie à la découverte de la vie sauvage des Exumas. Un conseil : n'oublier ni chapeau ni lunettes, et encore moins une protection solaire.

■ POWER BOAT ADVENTURES : MARINA DE PARADISE ISLAND
✆ 393 7116
www.powerboatadventures.com
Compter 190 US$ par adulte et 120 US$ par enfant.
Un programme d'une journée d'excursions sensiblement identique au précédent. La plage des Exumas est magnifique, le déjeuner convivial et l'expérience de rencontre avec les iguanes, les raies pastenagues et les requins inoubliable. Il y a une possibilité pour dormir sur l'île. Renseignez-vous.

Le top 10 des sites de plongée

Shark Wall. Le site est fréquenté par des requins de différentes espèces, requins de récifs et requins-citron notamment, attirés par les séances de *shark feeding*. Le tombant est recouvert d'éponges et présente des couloirs de sable où les plongeurs se placent pour attendre les requins.

Lost Blue Hole. Situé à 16 km de Nassau, ce site est un des plus fameux. A 14 m de profondeur, le trou bleu perdu offre une ouverture circulaire d'une trentaine de mètres de diamètre sur un fond sablonneux. Des bouquets de coraux fleurissent sur les parois du trou bleu, abritant de larges colonies de poissons de récifs.

Sand Shut. Le site présente un fond sableux qui descend et un tunnel conduit au tombant.

Trinity Caves. Il s'agit d'une série de grottes reliées entre elles par des tunnels. On y rencontre une vie sous-marine intense et même parfois des tortues.

Tunnel Wall. Le site présente un réseau de fissures et de tunnels qui démarrent à 9 m et descendent jusqu'à 25 m.

Bahama Mama. C'est une épave coulée artificiellement qui repose par 15 m de fond. Le site est fréquenté par des requins.

Pumkin Patch. Tout proche l'épave du *Sea Wiking*, c'est un site plein de couleurs, avec un tombant impressionnant.

No Limit Wall. Un tombant, dont le nom est à lui seul tout un programme, s'enfonce dans le bleu abyssal.

The Graveyard. Dans ce cimetière marin reposent les épaves de 4 cargos et de 2 pétroliers, refuges de nombreux poissons. Belles possibilités de photos d'épaves et vie sous-marine intense.

Razorback. Le site présente un mur spectaculaire tapissé de touffes de corail de différentes espèces.

LE RESTE DE L'ÎLE

Dès la sortie, le centre-ville de Nassau est encerclé de zones résidentielles. Une fois franchie cette ceinture, l'intrusion humaine se fait très discrète. L'intérieur de l'île est couvert de larges forêts de pins, et des collines ondulent doucement le paysage. Les plages de sable blanc, souvent ignorées des touristes et oubliées par les groupes internationaux, ourlent la côte baignée d'eaux translucides. Sur la côte sud, le seul pôle touristique est Coral Harbour, qui possède un club de plongée réputé. A la pointe ouest de l'île, Lyford Cay est une enclave très exclusive où de nombreuses célébrités trouvent un refuge discret et protégé. Ainsi Sean Connery, qui y possède une demeure, y réside durant une bonne partie de l'année.

ADELAÏDE

Ce paisible village fut peuplé à l'origine par des Africains affranchis. Ici, la vie se déroule à un rythme très doux.

GAMBIER

La simplicité de la vie rurale de ce village contraste avec l'activité de la capitale.

FOX HILL

Si vous êtes à New Providence le deuxième mardi du mois d'août, faites un saut à Fox Hill. Ici la fête de l'Emancipation se célèbre une semaine plus tard que dans le reste de l'archipel. La fête met à l'honneur la musique, les arts et la cuisine familiale.

LES GROTTES

Situées à l'extrémité ouest de l'île. C'était une retraite des Lucayans.

Paradise Island

Naguère appelée « Hog Island », l'île aux Cochons, parce qu'elle était peuplée de sangliers, cette île au nom prometteur était autrefois le paradis d'une poignée de nantis qui en avaient fait une propriété privée. Aujourd'hui tout un chacun peut profiter du paradis. Paradise Island a gagné sa réputation de villégiature paradisiaque. L'île, qui se déploie à un jet de pierre de Mackley Street, est reliée à New Providence depuis 1966 ; aujourd'hui, deux ponts à péage, (l'un pour entrer dans l'île, l'autre pour la quitter) enjambent le large chenal qui sépare les deux îles. Malgré sa proximité immédiate avec la capitale, c'est un tout autre monde qui s'ouvre à vous. Au début du XXe siècle, le Porcupine Club est créé à l'initiative d'un groupe de riches propriétaires qui possèdent des maisons sur l'île. L'absence de pont assurait l'exclusivité de l'endroit. Peu à peu les propriétés furent vendues à de grands opérateurs touristiques. Paradise Island s'est depuis reconvertie en paradis du tourisme, offrant de très nombreuses infrastructures dont le complexe démesuré de l'Atlantis.

Transports

- **Pont de Paradise Island :** 1 US$ pour les voitures et 25 cents pour les deux-roues. Gratuit pour les piétons.
- **Ferry :** un ballet de petits bateaux relie Paradise Island à New Providence entre 9h et 18h. La durée de la traversée est de 10 minutes, son coût de 3,50 US$.
- **Taxi :** aller de Nassau centre à Paradise Island coûte 11 US$ (tarif officiel, péage du pont compris).
- **À noter :** aucun bus ne traverse le pont.

Pratique

Internet

- **News Cafe, Hurricane Hole Plaza.** Ouvert tous les jours de 7h30 à 22h30. Quelques postes Internet. 3 US$ la connexion plus 20 cents la minute.

Hébergement

■ BEST WESTERN BAYVIEW SUITES
Bay View Drive, Harbour Ridge Road
✆ 363 2555 – Fax : 363 2370
http://book.bestwestern.com
A partir de 150 US$ pour une chambre double en basse saison.
Situé dans une zone résidentielle de l'île, le Bayview est un véritable havre de paix. Les chambres et les villas de 2 et 3 chambres sont réparties dans la propriété aux allures de jardin tropical. Elles possèdent toutes un patio ou une terrasse, l'air conditionné, la TV et un four à micro-ondes. Les villas comptent un salon et une cuisine totalement équipée. La décoration est simple et gaie, rotin et tissus fleuris. Petite épicerie, laverie, bar et restaurant. Deux piscines agréables bordées de chaises longues invitent à la détente. Un court de tennis attend les sportifs. Ambiance familiale et décontractée. Service de baby-sitting (15 US$ de l'heure) et service de réservations pour les différentes excursions.

■ CLUB LAND'OR
✆ 363 2400 – Fax : 363 3403
www.clublandor.com
winstonw@batelnet.bs
A partir de 180 US$.
72 appartements équipés, dans des édifices qui encadrent la piscine. Les chambres sont joliment décorées et accueillantes. Une belle piscine avec solarium donne sur la marina, face à l'Atlantis. Restaurant. L'ensemble manque un peu d'espace. La plage est à quelques pas.

■ COMFORT SUITES
Paradise Island Drive
✆ 363 3680 – Fax : 363 2588
www.comfortsuites.com
A partir de 200 US$ la chambre, petit-déjeuner compris.
230 suites dans un joli petit édifice, composées d'un salon et d'une chambre, vastes et bien équipées (TV, minibar, sèche-cheveux, réfrigérateur, coffre-fort...). Piscine avec bar de piscine, restaurant, plage privée. La plage se trouve à quelques centaines de mètres. Les personnes résidant au Comfort Suites ont un accès gratuit aux infrastructures du parc d'Atlantis tout proche.

■ ONE AND ONLY OCEAN CLUB
✆ 363 2501 – Fax : 363 2424
www.oneandonlyresorts.com
Compter de 515 US$ à 605 US$ la chambre double avec vue sur jardin selon la saison. Entre 635 US$ et 960 US$ pour une vue sur mer.

© THE ISLANDS OF THE BAHAMAS

Voilà sans doute l'hôtel le plus exclusif de l'archipel, qui, depuis sa naissance dans les années 1960, accueille stars et jet-setters. Cette superbe étape de style colonial britannique compte 109 chambres et suites, vastes et richement décorées (balcon ou patio privatif, TV satellite, lecteur DVD, balcon, air conditionné, minibar, coffre-fort, salle de bains somptueuse), 14 suites et des villas exceptionnelles (deux de 3 et une de 4 chambres). Le raffinement y est extrême, décors de bois précieux qui contrastent avec les tonalités beige et blanche de la décoration, dans l'esprit des anciennes plantations coloniales. A chaque chambre, suite ou villa est attaché un domestique qui veille à vos moindres besoins. Room service 24h/24. Le salon-bibliothèque, joliment orné d'œuvres d'art, offre un cadre agréable pour un apéritif ou un thé à l'anglaise. Les rayons regorgent d'ouvrages, des livres d'art aux guides sur les Bahamas. Un Spa offre les dernières techniques à la mode en matière de soins dans une atmosphère raffinée. La propriété se déploie au bord d'une plage de sable fin et immaculé. Une magnifique piscine ombragée de palmiers s'inscrit dans le jardin tropical. Club enfants. Tennis. Deux restaurants dont le Dune créé par Jean-Georges Vongerichten, et deux bars offrent des atmosphères différentes (voir rubrique « *Restaurants* »).

■ **PARADISE ISLAND HARBOUR RESORT**
Harbour Drive
✆ 363 2561 – Fax : 363 3803
www.paradiseislandbahama.com
info@paradiseislandbahama.com
Séjour gratuit pour les enfants de moins de 12 ans. Autour de 300 US$ la chambre double.

Cette grande tour de béton dresse insolemment ses 12 étages face à Nassau. Cet hôtel de 246 chambres (air conditionné, TV, réfrigérateur) propose une formule tout compris avec activités sportives, repas, club d'enfants et animations. Un petit bout de plage a été aménagé avec des chaises longues. 3 restaurants, 2 bars, un centre de fitness, court de tennis, piscine, Jacuzzi. Transport offert depuis l'aéroport.

■ **YOGA RETREAT**
✆ 363 2902 – Fax : 363 3783
www.sivananda.org
nassau@sivananda.org
Comptez 60 US$ environ par personne pour une chambre sur jardin avec 2 repas et 2 cours de yoga, et 80 US$ environ pour une chambre sur plage. 10 US$ le cours de yoga et forfait de 5 cours de yoga à 35 US$.

Le centre est un ashram où méditation, yoga et nourriture végétarienne sont de rigueur. Il donne directement sur la plage, d'un côté, et sur le chenal face à Nassau, de l'autre. On y arrive en bateau-taxi depuis Nassau. L'ensemble des édifices de bois a une allure asiatique et ils sont reliés entre eux par des passerelles. Les chambres sont abritées dans des bungalows de bois, elles offrent un confort modeste. On peut également planter une tente dans le jardin. Les sanitaires sont communs. Les repas sont pris en commun autour d'un buffet, thé et café sont exclus de la diète, ainsi que les oignons, l'ail et les œufs. Ici pas de concession. Les exercices de respiration, les séances de méditation et la participation à la vie communautaire sont de rigueur. Réservé aux amateurs.

Restaurants

■ ANTHONY'S CARIBBEAN BAR AND GRILL

Paradise Village Shopping Center
✆ 363 3152, 363 1682
Ouvert de 11h30 à 23h tous les jours. Happy hour de 15h à 18h. Service de take out.
Ambiance joyeuse et familiale dans un décor haut en couleur fort sympathique. La carte proposée est longue et offre de la cuisine internationale et locale, *conch fritters*, salade de *conch*, *grouper fingers*, avec les incontournables traditionnelles salades, pâtes et hamburgers. Les familles sont les bienvenues et les enfants ont un menu spécifique. Choix de cocktails aux saveurs caraïbes.

■ CHOOSY FOODS

Tout à la fois épicerie et cafétéria, il propose une petite terrasse de seulement deux tables. La petite carte à prix doux est idéale pour les petits creux.

■ DUNE

One and Only Ocean Club
✆ 363 2501
Réservation obligatoire. Ouvert du petit déjeuner au dîner. Compter de 40 à 70 US$ par plat.
Voilà sans conteste la meilleure table de l'île dont la renommée a largement dépassé les frontières de l'archipel. Le décor imaginé par le décorateur français Christian Liaigre, avec une cuisine ouverte sur la salle évoque les tables branchées de New York plutôt que les tropiques. C'est un chef alsacien, Jean-Georges Vongerichten, qui orchestre le restaurant de l'Ocean Club. La cuisine, très créative et sans cesse renouvelée, est un savant mélange de cuisine française aux saveurs asiatiques, avec des touches bahaméennes. On pourra se laisser tenter par l'assiette noire en entrée et l'assiette blanche pour le dessert, des créations maisons élaborées, aussi belles que savoureuses.

■ NEWS CAFE

✆ 363 4684
Ouvert tous les jours de 7h30 à 22h30.
Le café est situé dans le petit centre commercial de Hurricane Hole Plaza. Une terrasse agréable ombragée de parasols, une cuisine basique, sandwichs et salades, une ambiance décontractée, avec des journaux à disposition, d'excellents petits déjeuners, voilà une des adresses les plus économiques et les plus sympathiques de Paradise Island. Le point presse propose des titres étrangers. *Happy hours* en fin de journée. Pour vérifier vos e-mails, le News Cafe propose également des postes Internet (compter 3 US$ plus 20 cents la minutes).

■ ZIO GIGI'S

Hurricane Hole Plaza
Compter 25 US$ par personne.
C'est un restaurant italien classique avec une carte sympathique, priorité aux pâtes et aux pizzas ; quelques plats plus sophistiqués, viandes ou poissons en sauce pour les palais plus exigeants. Le service se fait dans une salle climatisée et on regrette l'absence de terrasse.

Les restaurants de l'Atlantis

Une soirée à l'Atlantis permet de profiter de l'ambiance du complexe, les boutiques sont ouvertes, le casino tintinnabule, les requins évoluent dans les aquariums…

Hôtel-resort Atlantis à Paradise Island

Atlantis

L'Atlantis Paradise Island Resort et Casino égrène ses infrastructures sur plus de 4 hectares de terrain.

Côté hôtellerie. Plus de 2 300 chambres se répartissent dans les trois hôtels, la Royal Tower (500 US$), le Beach Tower (250 US$) et les Coral Towers (300 US$). Des formules en pension complète ou en demi-pension sont proposées sous forme de Meal Plans qui se réservent uniquement sur place. 1 201 chambres se trouvent dans les Royal Towers, la partie la plus récente et l'hôtel le plus cher du complexe. Les chambres et suites sont vastes, très bien équipées et décorées dans un style très américanisé. Authentique délire de milliardaire, vous pourrez vous offrir la Bridge Suite suspendue dans le vide entre les deux ailes de la Royal Tower, pour 25 000 US$ la nuit. Toutefois, les malheureux perdants d'un million de dollars au casino se la verront offrir en lot de consolation, mais pour une nuit seulement, histoire de soigner leurs états d'âme... Les Coral Towers proposent 693 chambres et la Beach Tower en compte 423, d'un standing légèrement inférieur à celles de la Royal Tower. Voisin des tours se trouve le Harbour Side Resort, un *resort* en *time sharing* qui fait partie de la propriété. Tous les restaurants et attractions sont ouverts à tous les clients de l'hôtel.

Côté restauration (voir la rubrique « *Restaurants* » pour le détail). 20 restaurants proposent toutes les cuisines du monde, du hamburger au buffet de fruits de mer en passant par la cuisine italienne, chinoise, le restaurant gastronomique... Formules buffets, à la carte, dîners thématiques, spécialités de viandes, de poissons, animations musicales, décontractées, élégantes et guindées, rien n'a été laissé au hasard.

Côté sortie, 15 bars, une discothèque Dragons dans les Royal Towers pour terminer la soirée.

Côté attractions. Noter qu'une visite guidée est offerte pour les amateurs ; compter 2 heures de visite et 28 US$ par personne. Se renseigner à l'accueil des hôtels. Le complexe décline ses multiples attractions autour du thème de la cité perdue de l'Atlantide. Certaines sont réservées aux clients de l'hôtel comme les piscines et les toboggans. The Dig est ouvert aux visiteurs extérieurs. Il s'agit d'une galerie souterraine donnant dans des aquariums où sont reconstituées les ruines de l'Atlantide telles que les ont imaginées d'habiles sculpteurs : des restes de temples, d'escaliers, d'avenues, ornés de hiéroglyphes et peuplés de poissons.Des appareils volants imaginaires, des sous-marins et des inventions merveilleuses venant de cette civilisation fabuleuse ont été imaginées, le trésor royal est gardé par de sauvages piranhas. Le camp de base des archéologues avec leur matériel, un laboratoire, des fresques... l'illusion est presque parfaite. Pas moins de 11 lagons et aquariums regorgent d'une intense vie sous-

Marina de l'Atlantis sur Paradise Island

Piscine de l'hôtel-resort Atlantis de Paradise Island

marine. Ils contiennent une des plus grandes réserves marines au monde. 50 000 animaux appartenant à 200 espèces vivent dans ces eaux, des requins-marteaux, dormeurs, tigres, gris, des raies dont une manta, des tortues, des poulpes, des méduses phosphorescentes, des poissons de récifs, des piranhas, des homards épineux, des mérous, des barracudas… Des séances régulières de nourrissage des poissons attirent de nombreux spectateurs. Le tunnel sous-marin est situé sous le Lagon des prédateurs Predators Lagoon ; on y entre par une sorte de grotte qui descend jusqu'à plus de 3 m de profondeur, sous le lagon. Il permet d'observer toute la faune sous-marine.

La plage qui donne sur l'océan est équipée de chaises longues, vous y trouverez des activités. La plage artificielle avec son lagon propose des bouées et des pédalos à la location. Les circuits « découverte » qui parcourent la propriété avec ponts suspendus, cascades, points de vue sur les aquariums, sont une agréable balade. Les piscines immenses sont cernées d'une marée de chaises longues et il devient bien difficile de s'en accaparer une après 10h. Les toboggans sont l'attraction principale. Ils offrent tous les niveaux de sensations ; simples et courts pour les enfants, ils raidissent la pente pour les adultes et se pratiquent en bouée pour certains. Mais l'attraction reine reste le temple maya qui propose cinq toboggans dont un, The Leap of Faith (il faut en avoir pour l'essayer), quasiment à 90°, dont la descente se finit dans un tunnel transparent sous le Lagon des prédateurs, un aquarium où s'ébattent des requins et des raies géantes. La sensation de plonger dans l'aquarium est intense pour qui aura le courage de garder les yeux ouverts durant la descente. Le Serpent Slide entraîne les baigneurs équipés de bouées dans des virevoltes insensées dans l'obscurité jusqu'à un tunnel sous-marin parallèle au premier dans le Lagon des prédateurs. On peut faire la course sur les toboggans jumeaux des Challengers dont la pente raide aboutit dans une piscine. Parmi les autres activités, citons les 10 courts de tennis, le terrain de basket-ball, le beach-volley et le parcours de golf de l'Ocean Club. Le Spa, un espace raffiné à l'ambiance asiatique, offre des massages de tous types pour se décontracter après ces efforts, de l'aromathérapie, des soins du visage et du corps… Le casino, ouvert à tous 24h/24, est le plus grand des Caraïbes. Il compte 980 machines à sous, 78 tables de jeu, baccara, roulette, craps, black-jack, stud-poker. La Baccara Lounge est réservée aux gros joueurs. Le Spa est un service de transport gratuit qui relie le complexe de l'Atlantis au parcours de golf.

Atlantis n'en restera pas là

C'est en 1994 que le projet Atlantis commence à émerger. Aujourd'hui, avec ses 6 000 employés, Atlantis est le second employeur des Bahamas derrière le gouvernement. L'ambition des propriétaires ne connaît pas de répit. Les projets d'extension sont colossaux, on dit même que l'annexion de Paradise Island est visée…, mais le gouvernement bahaméen souhaite contrôler la progression du complexe.

N'oubliez pas votre appareil photo pour vous faire immortaliser sur le trône de Poséidon ! Il est recommandé de réserver pour tous les restaurants du complexe.

■ BAHAMIAN CLUB

Ouvert de 18h30 à 23h tous les jours, sauf mardi. Compter entre 60 US$ et 100 US$ par personne.
C'est un restaurant chic à l'ambiance feutrée. Il est spécialisé dans les viandes (steaks et ribs), excellentes au demeurant.

■ THE MARKET PLACE

Buffet de la cuisine des Caraïbes, spécialités de poissons et de pâtes. Le beau buffet de desserts satisfera tous les gourmands.

■ MURRAY'S DELICATESSEN

Ouvert du petit déjeuner au dîner.
C'est une des options les plus économiques du complexe. La cafétéria style Miami années 1950 sert une cuisine simple, à l'américaine, burgers, omelettes, salades. Autour des piscines se trouvent des restaurants ouverts uniquement pour le déjeuner.

■ WATER'S EDGE

Restaurant à l'ambiance familiale. Gigantesques buffets au petit déjeuner, et de fruits de mer et de poissons le soir.

Les restaurants de la marina

Voici quelques adresses que propose la marina d'Atlantis :

■ BIMINI ROAD

Comptez 30 US$ par personne.
Ce restaurant coloré propose une cuisine caraïbe et bahaméenne.

■ CAFE MARTINIQUE

Compter 100 US$ par personne sans le vin.
Avec sa vue spectaculaire sur la marina, le café Martinique propose une excellente carte de cuisine française préparée par le chef du Dune, l'alsacien Jean-Georges Vongerichten. Cette adresse historique possède également une belle cave composée de vins français et californiens.

■ CARMINE'S

✆ 363 3000 poste 29
De 17h30 à 22h. Compter entre 50 US$ et 80 US$ par personne.
Restaurant familial au décor traditionnel qui propose une cuisine italienne de qualité.

■ JOHNNY ROCKETS

Dans un décor style années 1950 avec jukebox et tables de cafétéria, un très bon spécialiste de burgers et de salades en tous genres.

■ SEAFIRE

Compter environ 80 US$ sans le vin.
Excellent Steak House dans le style brasserie traditionnelle. Très grande variété de bons vins.

Points d'intérêt

■ THE CLOISTER

Incroyable curiosité que ce véritable cloître français sous un ciel tropical ! En 1968, Hartford, un riche propriétaire de l'île, acheta le cloître d'un monastère augustinien du XIVe siècle à William Randolph Hearst, le magnat de la presse américain immortalisé dans le film *Citizen Kane*. Le cloître a été transporté à Nassau depuis Lourdes via la Floride, et reconstruit pierre par pierre avec un grand soin, conformément à sa structure d'origine. Il domine le port. De l'autre côté de la route se trouvent les Versailles Gardens.

■ ILOT DE BLUE LAGOON

Au large de Paradise Island, c'est un lieu de prédilection pour les amateurs de dauphins. C'est là que se trouvent les installations de Dolphin Encounters.

■ VERSAILLES GARDENS

Un peu pompeusement baptisés, ces jardins, qui se veulent inspirés des jardins du château de Versailles, se trouvent dans la propriété de l'Ocean Club. Construits en terrasses, ils sont particulièrement beaux vus du bas. Leurs terrasses fleuries de couleurs vives s'élèvent symétriquement jusqu'au cloître, avec des statues anciennes au centre de chacune d'elles.

■ ATLANTIS

✆ 363 3000 – Fax : 363 3524
www.atlantis.com
Même si vous n'y prenez pas une chambre, une visite s'impose dans ce titanesque resort à l'américaine, un des complexes hôteliers les plus extravagants au monde. Tout ici est démesuré. Décor hollywoodien, clinquant et délirant, tours géantes aux faux airs du château de la Belle au bois dormant, reproduction d'un temple maya grandeur nature, immenses aquariums peuplés de raies mantas et de requins-marteaux, plages artificielles, multiples toboggans et lacs à bouées, musée imaginaire de la cité perdue d'Atlantis, casino rutilant ouvert dès potron-minet... C'est un peu Las Vegas-sur-Mer.

GRAND BAHAMA

Grand Bahama
Bassin aux flamants roses

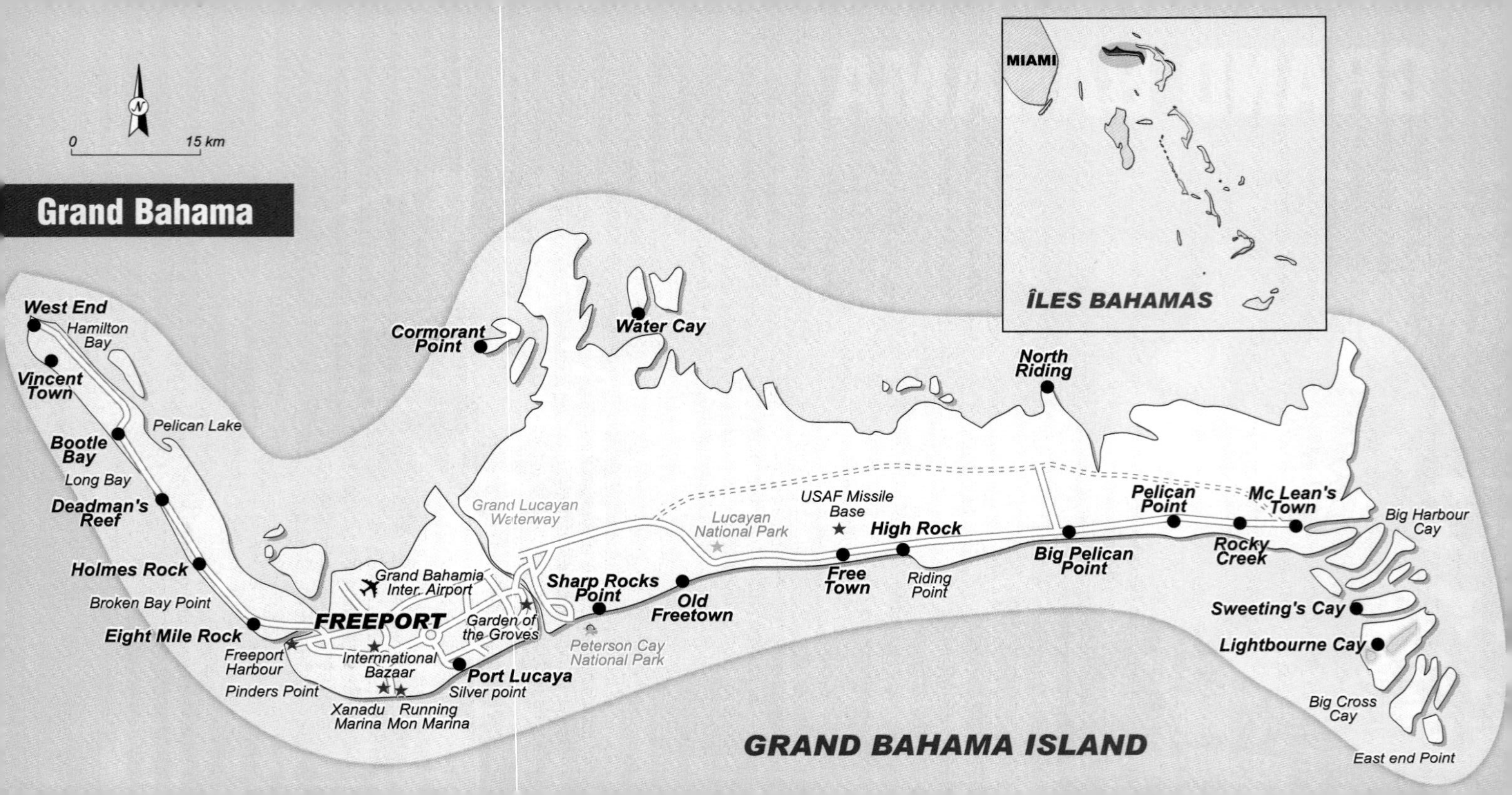
Grand Bahama
0
15 km
ÎLES BAHAMAS
MIAMI
West End
Hamilton Bay
Vincent Town
Pelican Lake
Bootle Bay
Long Bay
Deadman's Reef
Holmes Rock
Broken Bay Point
Eight Mile Rock
Freeport Harbour
Pinders Point
FREEPORT
Grand Bahamia Inter. Airport
International Bazaar
Xanadu Marina
Running Mon Marina
Garden of the Groves
Port Lucaya
Silver point
Cormorant Point
Water Cay
Grand Lucayan Waterway
Sharp Rocks Point
Peterson Cay National Park
Old Freetown
Lucayan National Park
USAF Missile Base
Free Town
High Rock
Riding Point
North Riding
Big Pelican Point
Pelican Point
Rocky Creek
Mc Lean's Town
Big Harbour Cay
Sweeting's Cay
Lightbourne Cay
Big Cross Cay
East end Point
GRAND BAHAMA ISLAND

Grand Bahama

Population : 46 994 hab.

Sports aquatiques, parcs naturels et vie nocturne ; la quatrième île de l'archipel des Bahamas par la taille, derrière Andros, Eleuthera et Great Abaco, se déploie sur 1 373 km², à environ 80 km des côtes de la Floride. Sous-exploitée jusqu'à un passé récent, l'île est devenue le deuxième pôle économique et touristique des Bahamas grâce à un boom bien géré dans la seconde moitié du XXe siècle. Les villes de Freeport, la capitale, seconde ville de l'archipel et actif centre d'échanges commerciaux, et de Lucaya, Mecque du tourisme haut de gamme, n'offrent pas le charme colonial de Nassau. Grand Bahama est une des haltes favorites des immenses bateaux de croisière qui sillonnent les Caraïbes et y déversent des flots de visiteurs qui envahissent en rangs serrés les boutiques de l'International Bazar et se ruent sur les bonnes affaires détaxées. D'immenses hôtels à l'architecture imposante, un casino plein de tapis verts et de machines à sous, des terrains de golf, de nombreux restaurants, bars et discothèques, font de Grand Bahama une étape touristique très prisée.

L'île est baignée par des eaux d'un vert translucide et cristallin et offre de nombreuses plages au sable fin telles Gold Rock et Pelican Point, la plus grande de l'île. De petits villages paisibles comme West End, la plus vieille cité de l'île, un village de pêcheurs spécialistes de la pêche au lambi, ou Mac Leans, à l'est, ponctuent le bord de mer, autant de haltes où la douceur de vivre ne se dément pas. Smith's Town, Pinder's Point, Williams Town, Cooper's Town, Martin Town..., créés en d'autres temps par les familles éponymes, sont encore habités par des Smith, des Pinder, des Williams.... Les trois quarts de l'île sont recouverts de denses forêts de pins qui abritent une faune intéressante, aigrettes blanches, hérons, flamants, serpents non venimeux, et les tortues Hawksbill, une espèce en danger et protégée.

Un peu d'histoire...

L'île était peuplée de Lucayans à l'arrivée de Christophe Colomb qui la baptise « Gran Baja Mar ». Les Espagnols ne l'utilisèrent que comme une halte pour ses ressources en eau douce, mais ne s'y établirent pas. Les loyalistes s'y établissent au cours du XVIIIe siècle, créant de petits villages dont beaucoup portent le nom de leurs fondateurs, et les pirates la visitent régulièrement. Durant la prohibition et la Seconde Guerre mondiale, Grand Bahama connaît un regain d'activité. Malgré cela, jusqu'à la moitié du XXe siècle, l'île reste peu développée. Le développement économique et touristique de l'île de Grand Bahama est en effet tout récent. Freeport, le centre nerveux de l'île et la deuxième ville des Bahamas, est une toute jeune ville sans histoire, née d'une idée du financier Wallace Groves. Il imagine la création d'un port franc avec l'appui du gouvernement qui lui offre des concessions gouvernementales sur les terrains.

En 1955, l'accord Hawksbill Creek est rédigé. Il délimite les rôles respectifs du secteur privé et du gouvernement dans l'avenir de Freeport et établit les autorités portuaires de l'île. Le tourisme se développant, l'affaire devient prospère.

En 1965, Groves offre à Frank Strean, un homme d'affaires canadien, un grand terrain en bord de mer à Lucaya. En contrepartie de ce don, ce dernier s'engage à y construire et à gérer deux hôtels. C'est l'époque de la création de l'Unexso, premier centre de plongée de l'île. Le port est agrandi à plusieurs reprises pour accueillir les bateaux de croisière et le trafic maritime. Aujourd'hui jusqu'à 14 bateaux peuvent y accoster en même temps, garantissant à l'île la manne touristique internationale. Des complexes démesurés voient le jour, attirant une clientèle principalement nord-américaine et souvent familiale. Toutefois, l'île de Grand Bahama possède peu de structures de charme ou de très grand luxe comme New Providence ou certaines des îles extérieures, qui attirent une clientèle à la recherche d'intimité.

Transports

Avion

L'aéroport international de Freeport se trouve à 3 km au nord de Freeport.

BAHAMASAIR

3 à 5 vols quotidiens pour Nassau. Compter 100 US$ le trajet. Possibilité également de rallier San Andros.

■ **REGIONAL AIR**
Liaison entre Freeport et Bimini, Abacco et Eleuthera Nord.

■ **WESTERN AIR**
✆ 377 2222 à l'aéroport de Nassau, 351 3804 à Freeport
La compagnie assure 3 vols quotidiens entre Nassau et Freeport. 80 US$ le trajet, 160 US$ aller-retour.
Départ de Nassau : 7h, midi et 17h, départ de Freeport : 8h, 13h, 18h, durée du vol 30 minutes.

Bus

Des minibus relient le centre de Freeport à Port Lucaya entre 8h et 19h. Le tarif est de 1,25 US$ par trajet.

Location de voitures

La plupart des loueurs de voitures possèdent une antenne à l'aéroport.

■ **AVIS**
✆ Aéroport 352 7666

■ **BRAD'S**
✆ Aéroport 352 7930

■ **DOLLAR**
✆ 352 9325

Taxis

Comme sur les autres îles, les courses sont tarifées. Compter 20 US$ entre l'aéroport et Port Lucaya.

■ **FREEPORT TAXIS**
✆ 352 6666

■ **GB TAXIS UNION**
✆ 352 7101

Pratique

Office du tourisme

■ **INTERNATIONAL BAZAR**
✆ 352 8054 – Fax : 352 2714
Ouvert de 9h à 17h tous les jours sauf dimanche.

Argent

Bank of Nova Scotia, Barclays' Bank, The Royal Bank of Canada ont des agences ouvertes dans le centre de Freeport et à Port Lucaya.

■ **PORT LUCAYA**
Ouvert tous les jours de 9h à 17h et le dimanche de 9h à midi.

Urgences

■ **POLICE**
✆ 919 (Freeport)

Orientation

Freeport

Située à l'extrémité ouest de la côte sud, la ville principale de l'île est aussi la deuxième de l'archipel. Freeport est une ville moderne, plate, au tracé quadrillé, à l'américaine, bref sans beaucoup d'âme. Les bâtiments administratifs, reconnaissables à leur couleur rose, et les centres commerciaux marquent le centre-ville à côté duquel on passerait presque, tant il manque de relief et de personnalité. Les quartiers résidentiels, aux belles maisons modernes nichées dans des jardins tropicaux, se déploient tout autour, mais ne présentent aucun intérêt pour le visiteur.
Aux abords du centre, le quartier de Pine Ridge marque l'emplacement de l'ancien village de Freeport, et les ruines d'anciennes églises se devinent encore. Cependant, Freeport est bien loin de distiller le charme colonial de Nassau. Ici se concentrent l'essentiel des services de l'île. A noter que les hôtels de Freeport ne se trouvent pas en bord de mer.

Lucaya

Lucaya, distante de quelques kilomètres à l'est de Freeport, est une zone purement dédiée au tourisme. Là se concentrent hôtels, restaurants, bars, boutiques et services destinés aux visiteurs. Bien que totalement artificielle, Lucaya n'est pas dénuée de charme, avec ses cases créoles de bois aux couleurs vives, ses petites boutiques, ses bars animés, son ambiance internationale et ses marinas où se balancent toutes sortes de bateaux. Le Port Lucaya Market Place compte une soixantaine de boutiques et pas moins de 32 restaurants. A toute heure, il est agréable de déambuler et de flâner dans ses allées.

À la pointe ouest de l'île

Le restaurant Star est un édifice historique tout en bois, considéré comme le plus vieux de l'île. Il servit de repaire aux contrebandiers durant la Prohibition ; on peut y déguster un repas de cuisine locale ou y prendre un verre.

Hébergement

Depuis 2009, un système a été mis en place Pour profiter au mieux de toutes les infrastructures de l'île. Choisissez une formule (silver, gold ou platinium) et vous pourrez vous restaurer et profiter des activités dédiées à votre formule partout sur l'île. Pour plus d'informations, rendez-vous sur www.clubgranbahama.com (tel : 373 2582).

■ OUR LUCAYA BEACH AND GOLF RESORT

Royal Palm Way, Port Lucaya
✆ 373 1333
Fax : 373 8804
www.ourlucaya.com
Compter au minimum 150 US$ la nuit pour les trois établissements du complexe.
Le resort est gigantesque et compte en tout 1 350 chambres réparties dans trois hôtels et différents édifices. Cet immense complexe comprend toutes les infrastructures d'un village : 3 piscines, 12 bars et restaurants, Spa, salle de fitness, de nombreuses boutiques, deux parcours de golf 18 trous, un casino, un club pur les enfants et une grande plage.

■ RADISSON OUR LUCAYA

✆ 373 1333
Fax : 373 3664
www.ourlucaya.com
Deuxième hôtel du resort, il propose 750 chambres de différentes catégories dans deux bâtiments en croissant, de la chambre traditionnelle à la suite de deux niveaux. Toutes les chambres possèdent un balcon ou un patio.

■ REEF VILLAGE

www.ourlucaya.com
Dernier hôtel du complexe, Reef Village offre, quant à lui, 510 chambres de différentes catégories, bien équipées, fonctionnelles et charmantes. Formule *all inclusive* possible.

■ AUNTIE ANNE'S BED AND BREAKFAST

✆ 373 1325
anacosta@coralwave.com
A partir de 70 US$ pour deux.
Une maison de famille non loin du centre de Freeport, qui offre 3 chambres donnant sur une charmante piscine, avec air conditionné ou ventilateur, TV et copieux petit déjeuner.

■ THE INN AT OLD BAHAMA BAY

West End
✆ 350 6500
Fax : 346 6546
www.oldbahamabay.com
info@oldbahamabay.com

Marina de Lucaya

Isolé à l'extrémité ouest de l'île, à proximité du village de West End, à 30 minutes de l'aéroport, le complexe touristique propose un hôtel de style classique donnant sur une magnifique plage aux eaux translucides. Les 76 vastes chambres sont décorées avec goût, et bien équipées jusque dans les moindres détails (TV, téléphone, lecteur de CD, sèche-cheveux, mini-réfrigérateur, cafetière) ; elles s'abritent dans des bungalows avec terrasse ou balcon donnant sur la plage de sable fin. Une belle piscine et de nombreuses activités sportives sont proposées, tennis, planche à voile, *snorkeling*, kayaking, beach-volley..., ainsi que des activités dédiées aux enfants. L'hôtel possède deux restaurants : Le Aqua Restaurant, qui propose un service haut de gamme de 18h à 22h et le Bonefish Folley's Bar & Grill. Un service de navettes relie le complexe à Lucaya. Côté marina, des appontements pour plaisanciers et gros bateaux, location de bateaux, charters pour des sorties de pêche. Un parcours de golf verra le jour en janvier 2010.

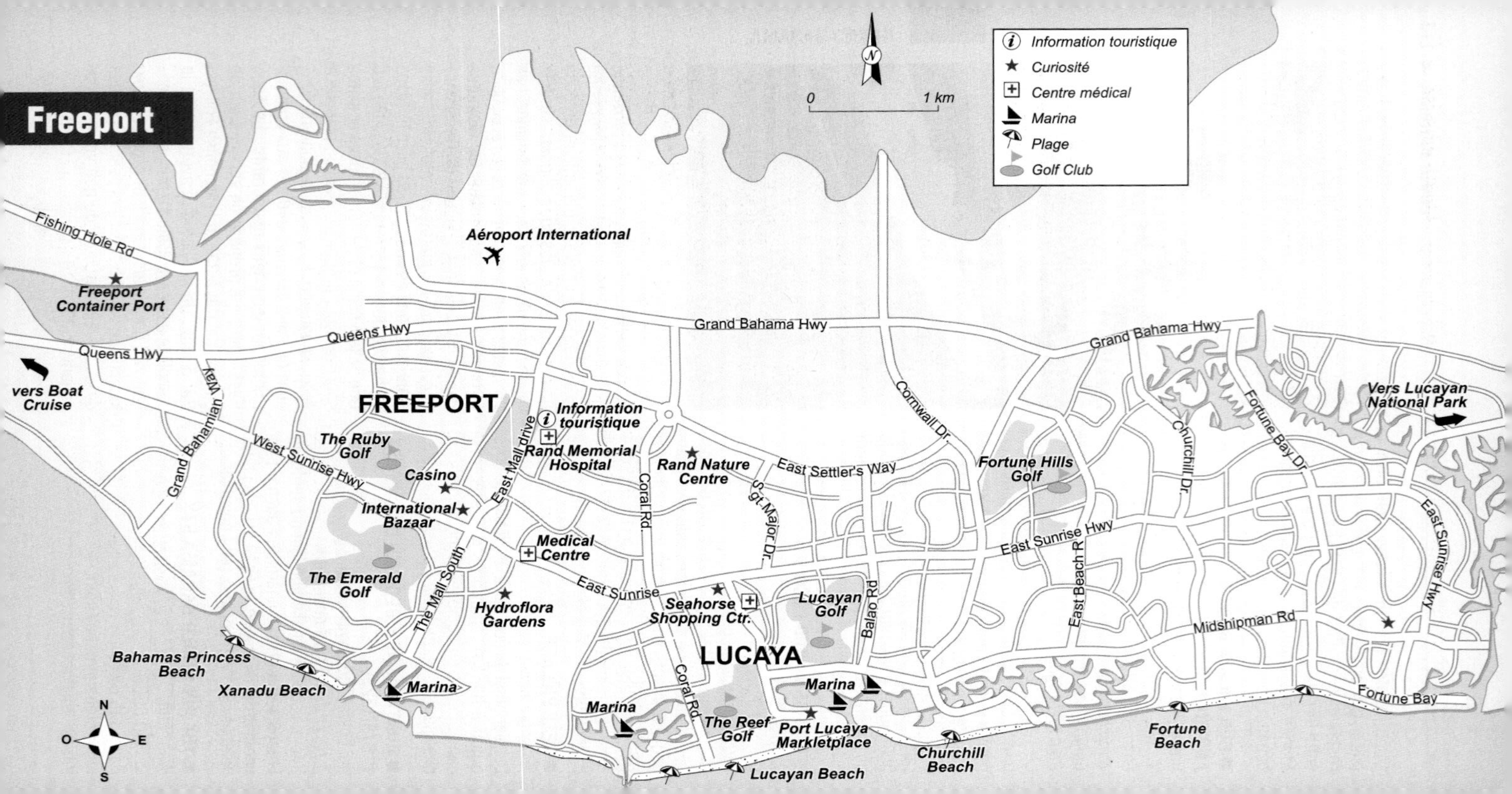
Freeport
Information touristique
Curiosité
Centre médical
Marina
Plage
Golf Club
0
1 km
N
O
E
S
Fishing Hole Rd
Freeport Container Port
Aéroport International
Queens Hwy
Queens Hwy
vers Boat Cruise
Grand Bahamian Way
West Sunrise Hwy
FREEPORT
The Ruby Golf
Casino
International Bazaar
The Emerald Golf
The Mall South
East Mall drive
Information touristique
Rand Memorial Hospital
Medical Centre
Hydroflora Gardens
East Sunrise
Coral Rd.
Coral Rd.
Rand Nature Centre
Sgt Major Dr.
East Settler's Way
Seahorse Shopping Ctr.
LUCAYA
Lucayan Golf
Balao Rd
Grand Bahama Hwy
Grand Bahama Hwy
Cornwall Dr.
Fortune Hills Golf
East Sunrise Hwy
East Beach R
Churchill Dr.
Fortune Bay Dr.
Midshipman Rd
East Sunrise Hwy
Vers Lucayan National Park
Bahamas Princess Beach
Xanadu Beach
Marina
Marina
The Reef Golf
Port Lucaya Markletplace
Marina
Lucayan Beach
Churchill Beach
Fortune Beach
Fortune Bay

■ ISLAND PALM RESORT

✆ 352 6648
www.islandpalm.com
Compter entre 99 US$ et 169 US$ pour une chambre double, selon le standing et la saison.
Au cœur du centre de Freeport, l'hôtel compte 145 chambres sur 3 niveaux qui encadrent une belle piscine, le tout dans un joli jardin. Les chambres y sont confortables (air conditionné, dressing, TV, téléphone) et décorées de façon fonctionnelle et moderne. Restaurant et discothèque. Service de navette pour les plages.

■ ISLAND SEAS

A l'extérieur de Freeport
✆ 373 1271
www.islandseas.com
A partir de 179 US$ la nuit.
Superbe résidence hotelière qui possède une belle plage, un restaurant, le Seagrape Grille, et un club nautique. Une excellente adresse.

■ PELICAN BAY HOTEL AND SUITES

Lucaya
✆ 373 9550
Fax : 373 9551
www.pelicanbayhotel.com
info@pelicanbayhotel.com
A partir de 150 US$ la chambre.
Une architecture surprenante, entre Europe et Caraïbes, donne un charme particulier à cet hôtel qui compte 69 chambres et 90 suites spacieuses, agréablement décorées avec beaucoup de goût, mobilier de bois, tissus clairs, et touches artistiques (TV, air conditionné, téléphone, coffre-fort, réfrigérateur, balcon) qui dominent une piscine ombragée de cocotiers. L'hôtel donne sur la marina de Port Lucaya, la plage est à quelques pas. Trois piscines, un Jacuzzi et un restaurant complètent le décor. Navettes gratuites toutes les heures pour Taino Beach.

■ ROYAL PALM HOTEL

East Mall Drive, Freeport
✆ 352 3462
Compter 70 US$.
Petit hôtel de style motel de 48 chambres en centre-ville, plus fréquenté par les employés en déplacement que par les touristes. Les chambres sont correctes avec TV, air conditionné, et encadrent une petite piscine. Une navette conduit aux plages.

■ VIVA WYNDHAM FORTUNA BEACH RESORT

✆ 373 4000
Fax : 373 5555
www.vivaresorts.com
vivaresorts@hotels-collection.com
Formule tout compris au départ de Paris (voir agences), nuitées à la carte sur place. Le complexe se trouve à quelques kilomètres de Port Lucaya, sur la belle et longue plage de sable blond de Fortuna.
C'est le seul hôtel de l'île à proposer une formule club tout compris : pension complète, sports, activités, club d'enfants (de 4 à 12 ans), club junior (de 13 à 17 ans), animations et spectacles. Les 276 chambres abritées dans des bâtiments de deux niveaux ont été récemment refaites ; bien équipées, elles possèdent toutes balcon ou patio.

Pour la restauration, un grand buffet – le Junkanoo – et un restaurant de spécialités italiennes, Le Viva Cafe, proposent une ambiance plus intime, le Bambu proposant des spécialités asiatiques (réservation obligatoire). Tout au long de la journée les bars offrent de quoi apaiser les petites faims. La journée est rythmée par les activités sportives, plongée ou snorkeling (avec supplément), planche à voile, kayak, aquagym, tir à l'arc, tennis (3 courts), volley-ball, gymnastique, bicyclette à disposition pour explorer les environs, escrime et même trapèze volant... Une grande piscine se niche au cœur du complexe. Le soir, des spectacles de bonne tenue permettent de patienter jusqu'à l'ouverture de la discothèque. Organisation d'excursions à la demande, boutiques, location de scooters. L'ambiance internationale est conviviale à souhait, et le service très efficace. Idéal pour des vacances en famille.

Restaurants

L' essentiel de la vie sociale et nocturne se passe à Port Lucaya qui ne compte pas moins de 32 restaurants et bars de toutes sortes, des familiaux aux plus élégants, des cuisines traditionnelles aux plus exotiques.

Place du marché à Port Lucaya

Bien et pas cher

■ GIOVANNI'S CAFE

Port Lucaya Market Place
✆ 373 9170
Ouvert du lundi au samedi de 9h à 22h.
Tout proche du square Count Basie. Tenu par un Italien marié à une Bahaméenne, c'est un restaurant traditionnel italien. La cuisine de l'Italie du Nord avec quelques spécialités locales est généreusement servie. Service zélé et prix moyens.

■ JUNKANOO BEACH CLUB

Taino Beach
✆ 373 8018, 373 8019
www.junkanoobeachclub.com
De 19h à 22h.
Sur la plage de Taino Beach, vous pourrez déguster un buffet de produits locaux tout en vous plongeant dans la culture bahaméenne. Danse et musique traditionnelle sont au programme sur une des plus belles plages de Gran Bahama.

■ LE MED MEDITERRANEAN RESTAURANT AND BAR

Port Lucaya, Market Place
✆ 374 2804
Ouvert tous les jours de 7h à 22h.
Cette adresse propose une cuisine européenne assez variée. Pâtes et viandes en tous genres, tapas, crêpes et une large sélection de vins du monde entier sont au menu.

■ TIA JUANAS

Lucaya
✆ 373 9382
Ouvert de 11h à 2h.
Pour déguster une authentique cuisine mexicaine, tacos, *quesadillas* ou *burritos*, arrosée de bières mexicaines, le tout en musique, car merengue et salsa chauffent l'atmosphère ; le restaurant se trouve en étage, au-dessus du front de mer.

■ UNEXSO - BAR AND GRILL

Port Lucaya, Market Place
✆ 373 5183, 373 1244
www.unexso.com
Ouvert du lundi au mercredi de 8h à 20h et du jeudi au dimanche de 8h à 23h.
Cuisine américaine et bahaméenne au programme arrosé de quelques cocktails. A noter que chaque second dimanche du mois, un groupe se produit en *live*.

Garden of the Groves

Marina de Lucaya

Étal du marché à Port Lucaya

■ ZORBA'S GREEK CUISINE
Port Lucaya, Market Place
✆ 373 6137
www.zorbasfreeport.com
Ouvert tous les jours de 7h à 13h et de 16h30 et 22h45.
L'héritage grec est vivace sur les îles depuis la grande époque de la pêche à l'éponge. Ici, la cuisine est traditionnelle, souvlaki et moussaka arrosée de vin blanc et servie dans un décor chaleureux.

Bonnes tables

■ FERRY HOUSE
Port Lucaya
✆ 373 1595
www.ferryhousebahamas.com
Ouvert du lundi au samedi de 18h à 23h. Réservations nécessaires.
Le restaurant de l'hôtel Pelican Bay est incontestablement une des meilleures tables de l'île. Le décor est enchanteur, la terrasse romantiquement éclairée donne directement sur l'eau, la salle intérieure climatisée est un peu moins prisée. La décoration moderne est raffinée, mais sobre. La cuisine est dirigée par un jeune chef islandais qui propose des créations originales tirant le meilleur parti des ressources locales, notamment le poisson avec des influences asiatiques, (sashimi de thon, crevettes sauce gingembre et miel, *grouper* à la purée aillée, saumon à la marmelade de piment, espadon au curry)... Cette cuisine fusion est présentée avec un soin extrême, ce qui flatte l'œil avant de régaler l

■ LUCIANO'S
Lucaya
✆ 373 9100
Ouvert du lundi au samedi de 17h30 à 22h.
Un des meilleurs restaurants de Lucaya, à la fois raffiné et intime ; la cuisine est d'inspiration résolument française, comme le chef, et classique, servie dans un décor très contemporain. Les viandes sont délicieuses, filet mignon au roquefort, chateaubriand ou carré d'agneau à la provençale, la carte des desserts est fort tentante : crème brûlée, fondant au chocolat, ou poire Belle-Hélène. Bonne carte de vins.

■ SABOR RESTAURANT AND BAR
Pelican Bay
✆ 373 5588
www.sabor-bahamas.com
Du dimanche au vendredi, le restaurant sert de 18h à 21h30 et le samedi de 19h30 à 21h30. Happy hours au bar de 17h à 19h.
Situé dans le jardin du Pelican Bay Hotel, ce nouveau restaurant aux accents latins propose une carte innovante avec des produits de saison. Belle vue sur la marina et musique live les samedis soir. Une très bonne adresse.

Sortir

A Port Lucaya, le Count Basie Square s'anime dès la tombée de la nuit. Des animations s'organisent, des orchestres distillent quelques accords de jazz, les terrasses des bars qui l'encadrent se remplissent, certains s'enhardissent à esquisser quelques pas de danse...

■ LE CASINO ISLE OF CAPRI
Lucaya Casino
www.isleofcapricasino.com/lucaya
Accueille tous les paris. Le jeudi soir de 18h à 22h durant les mois de juin et de juillet, un grand défilé de *Junkanoo* anime le Bazar International.

■ GALLEY PUB
Port Lucaya
✆ 373 8450
Ouvert tous les jours à partir de 11h.
Pub dans la tradition anglaise, mais on y déguste aussi de la cuisine locale et on peut y danser le soir.

■ JUNKANOO CLUB
Taino Beach
✆ 373 8018
www.junkanoobeachclub.com
Voir rubrique « *Restaurants – Bien et pas cher* ».

■ THE RUM RUNNERS
Le bar est ouvert jusqu'aux petites heures du matin. Ambiance tropicale.

■ SHENANIGAN'S IRISH PUB
Port Lucaya, Market Place
✆ 373 4734
Un authentique pub irlandais où la bière coule à flots et se sirote dans d'immenses chopes. Ambiance chaude.

Points d'intérêt

■ FRUIT VENDORS MARKET
Situé dans le centre de Freeport, c'est un minuscule marché de fruits et légumes pour les locaux, qui tient en une allée où les stands se font face. Les petits étals colorés proposent des ananas, des mangues, des pommes, des bananes, joliment empilés en

un ordonnancement savamment étudié, de succulents crabes de terre s'entassent dans des nasses de fer où ils se débattent sans espoir. Les marchandes attendent le chaland en bavardant joyeusement, abritées sous des parasols de fortune. Pour tuer le temps, les joueurs de dominos s'affrontent en sirotant une Kalik, la bière locale bien fraîche. A la tombée du jour, chacun ferme boutique pour rejoindre son domicile et le marché s'endort jusqu'au lendemain matin.

■ GRAND BAHAMA BREWING COMPANY

✆ 351 5191

C'est l'unique brasserie du pays. On y fabrique des bières très différentes telle la Lucayan Lager, ou la Lager Hammerhead. On peut la visiter avec un guide en une heure pour se familiariser avec les techniques de brassage et déguster des bières locales en fin de visite.

■ PERFUME FACTORY

✆ 352 9391

Ouvert de 10h à 17h30.

Abritée dans une reproduction de demeure cossue datant du XVIIIe siècle, derrière le Bazar international, la fabrique conçoit des parfums à partir d'essences naturelles locales ou importées. Les vendeuses reçoivent les clients en costume d'époque. On voit un atelier de composition de parfums, on y explique l'assemblage des essences au cours d'une courte visite guidée d'une dizaine de minutes. On vous proposera même, expérience originale, de créer votre propre parfum et d'en emporter une bouteille pour la modique somme de 35 US$.

■ PORT LUCAYA MARKET PLACE

Port Lucaya

✆ 373 8446 – Fax : 373 8632

http://portlucayamarketplace.com

info@portlucayamarketplace.com

C'est ici que tout est concentré. Restaurants, bars, hôtels, départs des excursions et boutiques de souvenirs (avec notamment beaucoup d'étalages d'objets tissés en paille), de vêtements, de produits détaxés... Buvez un verre, mangez un morceau et perdez vous dans le dédale de boutiques, donc, avant de partir pour votre excursion.

■ GARDEN OF THE GROVES

Midshipman Road et Magellan Drive

✆ 373 5668

Ouvert de 9h à 16h en semaine et de 10h à 16h le week-end. Visites guidées sur réservation. Entrée adulte 15 US$, entrée enfant 7 US$. Pour s'y rendre, prendre un bus (n° 9, 88, 64, 109, 129, 184, 187) au départ de l'International Bazar (6 US$ aller-retour) ou à Port Lucaya (4 US$ aller-retour) toutes les 2 heures à partir de 10h ou un taxi.

Baptisé du nom du fondateur et architecte de Freeport, Wallace Groves, le jardin botanique déploie son exubérante végétation tropicale au milieu de cascades, et un lac artificiel apporte une note de fraîcheur. Ici fougères, fleurs, arbres rares sont protégés. Plus de 5 000 variétés d'arbres, d'arbustes et de fleurs rares s'épanouissent en toute quiétude. Un petit zoo, qui reste bien modeste, amuse les enfants avec ses perroquets, ses singes, ses chèvres de La Barbade et ses cochons. Les étangs sont habités par des alligators voraces qui sont nourris chaque jour à 11h, un spectacle à ne pas rater. L'endroit est fort prisé pour immortaliser les couples de jeunes mariés dans un décor tropical idyllique. D'ailleurs une petite chapelle est perchée sur une hauteur pour que les couples y reçoivent les bénédictions.

■ LE GRAND BAHAMA MUSEUM

Il ouvre ses portes dans le jardin (entrée comprise avec celle du jardin) et propose une exposition sur l'histoire de Grand Bahama avec des reconstitutions de grottes, une section consacrée à la marine, et des salles relatant la culture indienne et la période de la piraterie.

■ HYDROFLORA GARDENS

✆ 352 6052

Ouvert du lundi au samedi. Entrée 3 US$ sans guide et 5 US$ avec guide. Visite guidée quotidienne à 11h.

Dans ce jardin, on se familiarise avec de nombreux arbres fruitiers et des fruits rares, noix de cajou, *jackfruits* (fruits du jacquier), *ackee*, caramboles... Des espèces d'orchidées aux formes délicates et aux couleurs nuancées encadrent une petite chapelle.

■ LUCAYAN NATIONAL PARK

Le parc déploie ses 16 ha au cœur de l'île. C'est une luxuriante forêt tropicale avec ses mangroves percées de petites voies d'eau que l'on peut parcourir en kayak (voir « *Kayak Nature Tours* »). D'immenses grottes peuplées de centaines de chauves-souris, immenses puits d'eau fraîche, étaient autrefois des lieux funéraires des Indiens lucayans.

Le réseau sous-marin de grottes calcaires et de trous bleus reliés entre eux est l'un des plus longs du monde.

La visite des parcs nationaux de Grand Bahama peut se faire en kayak.

Des sentiers cheminent à travers la forêt tropicale qui présente une flore préservée de massifs de lilas des Indes, de tamariniers sauvages, de raisiniers et de mangrove. Les balades permettent de découvrir les différents écosystèmes de l'île et de se familiariser avec les plantes médicinales toujours utilisées sur les îles. Dans la moiteur des sous-bois, on apprend à se familiariser avec des plantes très confidentielles. De nombreuses espèces d'oiseaux et de papillons habitent le parc. On atteint la plage déserte de Gold Rock Beach par une série de ponts de bois qui traversent la mangrove. C'est un endroit idyllique pour la baignade. Des plages désertes déroulent leur ruban de sable blanc à l'est de l'île. Mac Leans Town, un petit village à l'est, est le plus vieil établissement de l'île. C'est là que chaque année a lieu, au début du mois d'octobre, la Conch Cracking Contest, une fête où le lambi est à l'honneur. Jeux, carnaval, danses, banquets attirent de nombreux visiteurs.

■ PETERSON CAY NATIONAL PARK
✆ 352 5438
A 24 km de Freeport, cet îlot pointe son nez à 1,5 km de la côte. Les récifs coralliens affleurent et c'est un lieu privilégié pour les snorkelers qui y observent la vie sous-marine. Les oiseaux marins sont nombreux.

■ RAND MEMORIAL NATURE CENTER
Settler's Way East
✆ 352 5438
www.grand-bahama.com/rand.htm
Le parc de 40 ha est agrémenté d'agréables sentiers pédestres ondulants qui partent à l'assaut de la flore et de la faune locale. Ils permettent de découvrir des orchidées de 21 espèces différentes et des plantes tropicales utilisées dans la *bush medicine*, la médecine traditionnelle. Côté animaux, les flamants roses, les oiseaux-mouches aux battements d'ailes si rapides qu'ils se maintiennent sur place, les lézards à queue enroulée endémiques des îles, peuplent la réserve. La reconstitution d'un village lucayan aux huttes de terre et palmes est une invitation à imaginer le mode de vie des Indiens. N'oubliez pas vos jumelles !

Sports et loisirs

Golf

■ FORTUNE HILLS GOLF AND COUNTRY CLUB
East Sunrise Highway
✆ 373 2222
Ouvert de 8h à 17h.
9 trous, par 36.

■ THE LUCAYAN GOLF COURSE
✆ 373 1066
www.thelucayan.com
Ouvert de 7h30 à 17h.
Dessiné par Dick Wilson, il est considéré comme un des trois meilleurs parcours des Caraïbes. Les Balancing Boulders, un jardin de rochers en carton au départ du 1 sont d'un kitch du plus bel effet. Des haies de pins soulignent les fairways.

■ OLD BAHAMA BAY
A l'hôtel du même nom (voir rubrique « Hébergement »)
Un 18-trous ouvrira en janvier 2010.

■ THE REEF
Sur Royal Palm Way
✆ 373 002
www.ourlucaya.com/reef
Ouvert de 7h30 à 17h30.
C'est un dix-huit trous dessiné par Robert

Trent Jones Junior. Il accueille le PGA Senior Slam. Immenses bunkers et grands plans d'eau ponctuent le parcours.

Plongée

■ **CARIBBEAN DIVERS**
Bell Channel Inn, Port Lucaya Marina
✆ 373 9111
Le centre propose tous types de plongée, de jour, de nuit, sur épaves, avec les requins…

■ **UNEXSO**
Situé sur la marina à côté de l'hôtel Pelican Bay
✆ 373 1244 – Fax : 373 8956
www.unexso.com – info@unexso.com
Ce centre, affilié Padi, est le plus ancien et le plus important de l'île. Il compte 15 instructeurs et possède 6 bateaux de 12 à 30 passagers. Il propose plusieurs types de plongées, plongée d'initiation pour les débutants, plongée pour expérimentés, plongées avec les dauphins (169 $) ou les requins (89 $), plongée de nuit (49 $).
Réservations obligatoires pour les plongées avec les dauphins 5 fois par semaine, et avec les requins quotidiennement ; photos et vidéos sous-marines. Le centre possède deux piscines d'entrainement et une chambre de décompression.

■ **VIVA DIVING**
Au Wyndham Resort
www.vivadivingbahamas.com
info@vivadivingbahamas.com
Compter 111 US$ pour trois plongées, 35 US$ pour la séance de snorkeling.
Deux bateaux type catamaran pour partir à la découverte de poissons tropicaux, de tortues de mer, de requins. Vous irez également explorer les épaves qui gisent dans les fonds marins du coin.

Les sites de plongée

▶ **Theo's Wreck**. C'est un des sites les plus populaires de l'île. L'épave d'un cargo de 70 m coulé en 1982 repose sur le côté par 30 m de profondeur. L'épave est recouverte d'un épais manteau de concrétions et tapissée d'éponges et de gorgones. Elle abrite de nombreux poissons, des jacks, des tortues et des murènes qui se cachent dans la structure. On peut en explorer la salle des machines.

▶ **Papa Doc Wreck.** On découvre sur ce site l'épave d'un bateau de 21 m qui coula durant un orage en 1968, alors qu'il faisait route vers Haïti pour soutenir les troupes de Duvalier.

▶ **Etheridge Wreck.** Cette épave d'un car-ferry qui opérait en Caroline a été coulé volontairement. Elle servit de décor à des séquences du film *Halloween*.

▶ **Blackbeard's Springs.** De belles colonies de coraux durs et mous ourlent les parois d'un trou bleu.

▶ **Rose Garden.** Le site présente une grande étendue de coraux de différentes espèces, parcourue par des allées de sable. Un petit trou bleu se dessine à proximité.

▶ **Picasso's Gallery.** Voilà un site idéal pour la macrophotographie. Il possède une belle concentration de coraux multicolores et offre de multiples facettes de la vie sous-marine.

▶ **Pillar Castle.** On découvre sur ce site de belles formations de coraux cierges qui se dressent fièrement dans l'eau limpide. Une large caverne s'offre à l'exploration.

▶ **Moray Manor.** Le site présente de belles formations coralliennes. Au plus profond du récif, on observera une intéressante colonie de corail noir. Le site est fréquenté, entre autres, par des snappers et des tortues.

▶ **Shark Junction.** C'est un site de *shark feeding*, fréquenté par les prédateurs.

▶ **Les tunnels.** Ce site est composé de passages étroits et houleux peuplés de *snappers* à queue jaune et de *snappers* moutons.

▶ **Pygmy Caves.** Le site présente des grottes et des cavernes tapissées de coraux de différentes espèces.

▶ **Ben's Cave.** A cet endroit, le récif forme une vaste grotte très ouvragée et décorée de nombreuses stalagmites et stalactites. L'eau y est très limpide.

Autres activités

Tous les hôtels proposent des réservations pour des excursions.
Les organisateurs récupèrent et redéposent les clients à leur hôtel. Les tarifs sont identiques si l'on fait les réservations en direct.

■ FISHERMAN'S SAFARI

✆ 352 7915
www.fishermanssafari.com
ghpsafari@hotmail.com
Le capitaine John organise des sorties de pêche en haute mer.

■ GRAN BAHAMA NATURE TOURS

✆ 373 2485 – Fax : 374 4670
www.grandbahamanaturetours.com
gbntours@hotmail.com
Compter 79 US$ pour chacune des cinq excursions.
Cinq excursions différentes sont proposées dont la découverte à vélo du jardin des Groves et deux excursions en kayak, à travers la mangrove et dans le Lucaya national Park. Les excursions commencent par une traversée des forêts de pins pour atteindre le centre de l'île. Ensuite, avant d'embarquer, les guides font un rapide briefing sur la technique du kayaking. La balade se fait en mer ou à travers d'étroites voies dans la mangrove sauvage durant environ 45 minutes. On atteint une magnifique plage sauvage où un petit buffet attend les rameurs. Après un bon moment de détente, une promenade permet de se familiariser avec les plantes et les insectes locaux, et de visiter les grottes habitées par les chauves-souris, autrefois lieux funéraires des Indiens lucayans. On regagne ensuite les hôtels après une bonne journée d'excursion.

■ REEF TOURS LTD

✆ 373 5880
www.bahamasvg.com/reeftours
reeftours@broadband.bs
Cette agence propose des sorties de pêche au gros, location de jet-ski, ski nautique, parachute ascensionnel, des balades en catamaran, en bateaux à fond de verre à 8h30, à 11h15, à 13h15 et à 15h15, excursions de *snorkeling*...

■ SEAWORLD EXPLORER

Port Lucaya Market Place
✆ 373 7863
3 sorties par jour à 9h30, à 11h30, à 13h30. 39 US$ adulte, 25 US$ enfant.
Balade commentée de deux heures dans un bateau semi-immergé pour découvrir la faune et la flore sous-marine. Idéale pour les non-plongeurs. Desserte des principaux hôtels.

■ SMILING PAT'S ADVENTURES

✆ 559 2921
www.smilingpat.com
pat@smilingpat.com
L'agence propose les excursions classiques sur l'île, mais aussi une intéressante excursion d'une journée à Abaco une fois par semaine.

■ UNDERWATER EXPLORER SOCIETY (UNEXSO)

Face au Lucayan Beach Resort
✆ 373 1244 – Fax : 373 8956
www.unexso.com – info@unexso.com
Réservation nécessaire. Plusieurs départs dans la journée. Unexso organise toutes sortes d'activités, de la plongée aux bateaux à fond de verre, jusqu'à la rencontre et à la natation en pleine mer avec les dauphins. Cet organisme est le seul à proposer cette expérience dans l'île. Nager avec les dauphins est une aventure inoubliable qui s'inscrira sans conteste dans les meilleurs souvenirs d'un séjour aux Bahamas. Trois programmes d'interaction sont proposés, la rencontre avec les dauphins (75 $ adulte, réductions enfants) avec immersion à mi-corps et contacts physiques, caresses et jeux...) et la nage avec les dauphins en bassin (169 $) et en pleine mer (199 $).
L'excursion commence par une balade en mer jusqu'au lagon protégé où sont gardés et élevés les mammifères. Après une introduction didactique sur les us et coutumes de ces cétacés, un guide conduit le groupe à un enclos marin où chacun prend place autour d'un bassin délimité par un ponton carré. Par petits groupes de 3 à 4 personnes, l'approche et les contacts avec les dauphins sont orchestrés par le guide qui les récompense d'un poisson après chaque exercice. Ils exécutent également sauts et facéties pour lesquels ils ont été entraînés. La nage avec les dauphins fait partie d'un autre programme, et les participants sont installés sur un autre ponton. Pour le programme de nage en pleine mer, les participants partent en mer à bord d'un bateau que les dauphins suivent et à bord duquel se trouvent les instructeurs. Au large on retrouve les dauphins dans leur milieu naturel. A l'aide de signes, on peut leur faire faire quelques figures.

OUT ISLANDS

Les Abacos
Le phare rayé
de Hope Town

Andros

▸ **Population :** 7 686 hab.

L'île des trous bleus, capitale de la pêche au bonefish

Si elle est la plus grande des îles de l'archipel (5 800 km²), c'est aussi une des moins explorées. Connue comme la « Plate », parsemée de très nombreux îlots et lagunes intérieures, elle se trouve à 48 km au sud-ouest de Nassau, de l'autre côté de la profonde faille marine appelée la « Langue de l'Océan ».

Longue de 150 km pour 65 km de large, c'est une île très sauvage à la topographie tourmentée.

Ses côtes sont incisées de criques profondes et de chenaux, dessinant de nombreux îlots inhabités. L'île est scindée en trois parties par de vastes golfes qui la découpent d'est en ouest, Andros Nord, Andros Centre et Andros Sud. Considérée comme inhospitalière du fait de sa complexité géographique, c'est une destination « éco-touristique » idéale pour les amoureux de la nature.

Les paysages intérieurs se composent de vastes et denses forêts tropicales de pins, de palmiers et d'acajous, habitats d'oiseaux comme des perdrix, des canards, des pigeons et des perroquets. Les zones broussailleuses appelées « bush » abritent une quarantaine d'espèces d'orchidées sauvages. La mangrove, très présente sur la côte ouest, abrite de nombreux oiseaux marins. De nombreux iguanes, des lézards à queue enroulée et des sangliers sauvages sont également les hôtes permanents d'Andros.

La population est concentrée sur la côte est, qui compte seulement une douzaine de villages. La barrière de corail qui frange Andros est la troisième au monde après celle de l'Australie et du Bélize ; elle se déploie le long de la côte est et sépare l'île de la haute mer. La Langue de l'Océan, une faille de 1 800 m de profondeur est un haut lieu de la plongée. Ses fameux trous bleus attirent de nombreux plongeurs fascinés par cette énigme de la nature. D'ailleurs, l'île abrite le plus vieux centre de plongée de l'archipel, ouvert en 1960.

Mais l'activité reine, qui règne en maître à Andros, c'est la pêche. Elle s'y est développée grâce aux possibilités multiples qu'offrent les platiers comme les eaux profondes. On y pêche à la mouche, au harpon, à la traîne, à la palangre, avec un permis à se procurer au port d'entrée de l'île. Deux tournois importants marquent le calendrier des pêcheurs : le Andros Big Yard Bonefish and Bottom Fishing Tournament (fin novembre) et le Chub Cay Bahamas Championship (juin).

Enfin, un artisanat de batiks, original sous ces latitudes, s'est récemment développé sur l'île, et ses productions colorées sont exportées sur toutes les îles de l'archipel. On peut en visiter l'atelier (voir « *Points d'intérêt* »). C'est la côte est de l'île qui concentre la majorité des hôtels entre Nicholl's Town et Mangrove Cay. Il s'agit le plus souvent de petites structures qui comptent, au plus, une dizaine de chambres.

Les immanquables des Out Islands

▸ **Découvrir les trous bleus** d'Andros.

▸ **Pêcher le *bonefish*** dans les *flats* d'Andros.

▸ **Visiter la Andros Batik Works Factory.**

▸ **Arpenter les ruelles de Hope Town** ou de New Plymouth à Abaco.

▸ **Grimper à l'assaut** du phare de Hope Town.

▸ **Se prélasser sur la plage Pink Sands** de Harbour Island.

▸ **Taquiner les poissons** gros calibre à Bimini.

▸ **Nourrir les iguanes** des Exumas.

▸ **Visiter le lieu de retraite** du père Jérôme à Cat Island.

Un peu d'histoire...

Quand les conquistadors espagnols découvrirent cette île, ils la baptisèrent « *la Isla del Espiritu Santo* » (l'île du Saint-Esprit), en respect de leurs traditions religieuses. Les premiers colons de l'île furent des esclaves échappés des plantations du sud de l'Amérique (Louisiane) et des Indiens séminoles venus de la Floride au cours du XIXᵉ siècle.

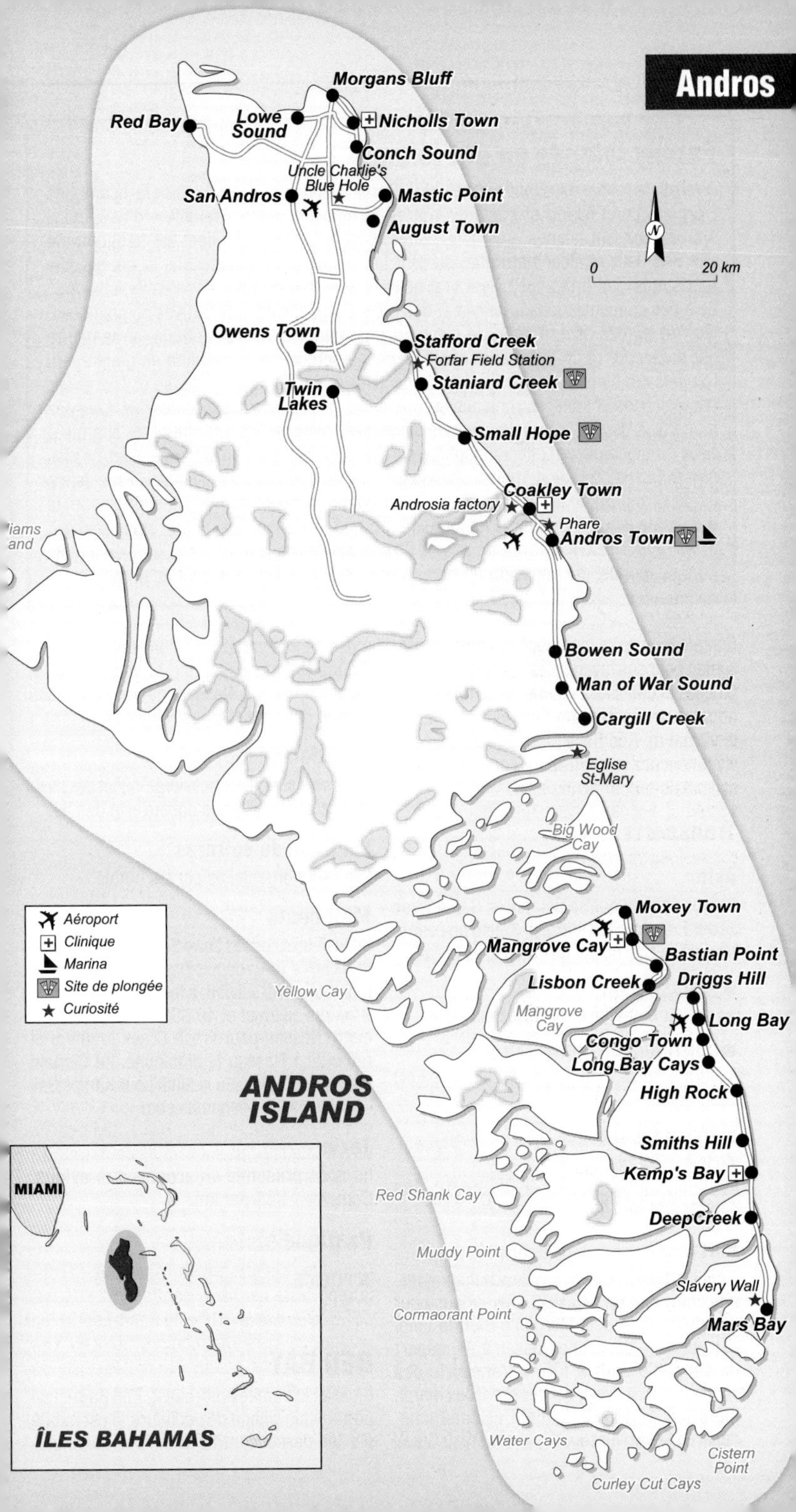

Andros
Morgans Bluff
Red Bay
Lowe Sound
Nicholls Town
Conch Sound
Uncle Charlie's Blue Hole
San Andros
Mastic Point
August Town
0
20 km
Owens Town
Stafford Creek
Forfar Field Station
Staniard Creek
Twin Lakes
Small Hope
Coakley Town
Androsia factory
Phare
Andros Town
Bowen Sound
Man of War Sound
Cargill Creek
Eglise St-Mary
Big Wood Cay
Moxey Town
Mangrove Cay
Bastian Point
Lisbon Creek
Driggs Hill
Yellow Cay
Mangrove Cay
Long Bay
Congo Town
Long Bay Cays
High Rock
ANDROS ISLAND
Smiths Hill
Kemp's Bay
Red Shank Cay
DeepCreek
Muddy Point
Slavery Wall
Cormaorant Point
Mars Bay
Water Cays
Cistern Point
Curley Cut Cays
Aéroport
Clinique
Marina
Site de plongée
Curiosité
MIAMI
ÎLES BAHAMAS

Family Islands ou Out Islands...

Andros, les Abacos, Eleuthera, Bimini, Berry Island, Cat Island, Harbour Island, les Exumas, Long Island et quelques autres, composent cette « famille » d'îles, aussi appelée les Out Islands. Les liens culturels et historiques qui lient les habitants de ces îles, leur chaleur naturelle, en font une étape particulière dans la géographie touristique des Bahamas. C'est vrai qu'elles sont loin de tout, ces Family Islands... Loin des concentrations urbaines et des préoccupations administratives ou politiques, les Out Islands offrent un autre visage des Bahamas, plus authentique, où la nature est préservée et où la tradition de l'hospitalité perdure de génération en génération. Ces îles sont encore préservées de toute invasion touristique de masse et épargnées par les constructions anarchiques qui ont défiguré certaines des grandes îles. Loin des immenses complexes et des *resorts* démesurés, des petites structures de charme à taille humaine offrent une atmosphère sereine et calme. Loin de la frénésie des îles les plus connues, la région, moins développée que les grandes sœurs de New Providence ou de Grand Bahama, ne connaît ni l'enfer du jeu, ni les tentations du shopping, ni la déferlante de croisiéristes... Le tourisme y prend un visage plus intime, plus convivial, et les rapports sont plus authentiques. Ce sont les îles de la tranquillité, hors du temps, hors du monde, qui imposent un rythme lent, un véritable avant-goût du paradis.

Compte tenu de sa topographie, Andros représentait pour ces fuyards des cachettes à la fois proches et difficiles à repérer. Ils se réfugièrent notamment au nord de l'île où ils fondèrent le village de Red Bays ; leurs descendants y vivent encore et y entretiennent une tradition artisanale autour de la paille.

Transports

Avion

Andros compte quatre aéroports, San Andros au nord, Andros Town (Fresh Creek) au centre, Mangrove Cay et Congo Town au sud.

■ **BAHAMASAIR**
3 vols par semaine depuis Nassau.

■ **CONTINENTAL CONNECTION**
Assure 4 liaisons hebdomadaires avec Fort Lauderdale.

■ **WESTERN AIR**
✆ 368 2759
La compagnie assure la desserte des 4 aéroports de l'île.

Ferry

Tous les trajets du ferry (www.bahamasferries.com) coûtent 70 US$ aller-retour pour un adulte. Il dessert Morgan's Bluff le lundi et le samedi, départ de Nassau à 9h, départ de Morgan's Bluff à 13h. Il transporte des voitures. Fresh Creek est desservie les mardi, mercredi, vendredi, samedi et dimanche, départ à 8h de Nassau, départ de Fresh Creek à des heures variables selon les jours. Driggs Hill est desservie le vendredi et le dimanche depuis Nassau, départ de Nassau à 7h et départ de Driggs Hill à 13h.

Location de bicyclettes

Toutes les structures hotelières louent des bicyclettes pour partir à la découverte de l'île.

Location de voitures

Elles sont organisées par les hôtels.

Mail-boats

Un mail-boat dessert Lowe Sound, Mastic Sound et Nicholl's Town depuis Nassau le mercredi et repart le mardi suivant. Il faut compter environ 3 heures de trajet et 40 US$ l'aller. Le Lady D quitte Nassau pour Fresh Creek le mardi et retourne à Nassau le dimanche. Le Captain Moxey quitte Nassau le lundi pour Kemps Bay – www.mailboatbahamas.com

Taxis

Ils sont présents à l'arrivée des avions. Compter 1 US$ par km.

Pratique

■ **POLICE**
✆ 919

RED BAY

Situé à l'extrémité nord-ouest, Red Bay est un pittoresque village de pêcheurs. Il est habité par les descendants des Indiens séminoles de Floride qui ont cherché refuge dans l'île au cours du XIXe siècle. Cette population compte environ deux petites centaines d'individus. Ils y vivent encore de manière traditionnelle et réalisent de beaux objets de vannerie et de superbes sculptures sur bois qui font la joie des visiteurs. Red Bay ne possède pas de possibilités d'hébergement.

NICHOLL'S TOWN

Le village de Nicholl's Town, au nord-est, est le principal centre habité de l'île d'Andros et compte environ 600 habitants. Quelques hôtels, une clinique, un service de téléphone et quelques petits restaurants en constituent toutes les ressources. Nicholl's Town prend volontiers un air désolé avec des paysages qui ne font aucune concession au tourisme, jardins peu entretenus et carcasses de voitures qui finissent leur vie en rouillant au soleil... Au nord du village se trouve le plus haut point de l'île. Le Morgan's Bluff est un tribut à l'ancien pirate Henry Morgan qui, selon la légende, y allumait des lanternes de nuit pour attirer les bateaux sur les récifs voisins et pouvoir ensuite les piller. La plage de Morgan's Bluff a été baptisée en sa mémoire. Dans cette zone, le pirate aurait enfoui des trésors qui n'ont pas encore été découverts à ce jour. Avis aux amateurs...

Pratique

A l'entrée du village se trouve l'édifice gouvernemental qui regroupe la poste ouverte de 9h à 16h, Batelco, et le commissariat de police.

■ POLICE
✆ 919

■ SANTE
Nicholl's Town Clinic
✆ 329 2055

■ TAXIS
✆ 328 2579

Hébergement – Restaurants

Nicholl's Town n'est pas, de loin, le meilleur endroit de l'île pour séjourner.

■ CONCH SOUND RESORT INN
✆ 329 2060
A partir de 90 US$.
L'hôtel, situé à 3 km du village, se niche dans une forêt de pins. Il offre 7 chambres simples, mais confortables, avec air conditionné et TV, et 6 bungalows avec cuisine équipée. Piscine, organisation de parties de pêche, restaurant. La plage est distante de quelques centaines de mètres.

■ GJ'S RESORT HOTEL AND RESTAURANT
✆ 329 2005
Compter 85 US$.
A l'entrée du village, un hôtel sans le moindre charme, qui propose 32 chambres correctes avec air conditionné. Plus propice aux haltes commerciales qu'au séjour touristique.

■ GREEN WINDOWS INN
✆ 329 2016
A partir de 80 US$ pour deux.
Non loin de la plage et des *flats* propices à la pêche au *bonefish*, cet hôtel modeste offre 12 chambres dont deux disposent d'une salle de bains privée. Restaurant de cuisine locale.

Sortir

■ DAYSHELL'S NIGHT CLUB
✆ 329 2183

■ RUMORS
✆ 329 2398

■ SUGAR SHACK
✆ 368 2064

FRESH CREEK – ANDROS TOWN

Cette région constitue le centre d'Andros. La baie s'enfonce au cœur de l'île. C'est un coin très prisé des plongeurs, à cause notamment du trou bleu du Captain Bill, et qui offre des possibilités d'hébergement. Le village d'Andros Town se trouve à 3 km de l'aéroport. Il concentre tout ce que la région compte de vie sociale et offre des possibilités d'hébergement.

Pratique

■ OFFICE DU TOURISME
Andros Town, à côté de l'hôtel Light House

■ ROYAL BANK OF CANADA
Ouverte de 9h30 à 15h30

Hébergement – Restaurants

■ CHICKCHARNIE'S HOTEL
✆ 368 2025 – Fax : 368 2492
13 chambres avec air conditionné, TV et salle de bains partagée à partir de 50 US$. Compter 80 US$ pour une chambre avec bain privé. Restaurant.

■ **HENK'S PLACE**

✆ 368 2445

Ouvert de 11h à 22h.

L'hôtel compte quatre chambres avec air conditionné (compter 80 US$ pour deux). On mange sur une terrasse sur pilotis surplombant la baie. La cuisine met à profit les produits de la mer. L'endroit est agréable.

■ **KAMALAME CAY : STANIARD CREEK**

✆ 368 6281 – Fax :236 6279

www.kamalame.com

info@kamalame.com

A partir de 850 US$ la nuit pour deux.

Oasis de grand luxe et étape romantique et discrète à souhait, le *lodge* se trouve sur un minuscule îlot privé desservi par un bateau de la propriété, ce qui assure la plus parfaite intimité. Les cottages indépendants de style local tout de pierres et de bois, sont disséminés dans la propriété, isolés et cachés dans la végétation. De différente capacité, ils peuvent accueillir jusqu'à 8 personnes. Douillets, bien équipés, mobilier indonésien et tons reposants, ils sont très ouverts sur la nature. Les hôtes disposent d'une voiturette de golf pour se déplacer dans la propriété. Le Spa domine l'océan, abrité sur un ponton de bois. Ses installations sont luxueuses, et les soins multiples. Belle piscine ombragée de palmiers, tennis, kayaks. La plage immaculée est magnifique. Au nombre des activités, la plongée et la pêche sur *flats* sont les plus prisées. Le restaurant-bar est le cœur de la vie sociale. Il propose une cuisine caribéenne gourmet. Chaque semaine un buffet de cuisine bahaméenne est organisé. Service attentif et efficace.

■ **SMALL HOPE BAY LODGE**

✆ 368 2013/14 – Fax : 368 2015

www.smallhope.com

shbinfo@smallhope.com

Entre 235 US$ et 260 US$ en formule pension complète selon la saison, transfert aéroport inclus. Possibilités de forfaits de plongée.

Située directement au bord d'une très belle plage ombragée de cocotiers, bordant la Langue de l'Océan, cette propriété offre 20 chambres en bungalows de bois et de pierres qui donnent directement sur la plage ombragée de cocotiers. D'une ou de deux pièces, elles conviennent aux familles comme aux couples, sont simples (ventilateur, salle de douche) et de bon goût, décorées de batiks locaux aux couleurs gaies. L'aire sociale, compte une grande salle à manger, une bibliothèque très bien fournie en livres sur le pays, la nature, la plongée et également de la littérature (le tout en anglais !), une salle de jeux, un salon TV, et une cheminée. L'ensemble est convivial à souhait et fort agréable. L'ambiance est familliale, tout le monde se connaît très vite, et très « *layed back* ». Un coin Internet est mis gratuitement à la disposition des hôtes. De nombreuses activités, kayak, planche à voile,

Sur une plage d'Andros

Atelier d'Androsia Batik Works Factory à Fresh Creek

VTT, pêche, balades nature, sont proposées. Le centre de plongée est très bien équipé et propose également des sorties *snorkeling*. Le restaurant est une bonne table familiale qui propose souvent des buffets, notamment pour le déjeuner qui se prend sous un toit de palmes sur la plage. Une bonne adresse pour des vacances relaxantes et sportives.

Points d'intérêt

▸ **La marina de Fresh Creek** mérite une promenade pour son atmosphère provinciale et assoupie. Ce sera l'occasion de faire de belles photos, notamment en fin de journée.

■ **ANDROSIA BATIK WORKS FACTORY & OUTLET STORE**
Fresh Creek
✆ 368 2020
www.androsia.com – info@androsia.com
Ouvert de 8h à 16h du lundi au vendredi.
Il ne faut pas manquer la visite de cet atelier textile créé en 1973, l'année de l'indépendance des Bahamas. La fabrication des batiks se décompose en cinq phases, la conception des motifs, l'application des formes, la teinture, le séchage et la confection. Les produits griffés Androsia, la marque de la version bahaméenne du batik, sont réalisés ici et vendus dans toutes les Caraïbes. Cet atelier emploie une cinquantaine de personnes qui utilisent les techniques traditionnelles wax pour réaliser des motifs inspirés de la nature locale, fleurs, poissons, coquillages très colorés. Vêtements, nappes, serviettes ou sets de table, coussins, plaids, les créations sont déclinées à l'infini. Réalisées à la main, chaque pièce est unique. Vous pourrez aussi commander vos propres motifs.

MANGROVE CAY

Mangrove Cay est isolée par deux chenaux qui la cernent, le Middle et le South Bight. Little Harbour, connu également sous le nom de Moxey Town, est le seul village du coin. L'îlot a rejoint la civilisation tardivement puisqu'il n'a été équipé en électricité qu'en 1989. Une étroite plage longe tout l'îlot face à la barrière de corail. Quelque 25 trous bleus se trouvent à proximité de Mangrove Cay.

Hébergement – Restaurants

■ **AUNTIE B'S RESTAURANT**
Pour une cuisine basique et peu coûteuse.

■ **HELEN'S MOTEL COMPLEX**
✆ 369 0033 – Fax : 369 0051
helensmotel@bahamasnet.bs
Compter 70 US$.
A seulement 3 minutes de l'aéroport, l'hôtel central et confortable propose 13 chambres avec kitchenette et TV. Restaurant. Soirées organisées le samedi avec barbecue sur la plage.

■ **MANGROVE CAY INN**
✆ 369 0069 – Fax : 369 0014
www.mangrovecayinn.com
egreene@batelnet.bs
A partir de 100 US$.
A quelques pas de la plage, l'auberge entourée de belles pelouses offre 12 chambres avec bain privé et air conditionné. Service de restauration, salon commun. Séjour minimum de 4 nuits. Un cottage de trois chambres, idéal pour les familles, et un cottage d'une chambre pour les couples sont également disponibles à la location. L'hôtel est fréquenté par une clientèle de pêcheurs.

■ **MOXEY'S BONEFISHING LODGE**
✆ 369 0023 – Fax : 369 0726
www.moxeybonefish.com
joel@mlrealty.net
Formule tout compris pour 4 nuits à 1 400 US$ par personne. Transport offert depuis l'aéroport de Mangrove Cay.
L'hôtel est situé tout près de *flats* propices à la pêche. Il a une clientèle de pêcheurs. Une jolie bâtisse blanche de deux niveaux abrite 10 chambres et 2 bungalows d'un confort correct. Le restaurant, Angler's Bar and Grill, sert une bonne cuisine locale.

■ **RITZ BEACH RESORT – DRIGGS HILL**
✆ 369 2661 – Fax : 369 2667
Compter 130 US$.
Tout proche de la grande barrière de corail, l'hôtel offre des chambres bien équipées (réfrigérateur, TV), meublées dans un style rustique très agréable. Piscine, tennis.

■ **SEASCAPE INN**
✆ 369 0342 – Fax : 369 0342
www.seascapeinn.com
relax@seascapeinn.com
A partir de 100 US$, petit déjeuner inclus.
Situés directement sur la plage, au milieu des cocotiers, les 5 bungalows avec terrasse et ventilateurs offrent un confort simple. Matériel de plongée et bicyclettes à disposition. Restaurant.

■ **STACEY'S RESTAURANT AND LOUNGE**
Vous pourrez y savourer une honnête cuisine locale.

CONGO TOWN

Congo Town est une zone balnéaire active. C'est la plus au sud de l'île. La plage de sable blanc longue de plusieurs kilomètres est fermée par deux pointes à ses extrémités ; à l'abri du vent, c'est un endroit idéal pour savourer les plaisirs de la mer.

Pratique

■ **BANK OF THE BAHAMAS**
Bureau ouvert de 10h à 14h.

■ **CONGO TOWN CLINIC**
✆ 369 4849

■ **LOCATION DE VOITURES**
Rahming's Rental
✆ 369 1608

Hébergement

■ **EMERALD PALMS**
Driggs Hill
✆ 369 2713, 369 2714 – Fax : 397 2865
www.emerald-palms.com
Compter de 149 US$ à 245 US$ la chambre double. De 195 US$ à 595 US$ la villa, selon la vue et la taille.
Superbe complexe en front de mer, vous aurez le choix entre une chambre classique ou la location de petites villas à une ou deux chambres. Peu importe la formule choisie, vous vous trouverez en front de mer avec un accès direct à une belle plage privée. Piscine et restaurant seront évidemment à votre disposition, mais l'Emerald Palm propose aussi des scéances de plongée (palmes, masques, tuba ou bouteilles) ainsi que des sorties de pêche mémorables.

■ **ROYAL PALM BEACH LODGE**
✆ 369 1608 – Fax : 369 1934
Juste sur la plage, l'hôtel (style motel) encadre une pelouse plantée de cocotiers. Il offre 9 chambres simples et bien tenues avec air conditionné, TV et réfrigérateur, à partir de 60 US$.
Une petite piscine agrémente l'ensemble. Restaurant de cuisine locale et de spécialités de la mer. Nombreuses activités sportives.

Le chickcharny, un dahu local

La légende du *chickcharny* est née au XIXe siècle des traditions orales véhiculées par les Indiens séminoles. Cette créature imaginaire a atteint le statut de véritable mythe à Andros. C'est une étrange espèce de volatile aux yeux rouges phosphorescents, portant une sorte de barbe hirsute, et dont le corps est revêtu de plumes vertes. Elle possède trois doigts et trois orteils, et vit suspendue aux arbres par la queue, embusquée dans les forêts. Elle guette le passant solitaire pour lui jeter un sort ou lui porter chance selon la nature de ses intentions. Méfiance, donc, lors des balades nocturnes...

Berry Islands

Les Berry Islands, c'est un groupe d'une trentaine d'îlots dont seuls quelques-uns sont habités ; il couvre 30 km² au nord d'Andros et de New Providence. Certains d'entre eux sont des propriétés privées.

Les Berry sont accessibles uniquement en avion privé depuis les autres îles des Bahamas, et sont fréquentées par des yachts de passage qui profitent de l'intimité qu'offrent ces côtes désertes et ces baies isolées.

Fish Cay, Frozen Cay, Whale Cay sont des paradis de la pêche à l'albula dans les flats *qui les cernent. Deux « stations balnéaires », deux îles, Great Harbour Cay et Chub Cay, concentrent la population et l'activité des îles. Situées près de la Langue de l'Océan, elles sont fréquentées par de gros poissons pélagiques qui attisent la convoitise des pêcheurs en eaux profondes. Trois tournois de pêche voient s'affronter les plus fines lignes en mars, avril et juin.*

GREAT HARBOUR CAY

Le village qui regroupe la majorité des habitants des Berry Islands est Bullock's Harbour, un îlot relié à Great Harbour Cay par un passage à gué.

Le long de la côte est se déroule une plage de sable blanc longue de 12 km ponctuée de quelques beaux cottages.

La côte ouest est ourlée de mangrove et de *flats* qui attirent hérons et aigrettes. L'aéroport se trouve au sud de l'île.

Transports

Les îles ne sont desservies que par des vols privés.

La solution la plus économique est donc le mail-boat *Champion 2* qui part de Nassau chaque vendredi vers 19h. Temps de traversée : 6 heures.

www.mailboatbahamas.com

Pratique

■ HAPPY PEOPLE

Great Harbour Marina

✆ 367 8117

Cette boutique sert de boîte aux lettres de dépannage. Location de VTT et de bateaux, de matériel de plongée.

■ ARGENT

Prenez vos précautions, car il n'y a pas de banque sur les Berry Islands.

■ POLICE

✆ 367 8344

■ CLINIQUE

✆ 367 8400

Hébergement – Restaurants

■ CHUB CAY RESORT AND MARINA

✆ 325 1490 – Fax : 322 5199

www.chubcay.com

chubcay@batelnet.bs

A partir de 175 US$ pour une chambre et 460 US$ pour une villa.

Cette halte enchanteresse, loin de toute agitation touristique, se trouve sur l'île la plus méridionale du chapelet. Chub Cay est en quelque sorte privatisée par le club qui était réservé à des membres illustres jusqu'en 1994. De nombreux visiteurs s'y rendent en yacht pour la journée depuis Bimini ou Nassau, utilisant les facilités de la marina de 96 emplacements. Les 8 chambres (avec air conditionné, réfrigérateur et TV) cernent la piscine, et 8 villas de plusieurs chambres donnent sur la plage qui forme une anse profonde. Le soir, on guette le rayon vert depuis les terrasses. Plage, deux piscines ombragées de cocotiers, deux courts de tennis, bicyclettes, ping-pong. L'observation d'oiseaux est une activité appréciée. Le centre de plongée Undersea Adventures s'abrite dans la propriété. Le restaurant propose une belle carte de cuisine caribéenne avec des spécialités de poissons, de *conches* et de langoustes selon la pêche du jour. Le bar qui surplombe la propriété possède un billard et un écran de TV géant. Marina de 90 emplacements.

▶ **Autre adresse :** reservations@chubcay.com

■ GREAT HARBOUR CAY

✆ 343 7256

Les villas de ce complexe sont privées, mais elles se louent à la nuit ou à la semaine. La capacité et le décor intérieur sont différents pour chacune, mais toutes sont confortables et bien équipées. La propriété dispose d'un parcours de golf de 9 trous.

■ **THE HARBOUR INN**
Great Harbour Cay
✆ 367 8117
Compter 80 US$ la chambre.
Seulement 4 chambres dans cette petite pension sur la colline qui domine la marina. Toutes possèdent air conditionné, mini-cuisine, réfrigérateur et TV.

■ **THE WATERGATE**
Bullock's Harbour
Restaurant de cuisine locale simple et copieusement servie, à prix doux.

■ **THE WHARF**
✆ 367 8762
Ouvert de 7h à 23h, sauf le mardi.
Le restaurant sert de copieux petits déjeuners, et des repas de cuisine locale et internationale simple (salades, hamburgers).

■ **THE WHITE WATER RESTAURANT**
Bullock's Harbour
Ouvert de 7h à 23h.
Les spécialités de cuisine bahaméenne y sont savoureuses et l'ambiance conviviale.

Plongée

Avec la proximité de la Langue de l'Océan, de grands tombants se dessinent à proximité des Berry Islands.
L'îlot de Chub Cay est réputé pour ses eaux cristallines et la bonne visibilité de ses fonds. Les nombreux jardins de corail qui émaillent les fonds sont les lieux de rencontre des requins de récifs et des raies aigles ; les tombants vertigineux, qui dégringolent jusqu'à 2 000 m, et de belles épaves sont les principales curiosités sous-marines des Berry Islands.

■ **CHUB CAY UNDERSEA ADVENTURES**
Abrité dans le Chub Cay Club
✆ 325 1490
Outre des plongées, le centre propose des sorties de pêche.

Les sites de plongée

- **Mama Rhoda.** Un véritable jardin japonais sous-marin. Corail cornes d'élan, énormes mérous, raies aigles, poissons-anges et langoustes, le tout très accessible, entre 3 et 6 m de profondeur.
- **Mini Wall.** Entre 18 et 42 m, se trouve un beau récif de corail avec une multitude d'éponges, notamment des éponges oreilles d'éléphant et des éponges tubulaires.
- **Truck Lagoon and Plane Wreck.** Entre 18 et 20 m de profondeur, une cabine d'avion et un chassis de camion sont habités par des poissons-anges ; mérous et espadons leur tiennent compagnie.
- **Dynamite Wall.** A partir de 24 m démarre un tombant très coloré ; on y rencontre des bancs de thons qui sillonnent les profondeurs.
- **Canyon and Caves.** Entre 4,5 et 15 m, grottes et tunnels émaillent le récif peuplé de poissons-anges et de barracudas.
- **Scuba Hole.** Entre 7,5 et 12 m. Un des lieux de tournage de *Splash*, où abondent les poissons-anges et le corail.

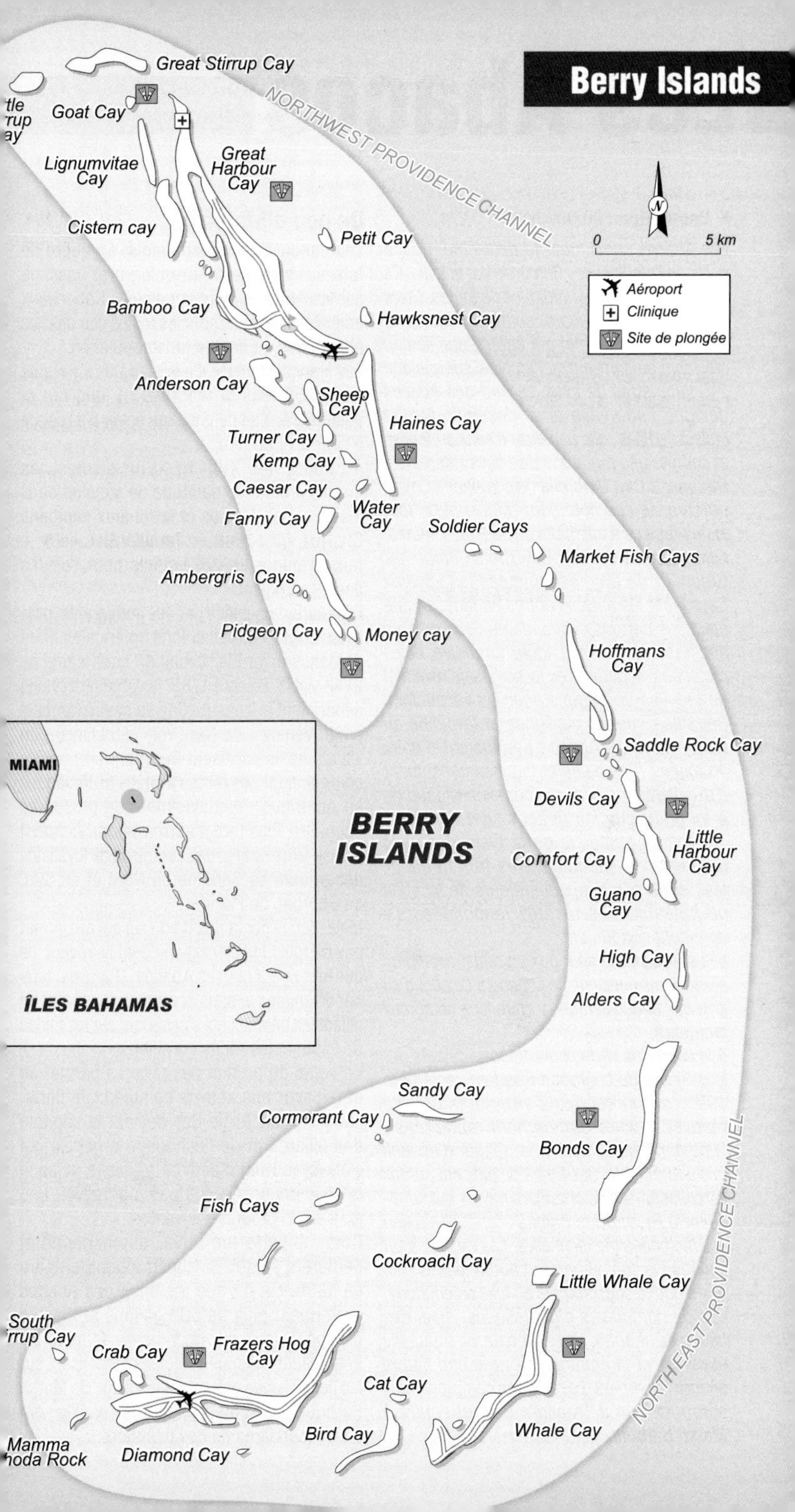

Berry Islands
Great Stirrup Cay
Goat Cay
Lignumvitae Cay
Great Harbour Cay
Cistern cay
Petit Cay
Bamboo Cay
Hawksnest Cay
Anderson Cay
Sheep Cay
Haines Cay
Turner Cay
Kemp Cay
Caesar Cay
Water Cay
Fanny Cay
Soldier Cays
Market Fish Cays
Ambergris Cays
Pidgeon Cay
Money cay
Hoffmans Cay
Saddle Rock Cay
Devils Cay
Little Harbour Cay
Comfort Cay
Guano Cay
High Cay
Alders Cay
BERRY ISLANDS
MIAMI
ÎLES BAHAMAS
Sandy Cay
Cormorant Cay
Bonds Cay
Fish Cays
Cockroach Cay
Little Whale Cay
Crab Cay
Frazers Hog Cay
Cat Cay
Bird Cay
Whale Cay
Diamond Cay
NORTHWEST PROVIDENCE CHANNEL
NORTH EAST PROVIDENCE CHANNEL
N
0
5 km
Aéroport
Clinique
Site de plongée

Les Abacos

Population : 20 000 hab.

Les Abacos constituent le deuxième groupe d'îles de l'archipel des Bahamas par la taille. Ce sont les îles les plus nordiques de toutes. Great et Little Abaco, au nord, sont les principales perles de ce chapelet qui égrène ses îles en croissant au nord-est de l'archipel sur quelque 210 kilomètres de long. La mer des Abacos désigne l'immense anse dessinée par ce croissant d'îles ; elle bénéficie d'eaux protégées et compte une multitude de « cays » désertes, Stranger's Cay, Umbrella Cay, Walker's Cay... nombre de ces îlots sont minuscules, tout juste propices à une halte de quelques heures. Elbow Cay, Man o War Cay, Great Guana Cay, Green Turtle Cay, dénommées les Loyalist Cays, sont les autres centres habités, encore peuplées par des descendants des premiers émigrants loyalistes. Lagons turquoise, baies protégées, superbes récifs, plages de rêve font de ces îles un paradis pour les vacanciers. Réputées pour la plaisance et la pêche en haute mer, les Abacos bénéficient d'eaux protégées ; les baies et lagunes constituent d'excellents mouillages pour les navigateurs, à tel point que les Abacos sont devenues la capitale mondiale de la plaisance avec des marinas spectaculaires très fréquentées et de nombreux opérateurs de location de bateaux. Des régates renommées s'y déroulent chaque été.

Les pêcheurs ne sont pas en reste, avec plus d'une demi-douzaine de concours de pêche au gros qui, chaque année, y attirent de nombreux amateurs.

A la suite des sérieux dommages causés par le passage de l'ouragan Floyd en septembre 1999, de nombreuses structures ont été rénovées, voire entièrement restaurées ; l'hôtellerie offre donc une qualité d'accueil très appréciable. Ses forêts de pins ont permis l'établissement de chantiers navals qui continuent à fournir des bateaux fabriqués selon des méthodes traditionnelles. Les vacances sur les Abacos sont simples et authentiques ; ici, pas d'hôtels sophistiqués au luxe ostentatoire, pas de complexes gigantesques, mais des haltes de charme, un rythme de vie tranquille et serein et la communion avec une nature encore préservée. Les Abacos comptent deux aéroports, un à Treasure Cay, et l'autre à Marsh Harbour.

Un peu d'histoire...

Les conquistadors espagnols, en quête de terres riches, ne firent qu'un bref passage sur les Abacos, alors appelées « Habacoa », enrôlant les Indiens pour les mines d'or des îles plus riches, et décimant la population.

Les Français tentèrent à leur tour de s'y établir en 1625, mais la tentative fit long feu et aucune trace de ce passage éclair n'a résisté à l'épreuve du temps.

Au cours des XVIIe et XVIIIe siècles, les pirates prennent l'habitude de mouiller dans les eaux des Abacos et le fameux capitaine Charles Vane était un familier des lieux. Il faut attendre le XVIIIe siècle pour voir les îles se coloniser.

Elles seront peuplées par des immigrants loyalistes anglais et des colons américains noirs et blancs fuyant la révolution américaine au XVIIIe siècle. En août 1783, les premiers colons débarquent à Treasure Cay du navire Nautilus en provenance de New York, établissent un village qu'ils baptisent Carleton, du nom du commandant des forces armées britanniques en Amérique ; ils deviennent de prospères pêcheurs. Plus tard d'autres colons viennent grossir leurs rangs ; des centaines de loyalistes débarquent de Caroline du Nord et du Sud, de Georgie, de Floride.

Mais, déçus par la qualité du sol qui ne permet pas d'établir les plantations dont ils rêvent, ils quittent peu à peu les Abacos. D'autres, plus opportunistes et sans scrupules, survivent en pillant les bateaux qui s'échouent sur les bancs de sable et les récifs coralliens.

La vente du produit des pillages permet de développer une activité commerciale florissante. Green Turtle Cay devient la capitale des pillards et de l'échouage organisé qui s'élève au rang d'activité officielle puisque le gouverneur n'hésite pas à percevoir une taxe sur le produit des ventes.

Cette activité lucrative, sinon honnête, perdurera jusqu'à la construction du phare en 1836. On dit que les eaux des Abacos renferment plus de 500 galions et navires espagnols (avis aux chercheurs de trésors). Petit à petit, quelques colons s'établissent sur les îles voisines et fondent le village de Marsh Harbour. Les actuels habitants des îles sont les descendants de ces pionniers.

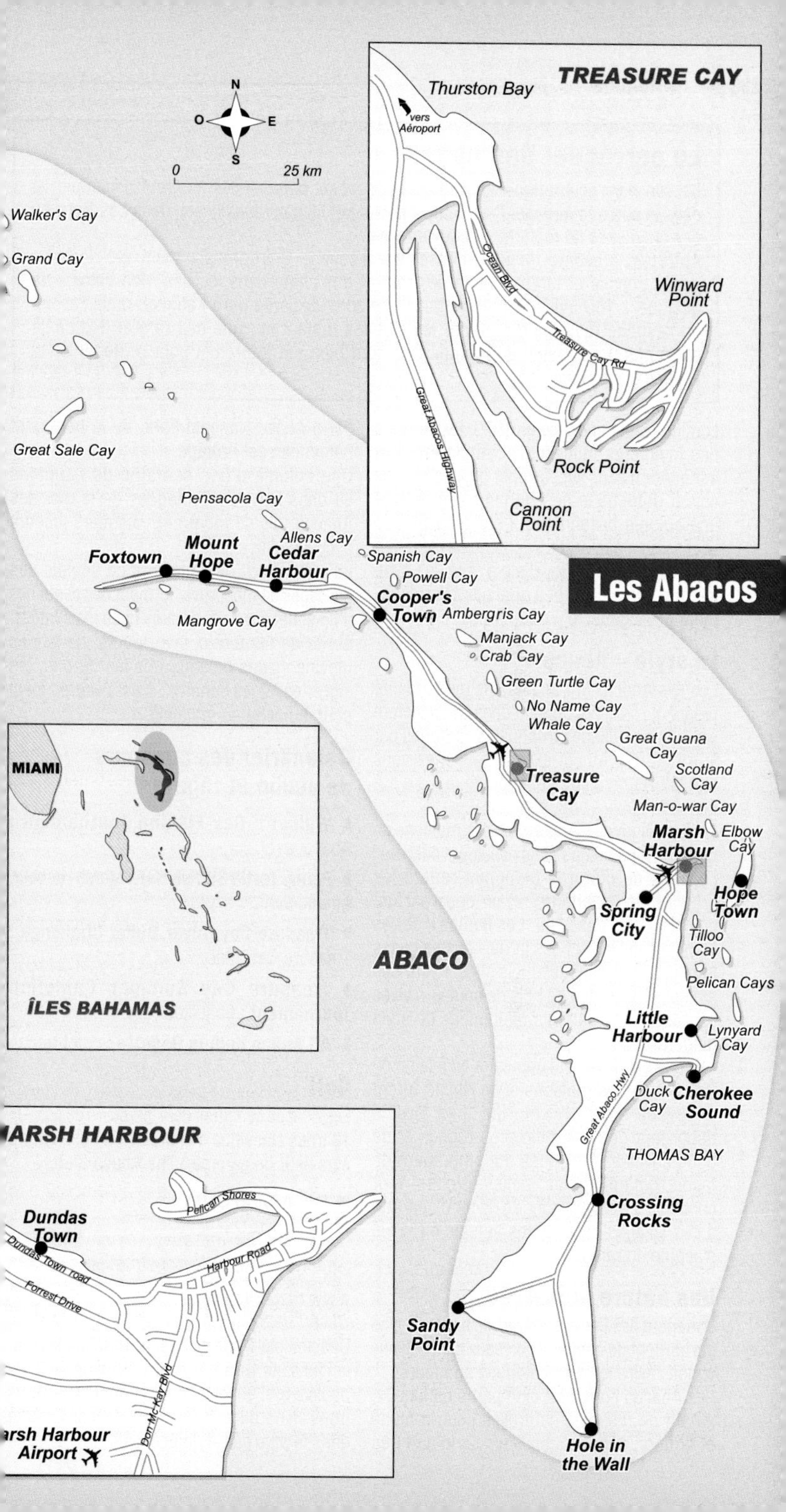
Les Abacos
TREASURE CAY
Thurston Bay
vers Aéroport
Ocean Blvd
Winward Point
Treasure Cay Rd
Great Abacos Highway
Rock Point
Cannon Point
N
O
E
S
0
25 km
Walker's Cay
Grand Cay
Great Sale Cay
Pensacola Cay
Allens Cay
Foxtown
Mount Hope
Cedar Harbour
Spanish Cay
Powell Cay
Cooper's Town
Ambergris Cay
Mangrove Cay
Manjack Cay
Crab Cay
Green Turtle Cay
No Name Cay
Whale Cay
Great Guana Cay
Scotland Cay
Treasure Cay
Man-o-war Cay
Marsh Harbour
Elbow Cay
Hope Town
Spring City
Tilloo Cay
Pelican Cays
ABACO
Little Harbour
Lynyard Cay
Duck Cay
Cherokee Sound
Great Abaco Hwy
THOMAS BAY
Crossing Rocks
Sandy Point
Hole in the Wall
MIAMI
ÎLES BAHAMAS
ARSH HARBOUR
Dundas Town
Pelican Shores
Dundas Town road
Harbour Road
Forrest Drive
Don Mc Kay Blvd
arsh Harbour Airport

Le perroquet des Abacos

De son nom scientifique *Amazona leucocephala bahamensis*, ce petit perroquet vit dans le sud des Abacos. C'est le seul perroquet nichant dans le sol, dans des trous ou des crevasses de rochers, et pouvant voler.
Autrefois présente dans tout l'archipel, l'espèce a progressivement été décimée par la chasse et l'introduction des rats et des chats dans les îles. Une colonie de quelque 1 100 individus évolue dans une zone déclarée parc national, mais l'avenir de l'espèce reste incertain, car les oiseaux restent la proie des rats et des chats sauvages. La chasse et la capture en sont bien sûr interdites pour protéger cette espèce endémique.

Lors de l'indépendance en 1973, les derniers des loyalistes militèrent, complotèrent et intriguèrent sans succès pour que les Abacos soient détachées des Bahamas et restent une colonie britannique. Leur tentative de sécession n'aura aucun écho, mais c'est dire à quel point l'esprit loyaliste a créé une forte identité sur ces îles et à quel point l'attachement à l'Angleterre y reste présent.

Le style « Abaco »

Les îles Abacos ont acquis une personnalité propre qui se lit notamment dans l'architecture soignée des villages tranquilles épargnés par la modernité et ses excès. Souvenez-vous que la première ligne téléphonique n'y a été installée qu'en 1988, c'est dire...
Le style Nouvelle-Angleterre des maisons de bois aux toits pentus et aux couleurs délicates cernées de clôtures blanches reflète les origines des habitants, et un doux parfum colonial flotte dans l'air. Les petites clôtures blanches délimitent des jardins aux pelouses impeccables, dans lesquels s'inscrivent des maisons aux lattes de bois de couleurs vives ou pastel, aux galeries festonnées de style gingerbread.
Le style est devenu si populaire qu'à la fin du XIXe siècle des maisons style Abaco furent envoyées en kit en Floride. Les jardins débordent de flots d'hibiscus rouges et de bougainvillées violacées qui ombragent de façon romantique les ruelles étroites. Tout concourt à donner un air de décor d'opérette à ces villages de poupées sereins où la vie s'écoule au ralenti.

Une nature préservée

L'intérieur des îles est couvert de forêts de pins qui abritent de nombreux oiseaux dont l'observation ravira les ornithologues amateurs.
Les Abacos comptent cinq parcs nationaux, autant de réserves naturelles pour la faune et la flore, dont Pelican Cays Land and Sea Park, Abaco National Park, où le perroquet bahaméen est protégé.
Une colonie d'une centaine de dauphins vit dans les eaux protégées de la mer des Abacos ; ils se montrent volontiers joueurs avec les plaisanciers.
La côte ouest de Great Abaco déploie ses paysages de mangrove, formant des centaines d'îlots. Cet écosystème, très riche mais fragile, abrite de nombreux invertébrés, de jeunes alevins et des oiseaux tels les hérons, les aigrettes, et les canards. C'est l'endroit idéal pour la pêche au *bonefish*.

Calendrier des concours de pêche et régates

- **Walker's Cay Fishing Tournament :** Abaco, avril.
- **Penny Turtle Billfish Ball :** Marsh Harbour, Abaco, avril.
- **Treasure Cay Silver Bullet Challenge :** Treasure Cay, mai.
- **Treasure Cay Summer Gamefish Tournament :** fin juillet.
- **All Abaco Sailing Regatta :** octobre.

Golf

Les Abacos comptent deux parcours de golf. Un 18 trous classique à Treasure Cay et un autre plus haut de gamme : The Abaco Club.

■ THE ABACO CLUB
Great Abaco
✆ 367 0077
Fax : 367 2930
www.ritzcarlton.com
Ouvert de 8h à 18h.
Dessiné par Donald Steel et Tom Mackenzie, le Links sur Great Abaco, à l' Abaco Club, se déploie tout au long de la propriété avec trois trous en bordure de mer. Golf haut de gamme dans le plus pur style écossais.

Plongée

Les Abacos sont réputées pour les plongées en eaux peu profondes, autour des épaves de galions, et la richesse de la vie sous-marine protégée. Parmi les récifs, on rencontre de nombreuses colonnes de corail. Le littoral de Great Abaco présente beaucoup de bancs de sable qui affleurent, soutenant les récifs. Au nord et à l'est une longue barrière de corail s'étend au-delà des îlots.

Les sites proches de Walker's Cay

▸ **La cathédrale des pirates.** Une grande grotte sous-marine au large de Walker's Cay. Des raies, des colonies de poissons-perroquets et des mérous s'y rencontrent.

▸ **Shark Rodeo.** Le site se trouve à 10 m de profondeur, à proximité de Walker's Cay ; c'est l'un des lieux de rendez-vous des requins de récifs. On y pratique le *shark feeding* qui attire une centaine de requins. Pour les amateurs d'émotions fortes.

▸ **Shark Canyon.** Le site, situé à 27 m de profondeur, abrite des requins endormis de différentes espèces.

▸ **Spiral Cavern.** Le site, à 13,5 m, est composé d'un ensemble de cavernes peuplées de minuscules poissons qui vagabondent au cœur de grandes colonies de corail.

▸ **Barracuda Alley.** Au cours de cette plongée, vous rencontrerez Charlie, un barracuda apprivoisé qui mesure 1,80 m de longueur, qui niche dans une superbe formation corallienne à 13,5 m de profondeur.

Les sites proches de Green Turtle Cay

▸ **San Jacinto.** Par 12 m de fond, on trouve l'épave d'un bateau à vapeur, datant de la guerre civile américaine, coulé en 1865.

▸ **Tarpon Dive.** Un tombant à 15 m où se rencontrent murènes, mérous et, bien sûr, des tarpons, au large de Green Turtle Cay.

▸ **Corals Caverns.** Ce site consiste en une série de grottes sinueuses habitées de minuscules poissons argentés.

▸ **The Catacombs.** C'est une vaste grotte éclairée par le soleil et peuplée de différentes espèces de poissons tropicaux ; des tortues visitent régulièrement le site.

Les sites de plongée

▸ **Adirondack Wreck.** L'épave d'un navire américain qui coula après avoir heurté un récif en 1862 repose par 12 m de fond, non loin au nord de Man o War Cay. Un canon est toujours visible.

▸ **La Barge.** L'épave d'une barge datant de la Seconde Guerre mondiale qui abrite une faune sous-marine fascinante repose par 12 m de fond.

▸ **Bonita.** L'épave du *Bonita*, un cargo datant également de la Seconde Guerre mondiale, abrite une belle colonie de mérous qui ont l'habitude d'être nourris. On la rencontre à 18 m de profondeur.

▸ **Sandy Cay.** Ce site revendique la plus grande colonie de corail cornes d'élan au monde.

▸ **Sue's Reef.** Des canyons se dessinent par 15 m de fond ; on y observe des snappers évoluant au milieu de débris de bateaux datant de la Seconde Guerre mondiale.

▸ **The Towers.** Ce site présente d'immenses pics de corail d'une hauteur de 18 m percés de tunnels et de grottes.

▸ **Grouper Alley.** Le site présente de nombreux tunnels percés dans le récif à 12 m de profondeur.

▸ **Wayne's World.** Le site se trouve sur l'extérieur de la barrière de corail à 20 m de profondeur.

▸ **La Cathédrale.** C'est une immense grotte où les rayons du soleil éclairent une vie sous-marine importante.

▸ **Wrecker's Reef.** Dans les eaux de Spanish Cay, le site présente d'énormes formations coralliennes, avec des coraux cornes d'élan et cornes de cerf. C'est la zone d'échouage de nombreux galions espagnols.

▶ **Corals Condos.** Le site présente, à 18 m de fond, une grande formation corallienne avec des plateaux en cascade et une riche faune sous-marine.

Les sites de snorkeling

▶ **Angelfish Reef.** Le site est un repaire favori des bancs de poissons-anges.

▶ **Crawfish Shallow.** Le détroit des langoustes est également fréquenté par des requins-nourrices.

▶ **Elkhorn Park.** De grandes colonies de corail cornes d'élan peuplent ce site.

▶ **Hope Town Reef.** On trouve sur ce site des colonies de corail cornes d'élan et cerveaux de Neptune.

▶ **Mermaid Reef.** Le site offre des rencontres avec des murènes et des *snappers*, mais de sirènes... point.

▶ **Pelican Park.** Le site est un repaire de tortues et de raies-aigles.

▶ **The Pillars.** Des colonnes de corail se dressent sur le fond sablonneux.

▶ **Smuggler's Rest.** On découvre sur ce site une épave récente d'avion.

▶ **Spanish Canon.** Ce site offre une spectaculaire zone d'exploration où l'on observe les restes d'un galion espagnol et ses canons enchâssés dans un amas d'éponges encroûtantes. De nombreux poissons y ont élu domicile.

▶ **White Hole.** Une grande colonie de corail est cernée de cavernes.

Les centres de plongée

■ **BRENDAL'S DIVE CENTER**
Green Turtle Cay
✆ / Fax : 365 4411
www.brendal.com
brendal@brendal.com
Compter 98 US$ par personne avec plongée et 88 US$ par personne en snorkeling.
2 bateaux, 1 voilier, 10 kayaks. Ce centre Padi propose 3 plongées de jour et 1 plongée de nuit. Diverses formules de cours et location d'équipement. Brendal, un personnage haut en couleur, plongeur et épicurien, est une figure locale. Ses spécialités sont la plongée à la rencontre des dauphins et les plongées sur épaves.
La journée d'excursion avec, au choix, plongée bouteille ou *snorkeling*, pique-nique (poissons grillés, salades de *conch*) arrosé de *goombay smach*... sur une plage de rêve d'un îlot désert, rencontre et nourrissage des raies pastenagues, est chaleureusement recommandée.

■ **DIVE ABACO CENTER CONCH INN RESORT AND MARINA**
Marsh Harbour
✆ / Fax : 367 4646
www.diveabaco.com
dive@diveabaco.com
Un bateau de 16 passagers. Club labellisé Padi. 4 plongées quotidiennes, plongées de nuit.

■ **TREASURE DIVERS**
Treasure Cay
✆ 365 8465
www.treasure-divers.com
dive@treasure-divers.com
Trois plongées quotidiennes et des plongées de nuit sont organisées sur demande, plongées à la carte et dans les trous bleus. Centre affilié Padi.

MARSH HARBOUR

Troisième ville des Bahamas et capitale des Abacos, Marsh Harbour occupe un isthme situé au milieu de l'île de Great Abaco.
Autrefois prospère grâce à la pêche à l'éponge et à une activité de chantiers navals, le petit port a bien su profiter de la manne plus récente du tourisme.
Marsh Harbour concentre l'essentiel des ressources touristiques des Abacos, hôtels, restaurants et boutiques, et possède un aéroport et les seuls feux de signalisation de ces îles.
Les plaisanciers considèrent Marsh Harbour comme un des ports les plus faciles à aborder ; il dispose de plusieurs marinas bien équipées.

Transports

Great Abaco compte deux aéroports.

■ **BAHAMASAIR, SOUTHERN AIR CHARTER ET SKY BAHAMAS**
✆ 367 2498
Ces compagnies desservent l'île. La compagnie Southern Air Charter dessert deux fois par jour Marsh Harbour au départ de Nassau, départs à 8h30 et à 17h45 (horaires susceptibles de changer).

■ **REGIONAL AIR**
La compagnie assure la liaison entre Freeport (Grand Bahama) et Marsh Harbour deux fois par jour.

Maison coloniale aux Abacos

■ **FERRY**
Albury's Ferry Service
✆ 367 0290
Il relie Marsh Harbour à Great Guana, à Man o War Cay, à Hope Town et à Elbow Cay plusieurs fois par jour. Se renseigner sur les horaires. Compter de 20 à 30 minutes par trajet et 15 US$ par trajet, 20 US$ aller-retour.

Pratique

■ **OFFICE DU TOURISME**
Memoria Plaza
Queen Elisabeth Drive
✆ 367 3067
michellek@coralwave.com
Ouvert officiellement du lundi au vendredi de 9h à 17h.

■ **ARGENT**
Plusieurs banques dans le centre-ville avec distributeur de billets.

Hébergement

■ **ABACO BEACH RESORT AND BOAT HARBOUR**
East Bay Street
✆ 367 2158 – Fax : 367 4154
www.abacoresort.com
info@abacoresort.com
A partir de 200 US$ pour deux en basse saison.
L'établissement a bénéficié d'une rénovation récente. La propriété est située sur une petite hauteur qui descend doucement vers la petite plage privée. Les 82 chambres, dont 6 cottages de deux chambres totalement équipés, sont vastes et agréables (TV, téléphone, air conditionné). Piscine avec bassin pour les enfants, restaurant sur la marina. Court de tennis. La marina offre 180 emplacements de bateaux.

■ **THE ABACO CLUB**
Winding Bay
✆ 367 0077
www.theabacoclub.com
info@theabacoclub.com
L'immense propriété annexe une étroite langue de terre cernée par deux éperons rocheux entre la plage de Winding Bay et le Yellow Wood Creek. Outre les résidences privées, elle offre à la location de magnifiques villas de luxe, style « Cape Cod » en surplomb de la mer avec service hôtelier. Le restaurant sert une cuisine sophistiquée et créative. Une piscine se dessine en prolongement des eaux turquoise de la baie. Immense plage privée. Le parcours de golf Links se déploie tout au long de la propriété avec trois trous en bordure de mer. Les autres activités proposées sont la pêche au gros et la pêche au bonefish, la plongée, des promenades à cheval et le tennis. Un spa complète les services de l'Abaco Club.

■ **CONCH INN RESORT AND MARINA**
Bay Street
✆ 367 4000 – Fax : 367 4004
www.moorings.com
themoorings@batelnet.bs
A partir de 120 US$ pour deux en basse saison.
9 chambres agréables, récemment refaites, avec air conditionné, TV, patio. Une agréable piscine paresse à l'ombre des palmiers. Restaurant et bar. La marina offre toutes les facilités aux plaisanciers (75 places). Location de voiliers et de kayaks.

■ **D'S GUEST-HOUSE**
Crockett et Forrest Drives
✆ 367 3980
Fax : 367 3980
Compter 80 US$ pour deux.
La maison est située un peu en dehors du centre-ville. Sans grand relief, elle abrite 6 chambres au confort simple, de différente capacité, pouvant accueillir de deux à quatre personnes (air conditionné, TV, réfrigérateur, cafetière). Pas de service de restauration.

Restaurants

■ **CONCH INN CAFÉ**
East Bay Street
✆ 367 2319
Non loin du Mangoes, ce restaurant sert de la cusine bahaméenne et des spécialités de la mer, *grouper* à la noix de coco ou langouste farcie aux champignons.

■ **CURLY TAILS**
Un restaurant agréable avec une terrasse face à la marina. Service de petits déjeuners.

■ **JIB ROOM**
Pelican Shores
✆ 367 2700
Restaurant très populaire avec soirée à thème grillades : ribs (travers de porc) le mercredi et steak le dimanche, le tout au son de la musique locale.

■ **MANGOES**
Bay Street
✆ 367 2366
Cuisine internationale avec des spécialités bahaméennes servies sur un *deck* face à la mer. Le bar propose un *happy hours* entre 17h et 19h et des mercredis « margarita ».

■ **SAPODILLY'S BAR AND GRILL**
Queen Elisabeth Drive
✆ 367 3498
Cuisine locale et ambiance conviviale sont au rendez-vous. Musique *live* le vendredi soir.

■ **WALLY'S**
Bay Street
✆ 367 2074
Fermé dimanche et lundi
Dîner romantique et cuisine raffinée servie en terrasse face à la mer ou en salle climatisée décorée de peintures naïves. Spécialités de poissons. Le samedi, l'endroit s'anime en discothèque.

ELBOW CAY – HOPE TOWN

A l'est de Marsh Harbour se trouvent les trois « îlots loyalistes », Elbow Cay, Man o War, Great Guana. Elbow Cay, un îlot de 8 km de long qui se trouve à 10 km à l'est de Marsh Harbour, est plus connu sous le nom de Hope Town, son petit port bien protégé.
Bâti à partir de 1785 par les colons loyalistes, toujours habité par leurs descendants, ce village tout en longueur de 650 âmes est charmant, tiré à quatre épingles, avec des airs de décor d'opérette. Il s'étire entre port et océan, et dévale une pente douce jusqu'au port. Les cottages de bois blanc, rehaussés de dentelle de style *gingerbread*, cernés de clôtures aux délicates couleurs pastel, rivalisent de joliesse, telles des maisons de poupées. Les jardins regorgent de plantes aux abondantes floraisons de couleurs vives. Si la pêche et la construction navale occupent encore quelques rares artisans, Hope Town vit aujourd'hui principalement du tourisme. Le village s'enorgueillit de son petit phare aux rayures rouges de sucre d'orge.

■ **MUSEE WYANNIE MALONE**
Bay Street
✆ 366 0293
www.hopetownmuseum.com
hopetownmuseum@aol.com
Entrée adulte 3 US$, théoriquement ouvert de 10h30 à 15h du lundi au vendredi et fermé le dimanche.
Abrité dans deux maisons jumelles blanches et vertes typiques de l'époque loyaliste, né en 1978 d'une initiative locale et animé par des habitants de Hope Town, le petit musée est touchant, car c'est un témoignage de l'histoire de Hope Town. Il porte le nom de l'un des fondateurs de la colonie de Hope Town, venu de Caroline du Sud. Il reproduit le style de vie de l'époque loyaliste au travers de pièces qui ont conservé le mobilier et le style d'autrefois. Une intéressante exposition retrace l'histoire des premiers colons et celle des Amérindiens qui habitèrent les îles avant l'arrivée des Espagnols.

■ **LE PHARE**
Visite de 9h à 17h du lundi au samedi et de 10h à 14h le dimanche, entrée gratuite (n'oubliez pas de signer le registre des visiteurs).
Construit en 1838, toujours alimenté par du kérosène, il fonctionne encore à l'ancienne, c'est à dire manuellement. Du haut de ses 36 m, il domine la côte. Sa construction a permis de sécuriser les îles qui souffraient

d'une mauvaise réputation liée à la présence de pilleurs d'épaves. Durant les week-ends, le gardien accueille les visiteurs pour leur faire découvrir la vue sur les *cays* voisines depuis le sommet du phare. On recommande l'ascension des 101 marches par l'étroit escalier en colimaçon qui permet de découvrir les entrailles du phare. La vue panoramique depuis le sommet du phare est exceptionnelle, elle embrasse toute l'île, le port et jusqu'à l'océan.

Hébergement

■ ABACO INN

Elbow Cay
Au sud de Hope Town
✆ 366 0133 – Fax : 366 0113
www.abacoinn.com
info@abacoinn.com
A partir de 200 US$ pour deux.
Entre la mer d'Abaco et l'océan, 14 chambres et 8 villas d'une chambre, luxueusement équipées dans un style très tropical. Bon restaurant de cuisine bahaméenne et internationale.

■ HOPE TOWN HARBOUR LODGE

✆ 366 0095 – Fax : 366 0286
www.hopetownlodge.com
harbourlodge@abacoinet.com
A partir de 150 US$ pour deux.
Cette belle propriété à la végétation tropicale, sur une hauteur face à la plage, a tout d'une maison de poupées. C'est une adresse de charme idéale pour un séjour à deux, qui s'abrite dans une des premières maisons de colons du village. Les 18 chambres sont douillettes et joliment décorées, il y a également deux cottages plus vastes, une charmante piscine ombragée de palmiers dans le jardin, et un chemin qui conduit à une plage de rêve. Restaurant et bar. Ambiance conviviale. Location de bicyclettes.

■ HOPE TOWN HIDEAWAYS

✆ 366 0224 – Fax : 366 0434
www.hopetown.com
info@hopetown.com
Compter 400 US$ par nuit sur la base de 4 personnes.
Situées au cœur du village de Hope Town, les 8 villas à l'architecture traditionnelle offrent 2 chambres, une cuisine équipée, une terrasse avec une belle vue. La décoration est sympathique et vous trouverez la TV, l'air conditionné, et un service de femme de chambre. Les villas se nichent dans un grand parc fleuri qui cache également une accueillante piscine. Chacune dispose d'un petit bateau mis à disposition. certainement l'adresse la plus sympathique pour loger sur place.

Restaurants

■ CAP'N JACK

✆ 366 0247
Un restaurant simple, face au port, où la cuisine bahaméenne est assez basique, avec cependant quelques plats de poissons. Service de petits déjeuners de 8h30 à 10h. *Happy hours* de 17h à 18h30. Le mercredi et le vendredi, ambiance musicale.

■ CLUB SOLEIL

✆ 366 0003
Le restaurant de l'hôtel du même nom, dont la salle est entourée d'eau sur trois côtés, sert une excellente cuisine de spécialités de la mer et locales tel le *rice and peas*. Le dimanche, le brunch spécial au champagne attire de nombreux amateurs. Bateau-taxi sur réservation.

Le phare rayé de Hope Town

■ **HARBOUR'S EDGE**
✆ 366 0087
Fermé le mardi.
Ce restaurant sans prétention sert une bonne cuisine locale orientée vers les produits de la mer, avec des plats simples, salades et hamburgers. La soirée du samedi est consacrée aux pizzas. Service de petits déjeuners locaux.

■ **MUNCHIES**
✆ 366 0423
Ambiance décontractée et cuisine internationale, hamburgers, pâtes et plats simples de la cuisine bahaméenne. Son petit jardin est agréable. Munchies reste ouvert tard pour les petits creux nocturnes.

MAN-O-WAR CAY

Situé à 20 minutes de ferry de Marsh Harbour, c'est toujours le centre historique des chantiers navals où d'habiles artisans travaillent encore avec les méthodes de leurs ancêtres. Le port offre une anse profonde et très protégée. La majorité des habitants porte ici le patronyme de « Albury », héritage de l'histoire loyaliste. Une marina d'une soixantaine de places offre aux plaisanciers tous les services, ainsi que quelques restaurants.

■ **ENA'S PLACE**
✆ 365 6187
Fermé le dimanche.
Un petit restaurant de cuisine locale simple, qui propose un original burger de *conch*.

■ **PAVILION RESTAURANT**
Marina
Fermé le dimanche.
Face à la mer, hamburgers et sandwichs à prix modérés. Soirées barbecue en fin de semaine. Vous pouvez aussi essayer le Hibiscus Cafe.

■ **SCHOONER'S LANDING**
✆ 365 6072, 367 4469
Fax : 365 6285
www.schoonerslanding.com
info@schoonerslanding.com
Perchée sur un promontoire rocheux, cette petite propriété de style méditerranéen propose 4 villas avec deux chambres. Vastes, joliment meublées et bien équipées (air conditionné, TV, patio privatif), elles dominent une belle plage. Pas de service de restauration. Compter 190 US$ par nuit, réservation de trois nuits minimum.

CHEROKEE SOUND

Ce village, qui compte environ 200 habitants, est un vieil établissement de colons, qui est longtemps resté ignoré des visiteurs. Désormais desservi par une route asphaltée, le village propose une halte dans un havre de paix, où plane l'esprit des anciens colons.

■ **LE SEAVIEW COTTAGE**
✆ 366 2053
Propose un bungalow pour les touristes pour un minimum de 3 nuits, pour environ 100 US$ la nuit.

SANDY POINT

A la pointe sud-est de l'île, la petite communauté de pêcheurs est desservie par le ferry de la compagnie Bahamas Fast Ferries le mercredi, le vendredi et le dimanche.

■ **OEISHA'S RESORT**
✆ 366 4139
Les 8 chambres sont confortables avec air conditionné. Le restaurant sert une cuisine honorable. Discothèque en fin de semaine. Compter 60 US$ la chambre.

■ **PETE AND GAY GUEST-HOUSE**
✆ 366 4119
www.peteandgay.com
peteandgay@batelnet.bs
14 chambres avec air conditionné et TV pour 60 US$.
Service de restauration.

■ **RICKMON BONEFISH LODGE**
✆ 366 4477
www.rickmonbonefishlodge.com
rickmon@oii.net
Propose 11 chambres correctes.

■ **SANDY BAR**
Un restaurant de plage agréable.

GREAT GUANA CAY

Petit bande de terre au large de Marsh Harbour, Great Guana (175 habitants) ne compte qu'une centaine d'habitants et offre intimité et solitude. La plupart des visiteurs n'y font qu'une excursion d'une journée depuis Marsh Harbour.

■ **BLUE WATER GRILL : FISJER'S BAY**
✆ 365 5230
Un restaurant qui offre, au choix, une cuisine internationale ou bahaméenne servie sur la véranda ou en salle climatisée. Assez formel.

■ **GUANA BEACH RESORT**
✆ 365 5133 – Fax : 365 5134
www.guanabeach.com
A partir de 160 US$ la nuit, transport depuis Marsh Harbour offert. Les 15 chambres de différentes capacités et les studios avec kitchenette ont été rénovés ; ils sont pimpants et s'inscrivent dans un décor de verdure tropicale. Piscine avec solarium, chaises longues et hamacs pour paresser, matériel de plongée libre à disposition, volley-ball. Ambiance décontractée au possible.

■ **NIPPER'S BEACH BAR AND GRILL**
✆ 365 5143
www.nippersbar.com
Situé sur la côte nord de l'île, ce restaurant avec une terrasse en surplomb de la plage est particulièrement fréquenté le dimanche, jour du cochon grillé et du buffet bahaméen, quand la population de Hope Town et de Marsh Harbour y débarque.

TREASURE CAY

Située à 32 km de Marsh Harbour, accessible par ferry depuis d'autres *cays*, cet îlot s'enorgueillit de posséder une plage classée parmi les dix plus belles plages au monde par le National Geographic.
Un parcours de golf renommé dessiné par Dick Wilson y accueille de nombreux tournois. Il est peu fréquenté et très calme. La marina de 150 emplacements est au cœur de l'activité locale.

Transports

■ **BAHAMASAIR**
Vols depuis Nassau.

■ **REGIONAL AIR**
✆ 352 5778
Relie Freeport (Grand Bahama) à Treasure Cay. Compter 60 US$.

■ **SOUTHERN AIR SERVICE**
✆ 365 8945
La compagnie dessert Treasure Cay tous les jours, départ de Nassau à 8h30 et le vendredi et le dimanche départ supplémentaire à 17h45. Durée du vol : 50 minutes. Compter 70 US$.

Location de véhicules

Compter environ 75 US$ par jour pour un véhicule classique et 40 US$ pour une voiture de golf.

- **Cornish Car Rental.** ✆ 356 8623.
- **Triple J Car Rental.** ✆ 365 8761.
- **Bodie's.** ✆ 359 6681.
- **Cash'Carts.** ✆ 365 8465. Voitures de golf.

Location de bateaux

- **Rich's Rental.** ✆ 365 8582.

Hébergement

■ **TREASURE CAY HOTEL RESORT AND MARINA**
✆ (954) 525 7711 (USA), sur place : 365 8801
Fax :(954) 525 1699 (USA)
www.treasurecay.com
info@treasurecay.com
À partir de 220 US$ la chambre pour deux en basse saison.
Le *resort*, qui offre les meilleures possibilités d'hébergement, fonctionne quasiment en autarcie avec tous les services (banque, église, clinique, épicerie, poste, boutiques, restaurants…) ; il est situé à 5 minutes à pied de la plage, une des plus belles de l'archipel. Les 62 chambres et les 33 suites (TV, téléphone, air conditionné, sèche-cheveux, vaste balcon ou patio, réfrigérateur, four à micro-ondes, cafetière…) sont classiques avec une décoration florale classique. Elles sont abritées dans des édifices de couleur pastel mitoyens. Ils donnent sur la marina, à proximité immédiate de la plage. La grande piscine est morcelée en plusieurs bassins avec solariums ; de multiples sports terrestres (4 courts de tennis) et nautiques sont proposés. Location de voiturettes de golf : 35 US$ par jour. Le complexe possède le seul golf de la région. Il propose des formules « golf » (3 nuits, logement, voiture de golf, accès au parcours, et transfert depuis l'aéroport). Sur la marina (150 emplacements de bateaux), le restaurant Spinnaker (✆ 365 8469, réservations recommandées) propose une cuisine raffinée servie en terrasse sur l'eau ou en salle ; une soirée buffet est organisée le mercredi. Le Tipsy Seagull Bar, qui fait également office de discothèque, sert une cuisine simple de pizzas et de hamburgers. Sur la plage, le Coco Beach est ouvert en journée et propose des soirées thématiques avec orchestre. Pour une cuisine plus locale essayez le Coconut, à l'extérieur de la marina.

■ **TANGELO HOTEL**
✆ 367 2222
tangelohotel@hotmail.com
Ce petit hôtel isolé de 12 chambres de style motel se trouve à 30 minutes de l'aéroport de Treasure Cay. Les chambres correctes sont abritées dans un édifice bas tout en pierre. Service de restauration. Attention au coût du taxi, mieux vaut convenir d'un service de pick-up avec l'hôtel.

Golf

■ **TREASURE CAY GOLF COURSE**
Le parcours se trouve dans le complexe Treasure Cay Beach et est desservi par des navettes gratuites au départ de l'hôtel. Il compte 18 trous et a été dessiné par Dick Wilson, un architecte américain renommé. Il est très étendu, avec 3 trous (7, 8 et 9) qui se déploient en bordure de l'océan.

GREEN TURTLE CAY

L'îlot, littéralement « de la tortue verte » (600 habitants), est considéré à juste titre comme un des joyaux de l'archipel. Il est situé à 5 km de la côte nord-ouest de Great Abaco. Green Turtle possède de belles baies, de longues plages de sable fin et des hauts-fonds sablonneux. La « capitale » de l'îlot est la petite bourgade de New Plymouth, située au sud de l'île à l'extrémité de la côte occidentale. Fondé par les loyalistes en 1783, c'est un village adossé à une douce colline, traversé par une rue principale. Ses ruelles étroites, bordées de cottages de style créole qui possèdent une touche très « *british style* », sont fleuries de bougainvillées, d'hibiscus et de poinsettias. Une ambiance désuète y flotte avec un parfum d'autrefois. La plupart de ses 600 habitants vivent de la pêche et de l'exportation de la langouste qui abonde dans ses eaux. Fierté locale, et non des moindres, c'est ici que fut créé le fameux *Goombay Smash*, qui devait devenir le cocktail emblématique de l'archipel. Les amateurs de solitude apprécieront la plage de Coco Bay qui est quasiment déserte. La pêche est l'activité la plus recherchée. Elle se pratique dans les *flats* de l'îlot et des îlots voisins, Double Breasted Cay, Guineaman Cay, Fish Cay, Hawksbill Cay.

Transports

Le Green Turtle Ferry offre un service entre le dock de Treasure Cay et l'île de Green Turtle Cay. Le départ se fait du quai, non loin de l'aéroport (il faut prendre un taxi entre l'aéroport et le quai). Horaires depuis Green Turtle Cay : 8h, 9h, 11h, 12h15, 13h30, 15h, 16h30.

▸ **Départs depuis l'aéroport :** 8h30, 9h30, 11h30, 14h30, 15h30, 16h30, 17h. Compter 8 US$ par passage pour New Plymouth, et 10 US$ pour White Sound, 13 et 15 US$ aller-retour.

Pratique

■ **FIRST CARRIBEAN INTERNATIONAL BANK**
Ouverte lundi et jeudi de 10h à 14h.
Pas de distributeur de billets.

Hébergement

■ **GREEN TURTLE CLUB AND MARINA**
✆ 365 4271 – Fax : 365 4272
www.greenturtleclub.com
info@greenturtleclub.com
A partir de 185 US$.
De superbes bungalows, à l'architecture traditionnelle de bois, abritent 42 chambres de différentes catégories donnant sur l'océan. Vastes, élégantes, de style très classique à l'anglaise, elles sont bien équipées. Grande piscine. Un restaurant chic à l'ambiance intime et une terrasse plus décontractée donnant sur la marina. Grand bar à l'anglaise, *happy hours* entre 16h et 18h. Personnel très efficace. Marina de 40 places.

■ **NEW PLYMOUTH CLUB AND INN**
✆ 365 4161 – Fax : 365 4138
newplymouth@bahama-out-islands.com
A partir de 120 US$, en demi-pension.
Situé au cœur du village de New Plymouth, l'hôtel de charme s'abrite dans une demeure historique, datant de 1830, qui fut un ancien entrepôt au temps des pilleurs de bateaux. Ses deux étages dominent un jardin abondamment fleuri de bougainvillées fuchsia. Les 9 chambres sont coquettes, d'un style un peu désuet, et confortables (air conditionné). La piscine et ses hamacs sont une invitation à la paresse. Le restaurant sert une cuisine qui compte quelques originalités locales (steaks de tortue ou de *conch*).

Restaurants

Bien et pas cher

■ **LAURA'S KITCHEN**
King Street ✆ 367 4287
Petite table familiale qui offre une cuisine simple de spécialités bahaméennes, avec un menu différent chaque jour, de bonne tenue,

très appréciée des locaux. Tarifs doux. Idéal pour une petite pause déjeuner.

■ **MAC INTOSH RESTAURANT AND BAKERY**
✆ 365 4625
Ouvert tous les jours de 8h à 21h.
Petite table simple abritée dans une jolie maison bleue.

■ **THE PLYMOUTH ROCK CAFE**
✆ 365 4234
Service de petit déjeuner et repas simples ; sandwichs, burgers et omelettes servis dans un minuscule estaminet.

■ **THE ROOSTER REST**
✆ 365 4066
Cuisine locale dans un petit restaurant de style pub sans façon, abrité dans un édifice rouge. En fin de semaine des orchestres locaux y font des bœufs.

Bonnes tables

Pour une cuisine et une ambiance plus raffinée, il vous faudra opter pour un restaurant d'hôtel.

■ **HARVEY'S ISLAND GRILL**
Bay Street
Trois tables ombragées de parasols sur le sable face à la baie… Cuisine locale simple, servie dans un décor de rêve.

■ **MISS EMILY'S BLUE BEE BAR**
✆ 365 4181
C'est l'endroit à ne pas manquer pour prendre un verre. Sa propriétaire, Emily Cooper, a la réputation de confectionner le meilleur *Goombay Smash* des îles (rhum, ananas, abricot, Brandy). En partant, n'oubliez pas de laisser votre carte de visite qui ira rejoindre sur les murs celles des illustres visiteurs qui vous ont précédés ou, à défaut, un billet de banque (il y a encore assez peu d'euros…).

Points d'intérêt

Une balade dans le village de New Plymouth s'impose. Flâner et musarder dans les ruelles bordées de coquettes maisons de bois, croiser les habitants qui sillonnent les ruelles dans leurs voiturettes de golf, faire des achats au supermarché au côté des descendantes à tête blanche des anciens loyalistes, tout cela a une saveur inédite.

■ **ALBERT LOWE MUSEUM**
Angle de Parliament et King Streets
✆ 367 4094
Entrée : 2 US$. Ouvert du lundi au samedi de 9h à midi et de 13h à 16h.
Le musée mouchoir de poche est dédié à un artisan naval descendant des premiers colons. Il occupe une jolie demeure typique verte et blanche, datant de 1826, qui connut plusieurs nobles visiteurs, dont Neville Chamberlain, Premier ministre britannique.
Une exposition d'œuvres d'art, du peintre Alton Roland Lowe et du sculpteur James Mastin, et une exposition d'objets, de documents, de photographies, de maquettes de bateaux témoignant de l'histoire des Abacos et de New Plymouth attendent les visiteurs.

■ **CIMETIÈRE**
Au cours d'une balade vous pourrez glisser un coup d'œil curieux au cimetière (Parliament Street) qui compte des tombes loyalistes très anciennes, mais toujours fleuries par leurs descendants.

■ **MEMORIAL SCULPTURE GARDEN**
C'est un hommage aux loyalistes bahaméens qui se sont illustrés par leur contribution au développement du pays. Leurs 25 bustes sont disposés sur des piédestaux dont vous remarquerez la disposition qui reproduit la forme du drapeau britannique ! Honneur aux dames, on fera connaissance avec Jeanne Thompson, écrivaine contemporaine, qui est aussi une éminente juriste.

WALKER'S CAY

Cet îlot minuscule est situé au nord de l'archipel des Abacos. Considéré comme un paradis de la pêche et de la plongée, il contient à peine une piste d'atterrissage et une marina de 75 emplacements offrant tous les services aux plaisanciers. La côte nord offre une zone de pêche riche où *wahoos* géants et marlins bleus abondent.

SPANISH CAY

L'îlot doit son nom aux nombreux galions espagnols qui ont sombré dans ses eaux. Un site de plongée, le Wrecker's Reef, rappelle aux visiteurs que les galions sont toujours là.

Eleuthera

Population : 10 524 hab.
Située à 60 miles à l'est de New Providence, Eleuthera regroupe 3 îles, l'île d'Eleuthera elle-même divisée en North et South Eleuthera par un isthme étroit, l'île de Harbour Island et celle de Spanish Wells.
Sur l'île principale se trouve la capitale, Governor's Harbour.

ELEUTHERA

Première île colonisée des Bahamas, longue bande de terre effilée en forme de boomerang, Eleuthera se déploie au nord-est de l'archipel. Longue de 160 km pour seulement 5 km au plus large, elle est réputée pour sa beauté, et ses longues plages quasi désertes en ont fait un des best-sellers de l'archipel. C'est aujourd'hui la plus développée et la plus prospère des îles extérieures, bien pourvue en ressources hôtelières, notamment les hôtels très chic de Harbour Island, et en infrastructures touristiques.
Elle se révèle aussi un parfait résumé des différentes facettes des Bahamas : Eleuthera est une île majoritairement noire, Saint George et son village Spanish Wells est exclusivement peuplé de Blancs descendant des loyalistes, Harbour Island est une étape chic de la jet-set qui ravira les amateurs d'architecture créole…
L'île est bien desservie puisqu'elle ne compte pas moins de trois aéroports, du nord au sud, North Eleuthera, Governor's Harbour et Rock Sound, desservis par les lignes américaines depuis Fort Lauderdale et depuis Nassau par la compagnie nationale et de petites compagnies privées.

Un peu d'histoire...

Il y a plus de 3 siècles, ceux qui s'immortalisèrent comme les « *Eleutheran Adventurers* » (les aventuriers d'Eleuthera), s'installent en 1648 après le naufrage de leur navire sur un récif corallien près du rivage de l'île alors appelée Cigatoo. Menés par William Sayle, ex-gouverneur des Bermudes, ces dissidents religieux venus des Bermudes fuient les persécutions religieuses et cherchent un endroit où ils pourront suivre leur culte en toute liberté. Ils se réfugient dans une grotte qui servira de premier abri et de lieu de culte. Cette grotte, Preacher's Cave, est le haut lieu de l'histoire de l'île. Les aventuriers fondent un premier établissement qu'ils baptisent « Eleuthera », du grec « liberté », tout un symbole pour ces puritains à la recherche de la liberté de culte. Ces 80 aventuriers organisent ce qui peut être considéré comme la première démocratie du monde occidental en 1649. Les conditions de vie qu'ils vont affronter sont plus que difficiles et leur subsistance se révèle bien précaire. Les pénuries de vivres, les échecs des cultures vivrières, les rivalités séparent le groupe en différents clans qui forment de petites communautés qui s'égrènent le long de la côte. Dans l'espoir d'apaiser les différends, le capitaine William Sayle fait voile vers les côtes américaines et les colonies du Massachusetts. Il obtient des vivres et des fournitures pour sa communauté et décide de la protéger des attaques des Espagnols qui rôdent dans la région en créant un nouvel établissement à Harbour Island. Plus tard, d'autres émigrés, les loyalistes, rejoindront ces premiers colons. Ils arriveront avec leurs esclaves et développeront des activités agricoles et la pêche. Au cours du XVIIIe siècle, la culture de l'ananas prospère pour atteindre le pic historique de 1900 quand 7 millions de fruits sont exportés, un véritable record pour un si petit territoire. Cette culture périclite dès que Hawaï se lance dans la culture du fruit et s'accapare le marché américain. Depuis, Eleuthera s'est résolument tournée vers le tourisme et se développe malgré le désastre que fut le cyclone Floyd qui frappa l'île de plein fouet en 1999, contraignant à la fermeture d'un certain nombre d'infrastructures. De petites communautés agricoles ponctuent l'île mère des plantations prospères qui approvisionnent en fruits et légumes les îles voisines. D'ambitieux projets de développement touristique sont sur le point de voir le jour, notamment sur l'île de Windermere. Spanish Wells a développé une industrie de pêcheries et ses marins sont réputés ; Harbour Island s'est convertie en Mecque d'un tourisme haut de gamme plutôt élitiste.

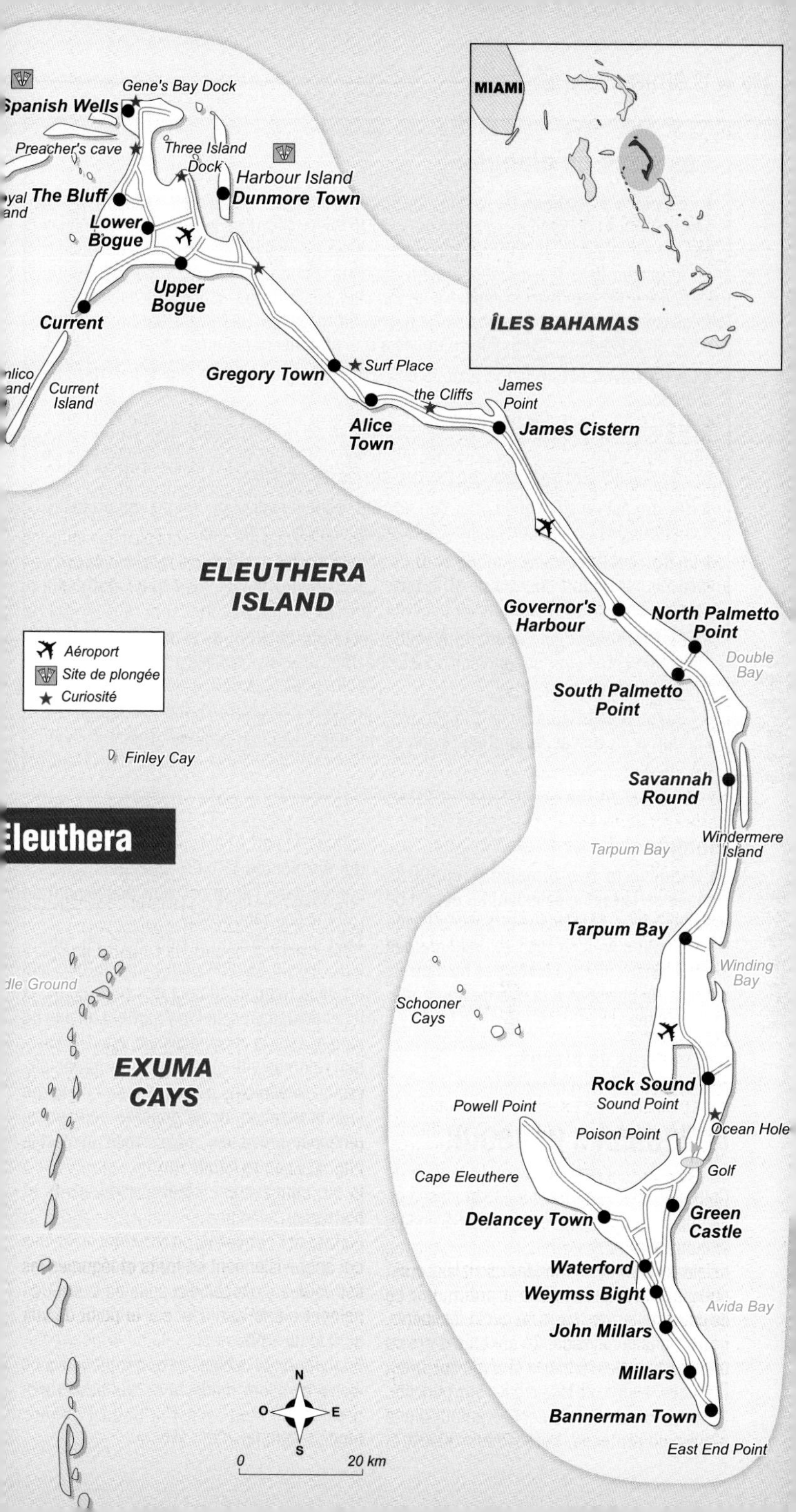

Gene's Bay Dock
Spanish Wells
Preacher's cave
Three Island
Dock
Harbour Island
Dunmore Town
The Bluff
Lower
Bogue
Upper
Bogue
Current
Current
Island
Gregory Town
Surf Place
the Cliffs
Alice
Town
James
Point
James Cistern
MIAMI
ÎLES BAHAMAS
ELEUTHERA
ISLAND
Aéroport
Site de plongée
Curiosité
Finley Cay
Governor's
Harbour
North Palmetto
Point
Double
Bay
South Palmetto
Point
Savannah
Round
Windermere
Island
Tarpum Bay
Tarpum Bay
Winding
Bay
Schooner
Cays
EXUMA
CAYS
Rock Sound
Sound Point
Powell Point
Poison Point
Ocean Hole
Golf
Cape Eleuthere
Delancey Town
Green
Castle
Waterford
Weymss Bight
Avida Bay
John Millars
Millars
Bannerman Town
East End Point
N
O
E
S
0
20 km

Les sites de plongée

- **Le Devil's Blackbone** (la colonne vertébrale du diable) est un récif frangeant d'une longueur de 5 km, situé à proximité de Spanish Wells. Des dizaines d'épaves, certaines anciennes, d'autres plus récentes, ponctuent les fonds sous-marins. On y découvrira un empilage de 3 épaves, témoignant chacune d'une période historique différente. L'*Eleuthera Wreck Train* est l'épave d'un train des confédérés, vestige d'un naufrage qui fit glisser une locomotive d'une barge qui faisait route vers La Havane durant la guerre civile américaine en 1865. Elle se trouve à une profondeur comprise entre 8 et 10 m.
- **Le *Carnavon*** est un cargo échoué en 1919 et qui gît, toujours intact, par 10 m de profondeur.
- **Le Plateau** est un vaste spot de plongée, non loin de Harbour Island, dont la profondeur varie de 13 à 30 m. Le site présente une chaîne de canyons, peuplée de colonies de mérous où les pics sont séparés par des crevasses de sable.
- **L'arche** est un site connu pour l'imposante arche de corail qui forme une grotte où s'ébattent des nombreuses colonies de poissons, requins et raies.
- **Le Current Cut** est une étroite ouverture entre deux îles où abondent raies et poissons, balayée par un fort courant de 10 nœuds qui entraîne dans une passe d'Eleuthera à une profondeur de 18 à 35 m.
- **Les Pinnacles** (les sommets) élancent leurs pics à 30 m de profondeur sur une colline de corail ; sur un fond sablonneux se dressent de véritables arbres de corail et des éponges géantes.
- **Le Trou Bleu** est une plongée facile sur Eleuthera. La caverne en forme d'amphithéâtre conduit à un réseau de grottes peuplées de langoustes, de tarpons et de poissons-perroquets.

Plongée

La découverte des principaux spots de plongée se fait principalement au départ de Harbour Island. La côte est d'Harbour Island est frangée d'un long récif et présente des lieux virginaux sur des centaines de mètres, peuplés de poissons à la fois de haute mer et de la côte.

Les centres de plongée

Ils sont basés à Harbour Island.

GOVERNOR'S HARBOUR

La capitale, qui porte également le nom de Colbrook Town, se trouve à 13 km au sud de l'aéroport éponyme (compter 25 US$ en taxi depuis l'aéroport).

La route menant à Governor's Harbour est ponctuée d'anciens silos à grains qui se dressent telles des tours de guet bien incongrues dans le paysage. Ce sont les derniers témoignages des fermes d'élevage qui furent une activité agricole locale qui a vite périclité.

Governor's Harbour se déploie autour d'une large baie protégée, aux eaux turquoise et calmes, et part à l'assaut d'une douce colline qui surplombe la baie. Quelques bateaux ancrés dans l'anse oscillent doucement au rythme des vaguelettes.

Tout ici respire un art de vivre au ralenti que rien ne semble pouvoir perturber. Les arrivées hebdomadaires des mail-boats et bihebdomadaires du ferry mettent un peu de piment dans la vie quotidienne, mais l'animation retombe vite et la langueur reprend ses droits. Néanmoins, la capitale de l'île abrite l'administration locale dont les édifices se reconnaissent à leur couleur rose, et c'est le principal centre habité de l'île.

Ici se concentrent hôtels, restaurants et boutiques.

Au titre des curiosités, on retiendra la Haynes Library, un charmant édifice de pierre rose, qui est un des rares témoignages de la période coloniale. Elle abrite la bibliothèque locale et date de 1897.

En bordure de la baie, on remarque une jolie église à l'allure modeste et aux ouvertures cernées de bleu ; c'est la Saint-Patrick's Anglican Church.

Transports

Avion

■ AMERICAN EAGLE
(Miami, 1 heure de vol), et US Air (Fort Lauderdale).

■ BAHAMASAIR
Bahamasair (Nassau, 20 minutes de vol).

■ SOUTHERN AIR SERVICE.
3 ou 4 vols quotidiens entre Eleuthera et Nassau, 60 US$ (départs de Nassau à 7h, à midi et à 16h).

Mail-boat

■ BAHAMAS DAY BREAK
✆ 335 1163

■ CURRENT PRIDE
Ils desservent hebdomadairement le port de Governor's Harbour ainsi que Harbour Island. Compter 25 US$ par personne et par trajet.
Le fast ferry *Bo Hengy* dessert Governor's Harbour le vendredi, départ à 19h30 de Nassau, arrivée à 21h30, départ de Governor's Harbour à 21h45, arrivée à Nassau à 23h45.

■ ELEUTHERA EXPRESS
✆ 333 4677

Pratique

■ BANQUE
Royal Bank of Canada.
Sur Queen's Highway.

■ OFFICE DU TOURISME
A l'angle de Queen's Highway (en front de mer) et de Haynes Avenue.
✆ 332 2142
Fax : 332 2480
Les bureaux sont ouverts du lundi au vendredi de 10h à 17h.

■ POLICE
✆ 332 2111

■ SANTÉ
Clinique
✆ 332 2744

Hébergement

■ THE BUCCANER CLUB
✆ 332 2000 – Fax : 332 2888
Compter 70 US$ la chambre simple et 80 US$ pour deux, petit déjeuner non compris.
Seulement 5 chambres dans cette vieille propriété bahaméenne, perchée sur une hauteur dominant Governor's Harbour et récemment convertie en petite pension, tenue par une famille. Les chambres sont simples – deux grands lits, salle de bains, air conditionné, ventilateur et terrasse, cafetière –, mais bien tenues. Service de restaurant pour le petit déjeuner et le déjeuner (cuisine locale) ; bar dans un édifice attenant. Petite piscine entourée de tables de jardin.

■ COCODIMAMA
A 9 km au nord de Governor's Harbour
✆ 332 3150 – Fax : 332 3155
www.cocodimama.com
info@cocodimama.com
A partir de 170 US$ plus les taxes, pour deux, sports compris, repas non compris. L'hôtel est fermé de début septembre à fin novembre.
Ce tout nouvel hôtel, situé à 9 km au nord de Governor's Harbour, ne compte que 12 chambres réparties dans 3 édifices de style colonial aux pimpantes couleurs bordant une jolie plage au sable immaculé et aux eaux limpides. Joliment décorées, les chambres sont confortables et décorées avec goût dans des tons pastel reposants. Bien équipées, toutes disposent de l'air conditionné, d'un ventilateur, d'un sèche-cheveux, d'un équipement CD et d'une terrasse avec hamac. La télévision et le téléphone cellulaire sont disponibles sur demande. Dans le bâtiment principal se trouve le restaurant qui possède une terrasse dominant la mer, un bar, un salon TV avec CD et livres à disposition, un coin Internet ainsi qu'une petite boutique. Les sports nautiques sont compris dans le prix de la chambre : kayaks, catamaran, planches à voile et équipement de snorkeling à disposition. Des bicyclettes sont proposées à la location. Des excursions à Harbour Island et des sorties de pêche au gros sont organisées. Des formules demi-pension et pension complète sont proposées. Le management italien apporte une chaleur toute méditerranéenne

■ THE DUCK INN
✆ 332 2608 – Fax : 332 2160
www.theduckinn.com
duckin@batelnet.bs
L'auberge offre des bungalows de différente capacité pouvant accueillir jusqu'à 8 personnes. La propriété se cache dans un grand jardin tropical fleuri. Compter 120 US$ pour deux. Restaurant.

■ **HILLSIDE MANOR**
✆ 332 0099
Compter 60 US$ la chambre.
Ce bed & breakfast propose des chambres simples mais bien tenues.

■ **QUALITY INN CIGATOO**
PO Box 86, Governor's Harbour
✆ 332 3060 – Fax : 332 361
www.choicehotels.com/ires/hotel/BS009
Compter 100 US$ la chambre.
Ce petit ensemble moderne et récemment rénové se niche dans une propriété qui domine Governor's Harbour. Il propose 22 chambres au décor fleuri, certaines avec un petit salon (suites), bien équipées (salle de bains, air conditionné, ventilateur, TV, téléphone, balcon ou patio). La piscine est agréable, encadrée d'un large solarium et équipée de chaises longues. Un court de tennis. Bar-restaurant de cuisine internationale et locale. Un service gratuit de navette relie l'hôtel à la plage.

■ **WORKER'S MOTEL INN**
Au nord de Governor's Harbour
✆ 332 3075
Situé en bordure de la route principale, ce motel tient plus de l'étape du représentant de commerce que de la halte touristique. Le bâtiment moderne est totalement dénué de charme. Néanmoins, les chambres sont bien tenues, avec air conditionné, télévision et téléphone, et la plage n'est qu'à une dizaine de minutes à pied. Le restaurant est, à l'instar de l'hôtel, peu séduisant ; il sert une cuisine locale sans grand relief, mais correcte et relativement bon marché. Ici on célèbre les fêtes et les mariages locaux.

Restaurants

■ **DOCKSIDE CAFE**
Sur le quai de Governor's Harbour
Ouvert le mercredi de 9h à 16h, le vendredi de 9h à 16h et de 18h à 21h, et le samedi de 10h à 18h.
La petite terrasse domine le quai et permet de profiter de l'animation locale, quand les mail-boats débarquent et embarquent leur fret. La cuisine est simple : sandwichs, salades et burgers, ailes de poulet grillées, le tout arrosé de daiquiris tropicaux. Service de petit déjeuner.

■ **PIÑA CAFE**
Face au Bucaneer's Governor's Harbour
Sandwichs et salades sont servis sur une jolie terrasse. L'endroit est sympathique et le décor agréable.

GREGORY TOWN

La capitale de l'ananas est nichée à flanc de colline et étage ses constructions jusqu'au centre du village. Gregory Town est un centre agricole actif aux environs duquel se cultivent fruits et légumes. Mais sa réputation, la bourgade la tient de l'ananas qui fut longtemps une source de richesse inestimable. Aujourd'hui, l'activité s'est assoupie, mais l'ananas célèbre chaque année sa fête au mois de juin. Le Pineapple Festival est un événement populaire qui donne lieu à nombre de réjouissances. Des manifestations majeures s'y déroulent.
L'élection de Miss Ananas, des présentations de fruits, le Pineathlon, une compétition multisports, le concours du mangeur d'ananas le plus rapide (les ananas sont attachés à une corde et suspendus en l'air, il faut les manger sans les mains !), un *Junkanoo rush out*, enflamment le village et de nombreux îliens accourent pour assister aux festivités. A proximité, le Surfers' Beach, une plage isolée et longue de 3 km, et sa belle vague attirent les amateurs de sensations. Le village abrite une des meilleures boutiques de souvenirs de l'île, Island Made Gift Shop, qui propose une belle sélection d'objets originaux, de cartes postales, de livres...

Hébergement

■ **THE COVE ELEUTHERA**
Au nord de Gregory Town
✆ 335 5142 – Fax : 335 5338
www.thecoveeleuthera.com
info@thecoveeleuthera.com
A partir de 130 $ pour deux en basse saison sans petit déjeuner. Formules demi-pension et pension complète. Fermé en septembre.
A quelques kilomètres au nord de Gregory Town, The Cove se signale par un panneau indiquant une piste. L'hôtel se trouve quelques centaines de mètres plus loin, sur une hauteur dominant la mer. Pas de meilleure retraite pour se ressourcer loin de toute agitation. Les 28 chambres et suites (avec kitchenette) sont spacieuses et bien équipées, sans excès de décoration. Une suite nuptiale plus vaste, perchée sur un promontoire rocheux et possédant une belle terrasse attend les amoureux. A noter que les chambres sont non-fumeurs. Elles sont abritées dans des bungalows nichés dans la verdure d'un jardin tropical qui domine l'océan et une plage privée de sable blanc dans une anse abritée. Quelques

chaises longues et des kayaks paressent sur la plage. Le restaurant sert une cuisine locale et internationale sans surprise, dans une salle climatisée ou en terrasse face à la piscine. Salon TV et livres à disposition. Kayaks à disposition.

■ **SURFER'S BEACH MANOR**
A la sortie sud de Gregory Town
✆ 335 5300 – Fax : 335 5563
surfersbeachmanor@hotmail.com
A partir de 80 US$ pour deux en basse saison.
Isolé des centres villageois, à deux pas de la plage, cet hôtel de style motel propose 11 chambres d'un confort standard, avec air conditionné et balcon pour certaines ; un canapé peut accueillir une personne supplémentaire. La décoration est simple, l'ensemble – sans grand charme – est bien tenu. Le restaurant sert une cuisine locale et internationale dans une salle sans grand relief. Bref, une adresse idéale pour les surfers qui se trouvent à quelques minutes à pied de la plage ou les amoureux de calme.

Restaurant

■ **THE LAUGHING LIZARD**
Queens Highway
✆ 470 6992
www.laughinglizardcafe.com
Ouvert du lundi au samedi de 11h à 3h.
Vous pourrez goûter aux nombreuses salades, sandwichs et autres paninis dans ce restaurant qui n'est autre que la « cantine » de Lenny Kravitz.

HATCHET BAY

La zone est connue pour son réseau de grottes où l'on a retrouvé des graffitis datant du XIXe siècle. Des stalagmites et des stalactites ornent le sol et la voûte des grottes.

Hébergement

■ **RAINBOW INN**
✆ / Fax :335 0294
www.rainbowinn.com
vacation@rainbowinn.com
A partir de 160 US$ pour deux.
L'hôtel, à l'extérieur de la commune de Governor's Harbour, est composé de 5 petits bungalows de couleurs pimpantes, essaimés dans la propriété qui domine la mer. Ils proposent différentes capacités et sont aménagés en studio avec une cuisine équipée. Une charmante piscine ombragée de cocotiers, un court de tennis, des bicyclettes à louer, un bout de plage de sable fin aménagé, complètent les services de l'hôtel. Le restaurant, qui ressemble à un pub anglais, sert une bonne cuisine internationale avec des spécialités de poissons.

PALMETTO POINT

La plage est très belle, étroite et ombragée de pins. Les eaux y sont d'une limpidité extrême.

■ **UNIQUE VILLAGE**
North Palmetto Point
✆ 332 1830 – Fax : 332 1838
www.uniquevillage.com
info@uniquevillage.com
Compter de 90 US$ à 135 US$ la chambre double. Formules demi-pension et pension complète.
Le petit complexe touristique compte des chambres, des appartements et des villas à louer. L'ensemble domine la plage de sable rose que l'on atteint par un escalier de bois. Un petit bâtiment de deux niveaux abrite les chambres à la décoration fleurie, avec air conditionné, TV, cafetière et terrasse. Les appartements possèdent une cuisine équipée avec bar.

■ **INGRAHAM'S BEACH INN**
✆ 334 4066, 334 4285
Comptez 75 US$ pour une chambre et 115 US$ pour un appartement.
8 chambres et 4 appartements équipés de cuisine avec air conditionné, en front de mer. L'ensemble est moderne et fonctionnel.

TARPUM BAY

Tarpum Bay est sans doute le plus charmant village de l'île. Il borde la mer et charme avec ses ruelles bordées de jolies maisons de bois aux couleurs pastel. Les rues sont arpentées par des chèvres, plus nombreuses que les visiteurs. Tarpum Bay abrite une petite colonie d'artistes et compte deux galeries d'art, la Mac Millan Hughes Art Galery, abritée dans un étrange édifice aux allures de château médiéval, qui expose peintures et sculptures, et la Mal Flander's Art Galery. La pêche et une agriculture vivrière sont les principales activités économiques.

■ **HILTON'S HAVEN**
✆ 334 4125
hilhaven@batelnet.bs
Compter 70 US$ pour deux.
Dans le cœur du village, l'édifice moderne abrite 10 chambres avec air conditionné ou ventilateurs ; un appartement est également disponible, le tout donne sur une pelouse arborée. Service de petits déjeuners et de restauration.

LA POINTE NORD

La pointe nord de l'île est marquée par le quai de Gene's Bay, face à Spanish Wells. C'est de là que partent les bateaux-taxi et les ferries qui desservent l'île de Saint-George. Une petite activité commerciale signale l'activité du dock, chauffeurs de taxis et bateaux-taxi guettent le client en sirotant une bière. Un grand comptoir d'alcools est ouvert, car il n'y a pas, par tradition, de commerce d'alcool à Spanish Wells ; c'est là que viennent s'approvisionner les descendants des puritains anglais pour respecter la tradition rigoriste de leur îlot.

PREACHER'S CAVE

Un peu plus au sud, la grotte est indiquée ; il faut suivre une piste caillouteuse de 2 km pour y arriver. La « grotte du Prêcheur » est un haut lieu historique qui revêt une importance particulière aux yeux de tout Bahaméen et particulièrement de la population d'Eleuthera. La grotte, bien indiquée, est isolée au bout d'un petit sentier de terre. Immense et creusée dans une excroissance rocheuse, elle a une large voûte d'une quarantaine de mètres de hauteur percée en son sommet, ouverte au niveau de la terre et assez vaste pour contenir une centaine de personnes. Elle a accueilli les premiers colons de l'île, les aventuriers d'Eleuthera, après le naufrage de leur navire sur un récif corallien tout proche. Ce fut le lieu des premiers services religieux célébrés sur l'île. A quelques dizaines de mètres, une haie de dunes cache la plage et le récif qui fut la cause du naufrage. Une stèle immortalise le rôle de leur leader, le capitaine William Sayle, ex-gouverneur des Bermudes, dans l'histoire de la colonisation du pays.

LOWER BOGUE

Ce gros bourg assoupi sous le soleil n'offre pas grand intérêt. Rien ne semble perturber le cours nonchalant de la vie locale. Un restaurant, le Seven Seas, offre une modeste étape pour déguster la cuisine locale.

CURRENT

Ce tranquille village, peuplé de descendants des premiers colons blancs, est le plus vieil établissement de l'île. En dehors de ce titre de gloire, rien de remarquable ne le signale à l'attention du visiteur. Au bout de la pointe se profile l'îlot désert, tout en longueur, de Current Island. Le fameux Current Cut, un des sites de plongée les plus réputés de l'archipel, sépare les deux morceaux d'île.

GLASS WINDOW BRIDGE

La maxime locale est « *look behind, fall down* », (que l'on pourrait traduire par « tu regardes derrière, tu tombes »). Glass Window Bridge est un pont routier qui franchit un très mince isthme calcaire. Il offre une perspective impressionnante sur la partie la plus étroite de l'île, puisqu'elle ne mesure que quelques mètres de largeur. Cet isthme aux flancs rocheux déchiquetés est submergé par la moindre tempête et l'ouragan Floyd a en partie détruit le pont en 1999, interdisant toute circulation et coupant l'île en deux. Le pont n'a rien de spectaculaire en lui-même, il n'est ni très haut, ni très long, mais il sépare les eaux tumultueuses d'un bleu profond de l'océan Atlantique de celles turquoise et à peine ondulées du Bahamas Bank. Le contraste entre ces deux étendues marines si différentes qui se rejoignent pendant les grandes tempêtes est saisissant.

WINDERMERE ISLAND

Ce petit îlot à la forme effilée possède une belle plage de quelque 6 km de long. C'était l'une des retraites privilégiées de la famille royale d'Angleterre. Aujourd'hui, l'île est en train de vivre des changements fondamentaux puisqu'un immense complexe avec marina va ouvrir ses portes prochainement.

ROCK SOUND

Le village de Rock Sound est une des localités les moins peuplées de l'île. Il possède un petit aéroport qui dessert la partie sud de l'île. Le village se réveille le lundi quand accoste le *Mail-Boat Day Break* en provenance de Nassau qui repart pour la capitale le mardi. A proximité se trouve le lac intérieur d'Ocean Hole, extrêmement profond, relié à la mer par des tunnels. Le lac est peuplé de poissons tropicaux qui attendent d'être nourris par les visiteurs. Il offre une baignade rafraîchissante.

Cocodimama à Governor's Harbour

Église à Eleuthera

Le Glass Window Bridge

HARBOUR ISLAND

Image emblématique des Bahamas, cette petite île charmante, située au nord-est, à 2 km face à l'île principale, compte parmi les plus belles de l'archipel des Bahamas. Fine langue de terre, Harbour Island se déploie face à Eleuthera, dans un axe nord-sud, dessinant une baie profonde aux eaux calmes. Le pittoresque village de Dunmore Town, qui fut la première capitale de l'archipel, borde la côte face à Eleuthera. De l'autre côté, la longue plage de Pink Sand, déroule ses 5 km de sable rose, poudre blanche rehaussée de minuscules débris de corail rose, et borde la façade est face à l'océan Atlantique. Reconnue comme un des joyaux de l'archipel, elle est internationalement connue et inscrite au hit-parade des plus belles plages du monde.

Au tournant du XXe siècle, Harbour Island devient la deuxième ville de l'archipel des Bahamas, avec une population de 2 000 hab., trois raffineries de sucre et un chantier naval qui n'existent plus aujourd'hui.

Familièrement baptisée « Briland » par les locaux, Harbour Island a la réputation non usurpée d'être un lieu de villégiature de la jet-set qui y jouit d'un relatif anonymat, conséquence du niveau de prix pratiqué et de la taille réduite de l'île. Des têtes couronnées aux stars de la scène rock ou jazz, en passant par l'élite des top-models, on ne compte plus les illustres visiteurs de l'île, dont certains possèdent des maisons tels Lenny Kravitz, Elle Mac Pherson ou des membres de la famille royale d'Angleterre…

D'immenses regroupements de propriétés privées cernent l'île à ses deux extrémités. L'île compte les hôtels parmi les plus chic de l'archipel. Au *Who's who* tropical du sable chic, Briland tient une place de choix.

Le petit village de Dunmore Town, qui compte environ 1 800 âmes, a su préserver une atmosphère coloniale faite d'élégance et de nonchalance. Il date de l'ère de lord Dunmore (1787-1796), un gouverneur corrompu qui y possédait une résidence de vacances. Son architecture créole, datant de la fin du XVIIIe siècle, lui confère le charme d'un décor de carte postale et Dunmore Town inspire plus d'un aquarelliste. Les cottages de bois aux couleurs pastel ou soutenues, rehaussés de galeries à colonnettes et lambrequins de bois peints en blanc et dentelés au style *gingerbread*, se découpent hardiment dans le bleu intense du ciel. Des jardins aux pelouses impeccablement vertes jaillit une profusion de bougainvillées, d'hibiscus et autres fleurs exubérantes aux couleurs éclatantes ; rouge, rose, bleu, vert, jaune, toutes les nuances de l'arc-en-ciel s'y déclinent.

Les rues étroites et pentues partent à l'assaut de la gentille colline qui domine le port et la baie. Tout ici, jusqu'au moyen de transport favori des îliens, les voiturettes de golf, concourt à donner l'impression d'un décor de village de poupées.

Dunmore Town ne compte pas moins de sept églises, méthodistes, presbytériennes, réformées et autres, d'où s'échappent des flots de musique aux accents de gospel en fin de journée et le dimanche. Le jour du Seigneur, les villageois endimanchés, cravate et costume de rigueur pour les hommes, robe colorée,

Harbour Island

grand chapeau et gants pour les femmes, robe amidonnée et coiffure sophistiquée pour les fillettes, se pressent dans les églises.
Le soir, la bourgade revêt des allures de village d'un autre temps. La vie nocturne n'est pas très développée à Harbour Island, et seule la fin de semaine marque quelque agitation autour des bars locaux. Les habitants prennent le frais sur le pas de leur porte, commentant les événements de la journée à la lueur du faible éclairage public ou de lampes domestiques. De petits étals de fortune jaillissent devant les maisons, une table éclairée d'un spot, une friteuse frémissant au-dessus d'une plaque de cuisson reliée à une grosse bonbonne de gaz, proposant d'alléchantes spécialités locales. C'est l'occasion de déguster des beignets de *conch*, des ailes de poulets grillées ou des gâteaux à la noix de coco faits maison. Plus loin des trios et des quatuors de joueurs de dominos s'acharnent à faire claquer bruyamment leurs jetons sur une table branlante, sans doute pour afficher leur détermination de sortir vainqueur du bras de fer engagé. Quelques rares promeneurs sillonnent la rue de bord de mer, pour profiter de la douceur du soir...

Transports

Avion

Pour rejoindre l'île depuis l'aéroport de North Eleuthera, il faut prendre un taxi (5 US$) puis un bateau-taxi. Pour le bateau-taxi, compter 5 US$ par personne pour le quai principal, 1 ou 2 US$ de plus pour les pontons privés et 20 US$ pour Spanish Wells.

■ **BAHAMASAIR**
La compagnie assure plusieurs vols quotidiens depuis Nassau sur North Eleuthera.

■ **BUREAU SUR DUNMORE STREET**
✆ 333 3007
Ouvert de 9h à 13h et de 14h30 à 17h du lundi au vendredi.

■ **SOUTHERN AIR**
Desserte de North Eleuthera depuis Nassau 4 fois par jour.

Bateau

■ **FERRY**
Le fast ferry relie quotidiennement l'île à Nassau en 2 heures avec son nouveau catamaran le Bo Hengy. Les bureaux se trouvent sur Church Street. Compter 110 US$ l'aller-retour et demi-tarif pour les enfants.

■ **MAIL-BOAT**
www.mailboatbahamas.com
Le mail-boat dessert Harbour Island le lundi. Compter 25 US$ la traversée et 50 US$ avec une couchette

Location de voiturettes de golf

La location de voiturettes de golf est une activité très répandue sur l'île, et les loueurs sont légion. Il faut avoir 18 ans et posséder un permis de conduire pour conduire la voiturette et laisser une empreinte de carte de crédit pour la location. Pour ne pas créer de problème, les insulaires ont instauré un tarif unique sur l'île. Il faut compter 25 US$ de l'heure, 40 US$ pour une deux places et 50 US$ pour une quatre places par jour, tout compris, avec des tarifs dégressifs en fonction de la durée de la location. En période de haute saison, il est recommandé de réserver son véhicule à l'avance.

Vélo

■ **DUNMORE RENTALS**
✆ 333 2372

■ **MAJOR'S RENTALS**
✆ 333 2043

■ **MICHAEL'S CYCLES**
✆ 333 2384/2667
Tous types de location, du vélo à la voiturette de golf en passant par les bateaux.

■ **SUNSHINE RENTALS**
✆ 333 2509

Pratique

■ **OFFICE DU TOURISME**
Dunmore Street
✆ 333 2621 – Fax : 333 2622
Ouvert du lundi au vendredi de 10h à 17h.

Internet

■ **RED APPLE**
Colebrook Street face au Romora Bay Club
✆ 333 2750
La maison offre un service de connexion Internet pour 10 US$ les 20 minutes. Contactez Rosita.

Argent

■ **MURRAY STREET**
Ouverte de 9h à 13h du lundi au vendredi.
Distributeur de billets.

■ **ROYAL BANK OF CANADA**

Santé

■ **HARBOUR ISLAND MEDICAL CLINIC**
Church Street
✆ 333 2182

Agence de voyages

■ **DISCOVER ELEUTHERA**
✆ 333 3282 – Fax : 333 3282
www.bahamasadventures.com
info@bahamasadventures.com
L'agence organise toutes les excursions possibles en bateau, en taxi, en kayak, le tout sur mesure.

Hébergement

Bien et pas cher

■ **BARETTA'S SEASHELL INN**
Nesbitt Street
✆ 333 2361
A partir de 120 US$ pour deux, sans repas, en basse saison.
Un peu à l'écart du centre et non loin de la plage, un nouvel hôtel bien tenu par une famille bahaméenne. A la fois chaleureux et familial, il propose 12 chambres confortables (air conditionné et TV, Jacuzzi pour certaines) qui donnent au calme d'un jardin. La décoration est simple, mais soignée. Un bon choix dans cette catégorie. Un sentier conduit à la plage toute proche. Le restaurant de cuisine locale (poulet, poissons, *conch*...) sert également des petits déjeuners, avec un « spécial Bahama » le samedi matin (poisson et soupe). Bar ouvert tous les jours de 7h30 à 21h30 avec *happy hours* le dimanche entre 17h et 19h.

■ **RED APPLE**
Colebrook Street
✆ 333 2750
www.redapplebb.com
registration@ redapplerentals.com
Compter 135 US$ pour deux la nuit.
Cinq studios de différente capacité, avec air conditionné et cuisine aménagée, abrités dans une maison familiale. L'ensemble est plus fonctionnel que charmant. Pas de service de restauration. Location de voiturettes de golf et accès Internet.

■ **ROYAL PALM HOTEL**
✆ 333 2738 – Fax : 333 3333
minette@royalpalmhotel.com
De construction récente, l'hôtel propose des chambres et des studios répartis dans plusieurs bâtiments situés au cœur du village, et aisément identifiables au ton pêche des portes et des fenêtres. 325 chambres de différente capacité avec air conditionné, ventilateur et TV, cuisine équipée (réfrigérateur, four à micro-ondes). Bien tenu, mais sans aucun charme, on ne choisira pas cet hôtel à la décoration minimale pour se prélasser dans sa chambre, mais pour son rapport qualité-prix honnête. Compter 80 US$ la nuit pour un studio standard et 900 US$ la semaine pour une chambre de luxe avec grande cuisine séparée et un coin repas. Pas de service de restauration. Service de location de voiturettes de golf.

■ **TINGUM VILLAGE**
✆ / Fax : 333 2161
A partir de 150 $ par jour avec tarif dégressif selon la durée du séjour.
L'hôtel situé à l'écart du cœur du village propose 8 chambres standard simples mais confortables (air conditionné, terrasse) dans des bungalows, 5 suites plus vastes et un cottage de 3 chambres avec cuisine équipée. Le jardin tropical mériterait un petit coup de tondeuse, mais l'endroit est convivial et bon enfant ; le restaurant sert le petit déjeuner et repas. Un service de Spa (massage et soins) abrité sous un toit de palmes permet de se refaire une beauté selon les normes locales. Location de carts de golf.

Confort ou charme

■ **BAHAMA HOUSE INN**
Dunmore et Hill Streets
✆ 333 2201
www.bahamahouseinn.com
bahamahouseinn@coralwave.com
Compter de 145 US$ à 195 US$ la chambre double, petit déjeuner compris.
La grande bâtisse en angle aux allures créoles, aisément repérable à ses murs roses et ses volets bleus, est située au cœur du village. Les bâtiments encadrent un grand jardin. Les chambres avec air conditionné et ventilateur sont charmantes. Salon avec TV, magazines et livres.

■ **CORAL SAND HOTEL**
Harbour Island
✆ 333 2350 – Fax : 333 2368
www.coralsands.com
info@coralsands.com
De 315 US$ à 365 US$ la chambre double, selon la vue et la saison. Demi-pension et pension complète possible.

© THE ISLANDS OF THE BAHAMAS RS PRODUCTION

Bar de la plage de l'hôtel Coral Sand, Harbour Island

Un peu à l'écart du centre de Dunmore Town, l'hôtel a pour atout majeur sa proximité de la plage de Pink Sand. Les 39 chambres, de différentes catégories, sont agréables. Grande piscine. La plage devant l'hôtel est équipée de chaises longues et de parasols. Côté cuisine, on a le choix entre deux restaurants ; un restaurant informel à la carte simple et courte pour le déjeuner, lieu dont la terrasse domine agréablement la plage (Beach Grill), et un restaurant plus classique pour le soir, le Poseidon, avec une carte de cuisine internationale.

■ **VALENTINE'S RESORT AND MARINA**
Harbour Island
✆ 333 2142 – Fax : 333 2135
www.valentinesresort.com
info@valentinesresort.com
L'hôtel a fermé ses portes pour donner naissance à un complexe de quelque cinquante villas, avec piscine, restaurants et bar, qui devrait voir le jour prochainement. Aujourd'hui seule la marina, qui peut accueillir 39 bateaux, fonctionne, ainsi que le club de plongée.

Luxe

■ **THE LANDING**
Bay Street
✆ 333 2707 – Fax : 333 2650
www.harbouris landlanding.com
info@harbourislandlanding.com
A partir de 250 US$ pour deux en basse saison.
Située face à la baie, ce sont deux anciennes demeures toutes en bois, construites en 1800, au charme créole intact, qui abritent cet hôtel coquet, véritable havre de paix. Ce fut la demeure du premier médecin bahaméen, Thomas Johnson ; elle a été complètement rénovée après le passage dévastateur du cyclone Floyd en 1999. Les 7 chambres, chacune baptisée d'un joli nom évocateur des tropiques, Alamander, Poinsettia ou encore Hibiscus, sont décorées dans un style sobre – tissus blancs et beiges, voilages aériens et bois sombres –, reposant et élégant, avec des meubles de style qui évoquent une époque révolue. Certaines possèdent un balcon donnant sur la baie. Une piscine devrait voir le jour prochainement à l'arrière dans le jardin. Pour le restaurant, rendez-vous à la rubrique « *Bonnes tables* ».

▶ **Autre adresse :** thelanding@coralwave.com

■ **PINK SANDS HOTEL**
✆ 333 2030 – Fax : 333 2060
www.pinksandsresort.com
info@pinksandsresort.com
De 750 US$ à 900 US$ la chambre double.
La propriété appartenait au Jamaïcain Chris Blackwell, l'ancien producteur de Bob Marley, avant d'être rachetée par le propriétaire de Coral Sand (voir rubrique « *Confort ou charme* »). Elle se trouve en retrait du centre du village, au-dessus de la plage dont elle porte le nom. Comme toutes les propriétés de la chaîne Island Outpost, elle se veut un refuge très exclusif. L'originalité de la décoration, entre asiatique et maure, séduit : ici tout n'est que luxe, calme et volupté... grandes portes de bois sculpté, tentures en batik et draperies de couleurs chatoyantes, profonds sofas aux coussins chamarrés, paravents en marqueterie, bassins où évoluent poissons et tortues, lumières tamisées...

Les 25 cottages d'une ou de deux chambres sont tous différents, décorés dans une thématique couleur. Ils sont bien équipés (air conditionné, minibar, platine CD, téléphone, coffre-fort) et sont égrenés dans un vaste parc tropical, jouissant d'un patio privatif avec mobilier en teck ; les chambres face à l'océan ont une vue remarquable, certaines possèdent un Jacuzzi. Piscine, salle de gymnastique, billard, salon, bibliothèque. Le restaurant propose un menu différent chaque jour, orienté vers la cuisine fusion caribéenne. Le restaurant de plage, le Blue Bar, ne fonctionne que pour le déjeuner. La boutique propose une belle sélection de vêtements et de souvenirs originaux.

■ THE ROCK HOUSE

✆ 333 2053 – Fax : 333 3173
www.rockhousebahamas.com
reservations@rockhousebahamas.com

A partir de 320 US$ pour deux en basse saison. Pas d'enfant de moins de 18 ans.

Le dernier-né des hôtels « boutique » de l'île est une halte de grand charme qui a ouvert ses portes début 2003. Niché dans l'ancienne école catholique, juste à côté de l'église, il se trouve à une volée de marches de la baie, en hauteur, au centre du village. En revanche, il faut une voiture de golf pour rejoindre la plage, dont une partie est aménagée par l'hôtel, avec chaises longues et parasols. L'hôtel a été restauré et décoré par Wallace Tutt – décorateur de Gianni Versace – qui a su préserver le caractère local de l'édifice originel. L'atmosphère y est raffinée et chaleureuse, tout ici respire le luxe et le bon goût, des tonalités douces, aux draperies, en passant par les œuvres d'art. Seules 9 suites sont réparties entre l'édifice principal et un bâtiment annexe. Somptueusement décorées et bien équipées (air conditionné, TV, accès Internet, minibar, coffre-fort, DVD et CD...), elles sont toutes différentes, et portent de jolis noms évocateurs : Asian Suite (deux chambres et deux salles de bains), la plus chère (700 US$), Citrus ou Nautilus, Pineapple ou encore Monkey... Seul bémol, les chambres un peu exiguës n'ont ni balcon ni terrasse. Chaque chambre dispose d'une des « box » privées avec chaises longues et tentures pour l'intimité qui jouxtent la piscine, pour se faire masser ou déguster un apéritif à l'abri des regards indiscrets... Un salon chaleureux et douillet invite à la détente en sirotant un cocktail ; enfin, un gymnasium est équipé d'appareils dernier cri pour entretenir sa forme. L'hôtel possède deux restaurants et un bar. Le restaurant, le Rock House est une des bonnes tables de l'île (voir Restaurants).

Piscine du Runaway Hill Club, Harbour Island

■ RUNAWAY HILL CLUB

Colebrook Street
✆ 333 2150 – Fax : 333 2420
www.runawayhill.com

Réservé aux plus de 16 ans. A partir de 325 US$ pour deux, repas non compris en basse saison. Possibilités de demi-pension, déjeuner sur réservation avant 11h.

Tout proche du centre, le Runaway est situé sur la colline dominant la plage, avec un accès direct sur un bout de plage aménagé de chaises longues et de parasols. La grande maison est accueillante, avec une décoration colorée et fleurie, rehaussée d'une jolie collection d'aquarelles. Les 10 chambres confortables sont réparties entre la maison principale et la villa annexe. Elles sont vastes avec air conditionné et ventilateur, terrasse. La décoration en est simple. Une jolie piscine avec un ample solarium domine la plage. Bar et restaurant.

Restaurants

Bien et pas cher

■ ANGELA'S STARFISH

Nesbit Street
✆ 333 2253

Petits prix. Service de petit déjeuner à partir de 7h30.

Perché sur les hauteurs de Harbour Island, ce restaurant sans prétention est fréquenté par une clientèle locale. La cuisine traditionnelle, mais sans grande recherche, est copieusement servie en salle, mais on préfère les tables du jardin, ombragées de parasols.

■ ARTHUR'S BAKERY
Dunmore & Crown Streets
✆ 333 2285
C'est la pâtisserie locale qui vend des gâteaux à déguster sur place, dans ce qui tient lieu de salon de thé. On peut aussi y commander des gâteaux sur mesure.

■ AVERY'S RESTAURANT
Colebrooke Street
✆ 333 3126
Fermé mercredi et dimanche après-midi.
On préfèrera la jolie terrasse couverte sur la rue à la salle intérieure qui manque de charme pour savourer une cuisine locale sans prétention. Service de petit déjeuner et de *take away*.

■ BAHAMA BAYSIDE CAFÉ
Bay Street
Ouvert de 7h30 à 21h, fermé le dimanche, sauf pour le petit déjeuner.
Bonne adresse pour découvrir la gastronomie locale, dans une salle à la décoration recherchée dans un style très local… De grandes tables conviviales dans une salle rafraîchie à grand-peine par des ventilateurs poussifs. La cuisinière opère derrière une cloison de bois, la télévision déverse les téléfilms américains, et la clientèle locale est bon enfant.

■ BARETTA'S
Voir l'hôtel du même nom.

■ BLUE BAR
Ouvert de 11h30 à 16h. Menu enfant. Prix moyens, compter 15 US$ pour un déjeuner.
C'est le restaurant de plage de l'hôtel Pink Sands ; sa terrasse domine la plage avec un accès direct. La décoration est… toute bleue, du mobilier aux parasols, pas une fausse note. Halte agréable et informelle, la carte propose quelques originalités comme le *jerk chicken*, poulet grillé à la Jamaïcaine, parmi les classiques sandwichs et salades.

■ CHARLIE'S
Dunmore Street
Fermé le lundi. Service de petit déjeuner le week-end.
Quelques tables en terrasse et une salle intérieure avec un grand bar où s'attablent les habitués ; le restaurant ne paie pas de mine. La cuisine familiale est copieusement servie, des *conches* au curry de poulet en passant par les côtelettes de porc. Accueil sympathique et prix variables en fonction des clients !

■ CORAL SANDS
Ouvert pour déjeuner.
C'est le restaurant de plage de l'hôtel Coral Sand. Excellente option pour un lunch décontracté, sur une grande terrasse fraîche qui domine la plage. La carte est simple, mais créative. Une volée d'escaliers permet de rejoindre la plage une fois le repas terminé.

■ DUNMORE DELI
Princess Street
Ouvert de 8h à 15h, fermé le dimanche.
Dommage que cette charmante terrasse surélevée sur la rue ne soit ouverte que pour le petit déjeuner et le déjeuner. On peut y observer à loisir la vie locale, tout en dégustant un café, un jus de fruits, un sandwich ou une salade. Bon, bien tenu et pas cher.

■ HAMMERSHEAD
Harbour Island Marina
✆ 333 2427
Ouvert seulement de 11h à 22h.
Sympathique bar-restaurant, à la terrasse ombragée, dominant la marina. La carte est courte et assez économique, sandwichs et salades, idéale pour un déjeuner.

■ HARBOUR LOUNGE
Bay Street
✆ 333 2031
Ouvert de 11h30 à 15h et de 18h à 21h30. Fermé dimanche et lundi midi.
Belle salle et terrasse face à la baie, où les tables sont prises d'assaut, notamment le soir. Longue carte de cuisine locale et internationale avec poissons et pâtes, sans oublier les salades et les sandwichs et les inévitables hamburgers. Prix raisonnables.

■ MA-RUBY'S
Ouvert à partir de 19h.
Le restaurant du Tingum Village offre une terrasse sympathique et ombragée qui se déploie dans un jardin (attention aux moustiques le soir). La cuisine est locale, sans grande originalité, mais bien servie.

■ QUEEN CONCH
Bay Street, face à la mer
Ce petit stand de bois bleu, aux heures d'ouverture erratiques, est réputé pour servir la meilleure salade de *conch* de l'île. Ici la fraîcheur n'est pas en question puisqu'on prépare la salade devant le client, assaisonnée de citron vert et de coriandre, juste ce qu'il faut. Un vrai régal sans chichis, pour quelques dollars, à déguster debout face aux eaux turquoise de la baie.

■ SIP SIP
North Beach
✆ 333 3316
Ouvert pour le déjeuner, fermé le mardi et le mercredi.
Le restaurant charmant donne sur la plage de Pink Sands. Très jolie décoration intérieure, dans les tons vert-bleu, avec de grandes tables conviviales et accueillantes en salle ou en terrasse rafraîchie par le vent. La cuisine locale et internationale met à l'honneur les produits locaux. Excellentes salades et plats végétariens. On peut aussi y prendre un verre. Prix moyens

Bonnes tables

Les meilleures tables de l'île sont abritées dans les hôtels de charme.

■ THE LANDING
Bay Street
✆ 333 2707 – Fax : 333 2650
www.harbouris landlanding.com
info@harbourislandlanding.com
Le restaurant de cuisines méditerranéenne et asiatique utilise les ressources locales (épices et fruits, poissons) ; on pourra essayer les tempura de langouste, la salade de crevettes à la mayonnaise wasabi, le thon cru sauce wasabi, l'agneau de Nouvelle-Zélande, la langouste à la thaïlandaise, ou les raviolis au chèvre, aux pignons et crevettes. La carte des vins français, californiens et australiens réserve de bonnes et coûteuses surprises. Les repas sont servis soit en salle intérieure soit sur une terrasse romantiquement éclairée de chandelles face à la baie.

▸ **Autre adresse :** thelanding@coralwave.com

■ THE ROCK HOUSE
✆ 333 2053 – Fax : 333 3173
www.rockhousebahamas.com
reservations@rockhousebahamas.com
Compter 90 US$.
Restaurant élégant, il possède une magnifique terrasse avec une vue sublime sur la baie. La salle intérieure est décorée dans un style colonial très britannique, sobre et raffiné. La cuisine est mise en musique par un chef réputé de Miami Beach, très prisé des célébrités. La carte propose des créations à base de poissons et de crustacés locaux, tel le cake au crabe, des spécialités mâtinées d'influences asiatiques, rouleaux de printemps croustillants par exemple, et une belle carte de vins. On peut être servi à une table individuelle ou partager la table du chef où 14 hôtes peuvent converser. Le service est efficace et discret.

■ THE TERRACE
Harbour Island, à l'hôtel Coral Sands
✆ 333 2350
Uniquement pour dîner. Compter 70 US$ sans le vin.
Le restaurant du Coral Sands propose une cuisine de qualité. C'est un chef français qui a composé la carte. Une très bonne adresse.

Sortir

Les nuits de Harbour Island répondent à un itinéraire précis :

■ GUSTY'S
Ouvert du mercredi au dimanche soir, mais c'est en fin de semaine que l'ambiance y est à son comble.
Gusty's est la première étape du circuit nocturne. Le grand bar domine la baie. Sur la piste de danse, les pieds dans le sable, comme autour du billard, les touristes se mêlent aux locaux dans une joyeuse atmosphère ; bref, le rendez-vous des noctambules avec ambiance assurée en fin de semaine.

■ VIC HUM CLUB
Munning Street & Barrack Street
✆ 333 2161
Deuxième étape de notre circuit de noctambule. On ne peut pas passer à côté de ce bar bleu et jaune décoré de plaques minéralogiques, à la décoration hétéroclite et chaleureuse, d'où s'échappent des flots de musique dès la tombée du soir. Le bar se transforme en piste de danse plus tard dans la soirée. Pour s'encanailler dans une ambiance locale autour du billard et passer une soirée bien arrosée de bière et de daiquiris. Attention l'ambiance devient parfois très chaude… voire orageuse !

■ SEAGRAPE
Ouvert le vendredi et le samedi soir.
Dernière étape du circuit nocturne, Seagrape est l'endroit où l'on attend le petit matin. On y sirote des bières et on y danse dans une atmosphère bon enfant. Certains soirs des bœufs s'y improvisent.

Shopping

■ DILLY DALLY
On est sûr de découvrir des petits cadeaux pas chers parmi la belle collection d'objets d'artisanat présentée. Pour les amoureux

de rythmes tropicaux, c'est l'endroit où se procurer des CD des artistes locaux, introuvables ailleurs.

■ MISS MAE
Dunmore Street
✆ 333 2002
Une des meilleures adresse de l'île pour s'habiller (collections homme et femme).

■ BRILAND BRUSH STROKES
King & Murray Streets
Ouvert de 9h à 17h tous les jours, sauf dimanche.
Jolie galerie abritée dans une maison de bois gris, rehaussée d'une profusion de fleurs violettes. Exposition et vente d'aquarelles réalisées par un artiste local, Harvey Roberts.

■ BRILANDS ANDROSIA BOUTIQUE
King Street
✆ 333 2342
Jolie boutique de vêtements et d'accessoires avec quelques articles de petite décoration. On y trouve quelques batiks d'Andros. Bien pour rapporter un petit cadeau, mais beaucoup de choses sont faites à l'étranger malgré ce que proclame la boutique.

■ ISLAND TREASURES
Dunmore Street
Une boutique de mode et d'accessoires.

■ THE LANDING
Juste derrière l'hôtel éponyme, la minuscule boutique propose une très belle sélection (à des prix élevés) de vêtements originaux et mode. De nombreux accessoires. Parfait si vous êtes en panne d'une tenue originale pour répondre à une invitation de dernière minute.

■ THE PRINCESS STREET GALLERY
Princess Street
✆ 333 2788
Très belles aquarelles et huiles déclinant des thématiques locales à prix élevés. La galerie propose aussi de belles photographies.

Points d'intérêt

Harbour Island est, en soi, un témoignage du temps jadis, et de longues flâneries permettent de découvrir toute la magie de cette île si particulière. On recommande particulièrement les balades en fin d'après-midi, quand la baie miroite au soleil couchant ; les façades des maisons de bois revêtent alors leurs plus belles couleurs et les teintes des haies fleuries se font plus chatoyantes. Au titre des curiosités, vous pourrez glisser un œil indiscret dans les églises, ou même assister à une répétition musicale ou à un office typique qui témoigne de la ferveur religieuse locale.

► **Wesley Methodist Church** (Dunmore et Chapel Streets), construite en 1843, est la plus imposante des églises du village. Au coin de l'église se dresse une stèle à la mémoire du docteur Johnson, le premier médecin des Bahamas, mort en 1895.

► **L'église anglicane St-John.** Plus loin sur Dunmore Street. Datant de 1768, c'est la plus ancienne des Bahamas.

► **Church of God.** Très originale, cette église possède un orchestre qui s'accompage à la batterie et à la guitare... électrique !

► **Cimetière de Sainte-Catherine.** Situé sur Chapel Street, voilà un lieu qui, paradoxalement, est loin d'être emprunt de nostalgie et se révèle fort pimpant.

Harvey H. Robert, une figure locale

Né à Harbour Island en août 1954, le jeune Harvey commence très tôt à dessiner et à peindre. Il réalise sa première exposition à l'âge de 11 ans au Pink Sands Resort. Il obtient une bourse pour étudier à Nassau et s'envole pour le Hastings College of Art and Design, dans le Sussex en Grande-Bretagne, en 1971. Diplômé d'arts graphiques en 1974, il s'installe en Grande-Bretagne comme responsable de production de cinq quotidiens et magazines locaux. En 1979, au cours d'un voyage de deux mois aux Bahamas, il peint son île de Harbour Island et fait des recherches sur son histoire ; il publie un livre, *Island of the Pink Sand.* En 1988, il revient s'installer sur Harbour Island où il peint à plein temps, tient une galerie et occupe également des fonctions administratives. Ses délicates aquarelles représentent des scènes de la vie quotidienne, des scènes de pêche, pleines de sensibilité ainsi que les paysages fleuris de son île natale. Il a réalisé de nombreuses expositions personnelles ou de groupe, tant en Amérique qu'en Europe.

▶ **« Fantasy Corner ».** Au coin de Dunmore Street et de Clarence Street. C'est un spectaculaire et minuscule bout de terrain planté de multiples plaques minéralogiques et d'écriteaux en tous genres, qui ne manque pas d'une certaine poésie. Attention, il est précisé que pour toute photographie, il faut s'acquitter d'un droit de 50 cents qui iront à l'église ; malheureusement, on ne sait pas où laisser l'obole.

▶ **Bibliothèque municipale.** Elle s'abrite dans un édifice colonial à l'allure désuète.

Balade le long de Bay Street

Bay Street est l'artère qui cerne la baie ; de l'autre côté se dressent les plus anciennes demeures de l'île, quelques boutiques et des restaurants. C'est aussi un lieu de promenade vespérale.

▶ **Fisherman's Dock**. Le quai grouille d'activité le matin, les jours d'arrivée des mail-boats et lors de l'arrivée des ferries. Les carts déposent les passagers, chargent visiteurs et bagages ou viennent prendre livraison des marchandises commandées ; on vient chercher du courrier ou des messages, dans une joyeuse effervescence et l'activité se calme dès le départ des bateaux.

▶ **Les pittoresques cottages de bois.** Ils se succèdent le long de la baie et on remarquera le modeste cottage loyaliste de bois gris datant de 1797. Moins pimpant, mais plus vénérable que ses voisins, il n'en garde pas moins une certaine noblesse historique et s'enorgueillit d'être, sur papier glacé, l'un des plus immortalisés de Harbour Island.

▶ **Straw Market.** Le marché local se résume à quelques modestes cabanes de bois, colorées de teintes vives, établies en bordure de l'eau, qui proposent des articles d'artisanat, bijouterie et articles de vannerie, et des tee-shirts. Quelques échoppes de fruits et légumes ajoutent la note multicolore de leurs maigres étals.

▶ **Queen Conch** (voir « *Restaurants* »). Un des stands du Straw Market, qui a la réputation non usurpée de faire la meilleure salade de *conch* de l'île, préparée à la demande. Quant aux pêcheurs, notamment de langoustes, vous les verrez sur la promenade, proposer leurs prises du matin à peine sorties de l'eau aux restaurateurs et aux touristes.

▶ **Fashion Tree.** Cet arbre glamour est l'un des arbres les plus photographiés au monde. Planté au milieu de la baie, il émerge totalement à marée basse et son tronc tourmenté et ses branches décharnées dépourvues de tout feuillage ont accueilli plus d'un top-model pour des prises de vue destinées aux plus grands magazines de mode du monde, de *Elle* à *Harper's Bazaar*. Tout un chacun peut s'y aventurer à marée basse.

▶ **Plage de Pink Sands**. Cette somptueuse plage mérite de longues balades ; avec son sable blanc aux reflets roses, ourlée par les vagues de l'océan, surplombée de beaux cottages et d'hôtels luxueux, elle a des allures de Nouvelle-Angleterre.

Plongée

■ GUIDE

Herman Higgs
✆ 333 2021/2372

Les centres de plongée proposent également des sorties de pêche.

■ OCEAN FOX DIVE SHOP

Harbour Island Marina
✆ 333 2323
www.oceanfox.com
dive@oceanfoxdiving.com
Organisation de plongées (compter 50 US$ pour une bouteille, et 100 US$ pour une plongée à Current Cut), des sorties de snorkeling (35 US$) et de pêche au gros (compter 450 US$ la demi-journée et 700 US$ la journée, équipement compris).

■ VALENTINE'S DIVE CENTER

✆ 333 2080
www.valentinesdive.com
dive@valentinesdive.com
Dans l'enceinte du *resort* du même nom, face à la baie, se trouve le centre de plongée (Padi). Il propose tous types de plongée. Compter 65 US$ pour deux plongées, 125 US$ pour plonger sur le site de Current Cut, 60 US$ pour une plongée de nuit (combinaison non comprise), 30 US$ pour une sortie de *snorkeling*. Leçons de tous niveaux, par exemple, cours de 4 jours avec initiation, vidéos, plongée en piscine et en mer, certification 600 US$. Location de l'équipement 35 US$. On y organise également des locations de bateaux.

Retrouvez l'index général en fin de guide

SPANISH WELLS / SAINT GEORGE'S CAY

A la pointe nord d'Eleuthera, le minuscule îlot de Saint George's Cay abrite le gros bourg de Spanish Wells. Au cours du XVIIe siècle, les Espagnols utilisaient son anse comme port d'étape dans leurs incessants voyages entre le Nouveau Monde et le Vieux Continent et profitaient de ses sources d'eau douce pour refaire le plein d'eau, d'où le nom de Spanish Wells, resté en héritage de cette époque. La population de Spanish Wells, estimée à un millier d'habitants, descend pour la majorité en droite ligne des premiers aventuriers d'Eleuthera. C'est une communauté blanche qui compte parmi les plus riches personnes de l'archipel. Cheveux blonds et yeux clairs, les habitants de Spanish Wells, dont une bonne moitié porte le patronyme de Pinder, se sont taillés une solide réputation de marins, de pêcheurs et de plongeurs. Le gros bourg a développé une activité florissante de pêcherie, notamment de langouste, et de conserverie de poissons, ainsi qu'une activité agricole, mais ne s'est pas tourné vers le tourisme. C'est pourquoi Spanish Wells ne manque ni de charme ni d'authenticité. Les petits cottages de bois aux vives couleurs qui tranchent gaiement sur le bleu du ciel semblent tout droit sortis d'un village de pêcheurs de Nouvelle-Angleterre. Les possibilités d'hébergement sont rares. Sur la côte nord se déploie une belle plage de sable fin. Une balade dans le village vous amènera au musée de Spanish Wells (ouvert du lundi au samedi de 10h à midi et de 13h à 15h) qui retrace l'histoire de l'île et de la colonisation.

Transports

BATEAU-TAXI

Compter 20 US$ pour l'aéroport et 55 US$ pour Harbour Island.

Pour rejoindre l'aéroport ou Harbour Island, le bateau-taxi reste la seule option.

FERRY

✆ 333 4890

Tarifs aller et retour : 110 US$ adulte, 70 US$ enfant.

Spanish Wells est desservi quotidiennement par le Fast Ferry depuis Nassau. Les horaires varient selon les jours.

MAIL-BOAT

Spanish Wells est desservi par deux mail-boats le jeudi. Il faut compter 20 US$ pour un trajet de 5 à 6 heures depuis Nassau.

Pour rejoindre Nassau, les départs ont lieu le dimanche.

Pratique

ARGENT

La Royal Bank of Canada possède une agence.

Hébergement

ADVENTURES RESORT

✆ 333 4883 – Fax : 333 5073
www.bahamasvg.com/adventurers.html
adventurers@coralwave.com

Compter 80 US$ pour deux pour la chambre. Restaurant.

L'hôtel se trouve du côté du port. Les 10 chambres sont modestes, mais équipées d'air conditionné ; on peut aussi louer un appartement équipé. Un petit bout de plage est aménagé de parasols en palmes.

SPANISH WELLS YACHT HAVEN

✆ 333 4255 – Fax : 333 4649

Seulement 3 chambres (80 US$) et 2 appartements (100 US$) dans cet hôtel mouchoir de poche qui donne sur le port.

Confort correct avec air conditionné. Petite piscine, service de restauration.

Restaurants

Outre les deux restaurants d'hôtel, quelques adresses modestes :

ANCHOR SNACK BAR

Même style de restaurant.

JACK'S OUTBACK

✆ 333 4219

Donnant sur le port, ce restaurant style snack sert une cuisine locale sans surprise, ainsi que les incontournables hamburgers et salades.

ORMA'S TAKE AWAY

✆ 333 4023

Cuisine locale familiale à emporter.

Retrouvez le sommaire en début de guide

Les Biminis

- **Population :** 1 717 hab.
- **68 km de long.**

La Mecque de la pêche ou le souvenir d'Hemingway

Ce petit chapelet d'îles de quelque 23 km^2, dont les plus importantes sont North et South Bimini séparées par un chenal peu profond, Cat Cay et Gun Cay, est le plus proche des côtes de Floride, distantes seulement de 76 km à l'ouest. Par temps clair, on peut voir depuis les Biminis les feux de Miami scintiller à la nuit tombée. Les Biminis sont situées au nord-ouest du plateau des Bahamas, à la limite du Gulf Stream. Sur ce chapelet d'îles flotte un parfum de romantisme avec le souvenir d'Ernest Hemingway qui y séjourna entre 1931 et 1937. Il en fit le décor de son célèbre roman, *Le Vieil Homme et la mer*.

Les Biminis se sont inscrites dans la légende, accédant par la même occasion au statut de « Mecque » de la pêche en haute mer, quand Ernest Hemingway les découvrit en 1935. Les duels qu'il mena contre un requin mako de 356 kg et un thon de 233 kg, alors qu'il naviguait dans la zone nord des Bahamas à bord de son bateau Le Pilar, sont devenus mythiques. Ces eaux extrêmement poissonneuses sont très fréquentées par les Américains qui viennent y faire des raids de pêche depuis la Floride. De la proximité du courant chaud du Gulf Stream résultent des possibilités incomparables de pêche en haute mer. C'est ici qu'il faut venir taquiner le marlin bleu, le *wahoo*, le thon, l'espadon voilier, le tarpon ou le mérou, et beaucoup d'autres représentants des espèces exotiques qui sont tous là à des périodes précises.

North Bimini regroupe l'essentiel de la population, sur une étroite bande de terre de 11 km de long et de seulement 650 m de large. Pendant les nombreux tournois de pêche qui animent les îles tout au long de l'année, l'ambiance devient chaleureuse. Alice Town, le centre commercial, se réduit à une simple rue poussièreuse, King's Highway est bordée de quelques boutiques et d'une dizaine de bars et de restaurants.

Enfin, les Biminis sont une terre de légendes. Une formation rocheuse sous-marine titanesque, qui pourrait bien être une partie de l'Atlantide engloutie, hérisse les fonds marins et interroge les scientifiques et les plongeurs. Quant aux aventuriers terrestres, ils pourront partir à la recherche de la fontaine de Jouvence sur les traces de Ponce de Leon, le conquistador espagnol qui entreprit de la découvrir, en 1513, à South Bimini.

Un peu d'histoire...

Durant les XVIIe et XVIIIe siècles, les îles Biminis ne sont pas habitées de façon permanente. Elles servent de halte aux pirates qui y font relâche entre leurs raids ; Francis Drake, Henry Morgan et Barbe Noire en sont les familiers. En effet, leur situation en fait un parfait endroit pour piéger les galions espagnols qui rentrent en Europe, chargés de richesses du Nouveau Monde. Les sources de South Bimini permettent aux pirates de se réapprovisionner en eau douce. A partir de 1840, les premiers colons s'installent aux Biminis. Le déclin de la piraterie et du pillage organisé des bateaux contraint les habitants à se tourner vers des activités plus légales, telles la pêche aux poissons, à l'éponge, et à la culture du sisal et à la confection de cordes. En 1900, les Biminis comptent 600 habitants qui survivent misérablement. La prohibition américaine va leur fournir une manne providentielle.

Ernest Hemingway, amoureux des Biminis

Le prix Nobel de littérature avait 36 ans quand démarra son histoire d'amour avec les Biminis en 1935. Il s'y installe pour donner libre cours à sa passion de la pêche et pour écrire. Il accumule les anecdotes et les détails qui lui permettront d'écrire *The Old Man and the Sea* puis *Islands in the Stream.* Il écrit également des articles pour le magazine *Esquire* et il termine *To Have and Have Not.* Quand il ne vit pas sur son yacht, *Le Pilar,* il est à terre, dans un cottage d'un club de pêche ou au Compleat Angler Hotel. Il séjournera à Bimini jusqu'en 1937.

Cayce Point
East Wells
Upper Lagoon
Bimini Bay
Porgy Bay
Eglise Catholique
Bailey Town
Mosquito Point
NORTH BIMINI
Healing Hole
Pidgeon Cay
Alice Town
Yacht Club
Fountain of Young
Port Royal
SOUTH BIMINI
Bimini Marinas
Biological field Station
Aéroport
Round Rock
Turtle Rocks
BIMINI ISLANDS
Piquet Rocks
Holm Cays
Gun Cay
North Cat Cay
Louis Town
South Cat Cay
Wedge Rocks
MIAMI
ÎLES BAHAMAS
GREAT BAHAMA BANK
Les Biminis
Bimini Big Game Fishing Club
Public Beach
Eglise méthodiste
ALICE TOWN
Immigration
Douanes
Gateway Gallery
Bimini Undersea Adventure
Big John's
Fisherman's Paradise
FERRY
Buccaneer Point
NORTH BIMINI
SOUTH BIMINI
N
0
3 km
Aéroport
Clinique
Marina
Site de plongée
Curiosité

Les Biminis

Les îles sont toutes proches du territoire américain et les *rum runners* font la navette et transportent de l'alcool en provenance de Cuba, d'Europe et des autres îles des Caraïbes. Chaque bouteille qui transite par les îles est taxée, constituant de substantiels revenus. La population décuple d'un seul coup. Parmi les familiers de l'époque, on compte Al Capone. On commence à construire des hôtels, un casino. A la fin de la prohibition, en 1933, beaucoup craignent que les Biminis ne renouent avec la pauvreté. Mais les pêcheurs ont découvert les eaux poissonneuses et les premières prises records propulsent les îles comme de nouveaux eldorados de la pêche au gros. Durant la Seconde Guerre mondiale, l'engouement pour la pêche s'atténue, les eaux fourmillent de bateaux et de sous-marins, mais, dès les années 1950, le tourisme fait revivre les Biminis qui sont désormais une « Mecque » incontournable de la pêche.
Les îles ont également hébergé de nombreux tournages de films dans les années 1990, *Le Silence des agneaux*, entre autres.

Les sites de plongée

- **Allée aux Thons.** Le site présente des tombants creusés de grottes entre 12 et 25 m de profondeur.
- **Little Caverns.** Entre 24 et 60 m se déploient de belles formations coralliennes égrenées sur le fond sablonneux ; elles sont percées de tunnels.
- **Rainbow Reef.** En eau peu profonde, le récif arc-en-ciel abrite des grandes colonies de poissons de diverses espèces et des tortues.
- **Bimini Barge.** Un bâtiment de 36 m de longueur est échoué par 25 m de profondeur dans une eau cristalline.
- **Hawksbill Reef.** Le site se trouve entre 18 et 50 m, il est habité par de nombreux poissons de récif ; ce fut un des lieux de tournage du film *The Last Frontier*.
- **Off the Wall.** A 40 m de profondeur, les abysses s'ouvrent, le Gulf Stream passe à proximité.

Calendrier des tournois de pêche

- **Wahoo King Fishing Tournament :** janvier.
- **Bacardi Rum Billfish Tournament :** mars.
- **Hemingway Championship Tournament :** mi-mars.
- **Bimini Open Championship :** avril.
- **Bimini Native Fishing Tournament :** août.
- **Small Boats Tournament :** début septembre.
- **Bimini Wahoo Fishing :** novembre.
- **Wahoo Tournament :** novembre.

La plongée

La plongée aux Biminis est spectaculaire pour la faune sous-marine plus que pour les reliefs principalement composés de tombants. Des bandes de raies viennent se nourrir dans le chenal entre les deux îles.

■ **BIMINI UNDERSEA ADVENTURES**
Alice Town
✆ 347 3089
www.biminiundersea.com
info@biminiundersea.com

■ **CLUB PADI**
2 bateaux. Rencontres avec les dauphins sauvages.

■ **LOCATION DE BICYCLETTES**
Planches à voile et kayaks.

Activités, sorties en mer

■ **DOLPHIN EXPEDITIONS**
Sorties en bateau à la rencontre des dauphins.
✆ 347 4060
dolphinexp@aol.com

■ **DOLPHINSWIM**
✆ 534 8029

■ **DOLPHIN WORLD TRAVEL AND TOURS**
✆ (954) 525 4441 (n° aux Etats-Unis)
info@dolphinworld.org

ALICE TOWN

Située à la pointe sud de North Bimini, c'est la bourgade principale de l'archipel. Elle se résume à une rue principale et concentre hôtels, restaurants, boutiques et marinas.

Transports

- **Liaisons aériennes** entre Miami et North Bimini : plusieurs fois par jour. Western Air propose tous les jours des liaisons avec Nassau et Freeport.
- **Liaisons par mail-boat ;** le *Bimini Mack*, au départ de Potter's cay. Compter 45 US$ et 12 heures de trajet.
- **Accès à South Bimini** en bateau-taxi.

Pratique

■ **MEDECIN**
✆ 347 3210

■ **POLICE**
✆ 919

Hébergement

■ **BIMINI BAY RESORT**
✆ 347 2900
www.biminibayresort.com
Compter de 250 US$ à 400 US$ la chambre double.
Grand luxe pour cet établissement qui propose des chambres doubles, des suites et des petites villas pour 3 ou 4 personnes. En plus de la plage privée et des quelques piscines, l'hôtel propose un Spa luxueux, des courts de tennis, un centre de fitness et les activités nautiques classiques. Un efficace service de conciergerie s'occupera de toutes les réservations dont vous aurez besoin pour partir à la découvert de l'île ou à la chasse aux poissons.

■ **BIMINI BLUE WATER RESORT**
Alice Town
✆ 347 3166 – Fax : 347 3293
bluewaterresort@boipb.com
La propriété située sur une petite hauteur s'étend de part et d'autre du King's Highway. C'était l'un des repaires d'Hemigway et le restaurant, The Anchorage, était son favori. Le Marlin est un bungalow de trois pièces-cuisine dans lequel furent écrits de nombreux chapitres des romans de l'écrivain. On y jouit de magnifiques couchers de soleil et des feux de Miami qui scintillent au loin la nuit. Les 12 chambres et suites de deux chambres, et le bungalow Marlin possèdent une décoration simple, avec TV, air conditionné et balcon. Piscine, plage privée aménagée et marina de 32 emplacements. Possibilité de pratiquer la plongée et la pêche.

Restaurants – Sortir

■ **THE ANCHORAGE**
✆ 347 3166
Le restaurant du Bimini Blue Water Resort se trouve au sommet de la propriété du même nom. Tapissé de bois, il possède une belle échappée sur le Gulf Stream. On y sert des spécialités de *conches*, de langoustes et de poissons ; à signaler la belle carte de cocktails. Il offre également un service de petit déjeuner et des coffrets repas sur demande pour les pêcheurs.

■ **LE COMPLEAT ANGLER**
Le bar aux murs de bois est décoré de photographies de pêcheurs, et les souvenirs d'Hemingway sont religieusement conservés dans une salle baptisée « musée Hemingway ». C'est un haut lieu de la vie nocturne des Biminis. Quelques tables à l'extérieur, autour d'un amandier au vaste feuillage, permettent de savourer la douceur de l'air. Des orchestres se produisent plusieurs fois par semaine, et on s'y attarde volontiers dans une joyeuse atmosphère.

Alice Town

■ **THE END OF THE WORLD**

Ouvert de 21h à 3h.

Cette petite taverne typique qui donne sur le port est décorée d'une multitude de graffitis et de cartes de visite. Pas une once des murs n'y échappe. Il vous sera difficile de trouver un espace pour marquer votre passage. Dans une ambiance bruyante et parfois survoltée, où se mêlent locaux et touristes, on sirote une bière, on s'affronte au backgammon, on commente les prises du jour.

■ **FISHERMAN'S PARADISE**

✆ 347 3220

Ouvert de 7h à 10h30 pour le petit déjeuner et de 19h à 22h.

Le restaurant de cuisine locale, peu fréquenté par les touristes, se trouve à la sortie sud du village. Cuisine familiale, poissons et viandes à petit prix, quelques vins.

Bimini Historic Museum

■ **LALA'S RESTAURANT**

✆ 342 3241

Face au Bimini Big Game. Petit restaurant local qui sert une cuisine familale à prix doux, *groupers fingers*, et *conch fritters* sont les spécialités.

■ **RED LION PUB**

✆ 347 3259

Ouvert du mardi au dimanche, de 18h à 23h.

Bonne cuisine bahaméenne et continentale avec des spécialités de viandes, servie dans un restaurant sans prétention.

■ **SABOR**

A l'hôtel Bimini Bay Resort

Une adresse haut de gamme pour savourer une cuisine fusion d'inspiration méditerranéenne. Dans un cadre superbe, vous vous régalerez avec une paella, des poissons grillés ou encore quelques spécialités grecques.

Point d'intérêt

■ **BIMINI HISTORIC MUSEUM**

Entrée libre, contribution volontaire. Ce musée mouchoir de poche, qui restitue l'histoire des Biminis au travers d'une collection de vieilles photographies, tient en une pièce. Les différentes périodes de l'île, de l'âge de la piraterie à celui de la prohibition sont évoquées. Hemingway et ses trophées de pêche font partie des fiertés locales, de même que des prises records qui sont ici immortalisées.

Les Exumas

▸ **Population :** 8 000 hab.

Une île pour chaque jour de l'année

Connu comme la capitale de la croisière aux Bahamas ou encore la capitale de l'oignon, appartenant au groupe des « îles du coton » avec Cat Island et Long Island, ce groupe d'îles, situé au milieu de l'archipel, se compose d'un chapelet de 365 îles et îlots, pour la plupart désertiques et inhabités, qui se déploie sur 180 km de longueur à 65 km au sud-est de Nassau. George Town est la capitale administrative et économique de cet archipel.

Les Exumas sont un Eden de nature encore vierge, aux paysages de douces collines et aux plages de sable blanc, mouchetées d'ancrages secrets, de baies ciselées et de petits ports accueillants.

A plusieurs reprises, les Exumas ont été élues comme lieu de tournage, deux fois pour James Bond, puis pour *Splash*. Certaines îles abritent des colonies d'iguanes endémiques protégés. Les deux îles principales, Great Exuma et Little Exuma, sont reliées par un pont. Elles concentrent la majeure partie de la population et des infrastructures touristiques. Les îles vivent aujourd'hui de la culture, de la pêche et du tourisme. De petits villages de fermiers développent la culture des ananas, des tomates, des goyaves, des mangues, des avocats dodus, et des pois pigeon qui sont exportés vers les îles voisines.

Préservées de l'afflux des touristes, les Exumas restent des îles exclusives où s'est développé un tourisme individuel. Certaines d'entre elles ont été vendues à des particuliers fortunés qui y ont bâti des maisons de vacances ; d'autres sont en vente pour quelques millions de dollars.

Les eaux bleu roi qui baignent le groupe d'îles sont propices à la pêche en eau calme (albula ou banane de mer), mais également en eau profonde (thazards batards, pèlerins, voiliers, marlins...).

Chaque année en mars se déroule la « Cruisers Regatta » qui, pendant une semaine, voit s'affronter quelque 500 embarcations de différents pays. Puis, en avril, c'est le tour de la « Family Island Regatta » ou régate des îles extérieures, à George Town et à Elizabeth Harbour, qui voit s'affronter des embarcations en bois de construction locale, les sloops à large voile. Cette régate est le point culminant de la vie sociale des Exumas. Le 4 juillet, au tournoi de pêche au *bonefish* à Staniel Cay Yacht Club se mesurent des concurrents venus du monde entier.

Un peu d'histoire...

Le peuplement des Exumas commence au XVIIe siècle avec l'arrivée de colons, installés à Nassau, qui fuient les excès des pirates. Ils vivent de l'échouage de bateaux et de l'exploitation du sel. Bientôt ils sont rejoints par des Anglais.

George Town est fondée en 1793 pendant les années loyalistes. Certains de ces immigrants, des planteurs de coton, voyagèrent à bord du navire *Peace and Plenty*, sous la houlette de Dennis Rolle, pour acheminer leur matériel et leur personnel jusqu'aux Exumas, qui avec Cat Island et Long Island deviennent connues comme les « îles du coton ».

Ils établissent des plantations dont subsistent encore quelques ruines. Les esclaves libérés en 1834 se tournèrent vers l'agriculture et la pêche tout en réclamant les meilleurs terrains de l'île connus comme la « Generation Land ».

Quelques-unes des ruines des plantations se dressent encore sur Great et Little Exumas et, sur Crab Cay, à Elisabeth Harbour, les ruines d'une exploitation de fruits exotiques, dont le *breadfruit* rapporté de Tahiti par le capitaine Blight. Singularité locale, un habitant sur deux porte le nom de Rolle, celui de la première famille d'émigrants qui fut transmis à leurs esclaves.

A l'abolition de l'esclavage, les Rolle transmirent leurs 2 800 ha de terre sur Great Exuma à leurs esclaves. Rolleville porte encore les restes des anciens quartiers d'esclaves.

A la fin des années 1950, la construction, à George Town, de l'hôtel Peace and Plenty baptisé en souvenir du bateau des premiers émigrants, marque la naissance du tourisme à Exuma.

Plongée

Les sites de plongée se concentrent autour de Great Exuma et de ses îlots. Les spectaculaires trous bleus qui fascinent les plongeurs sont la principale curiosité de la zone.

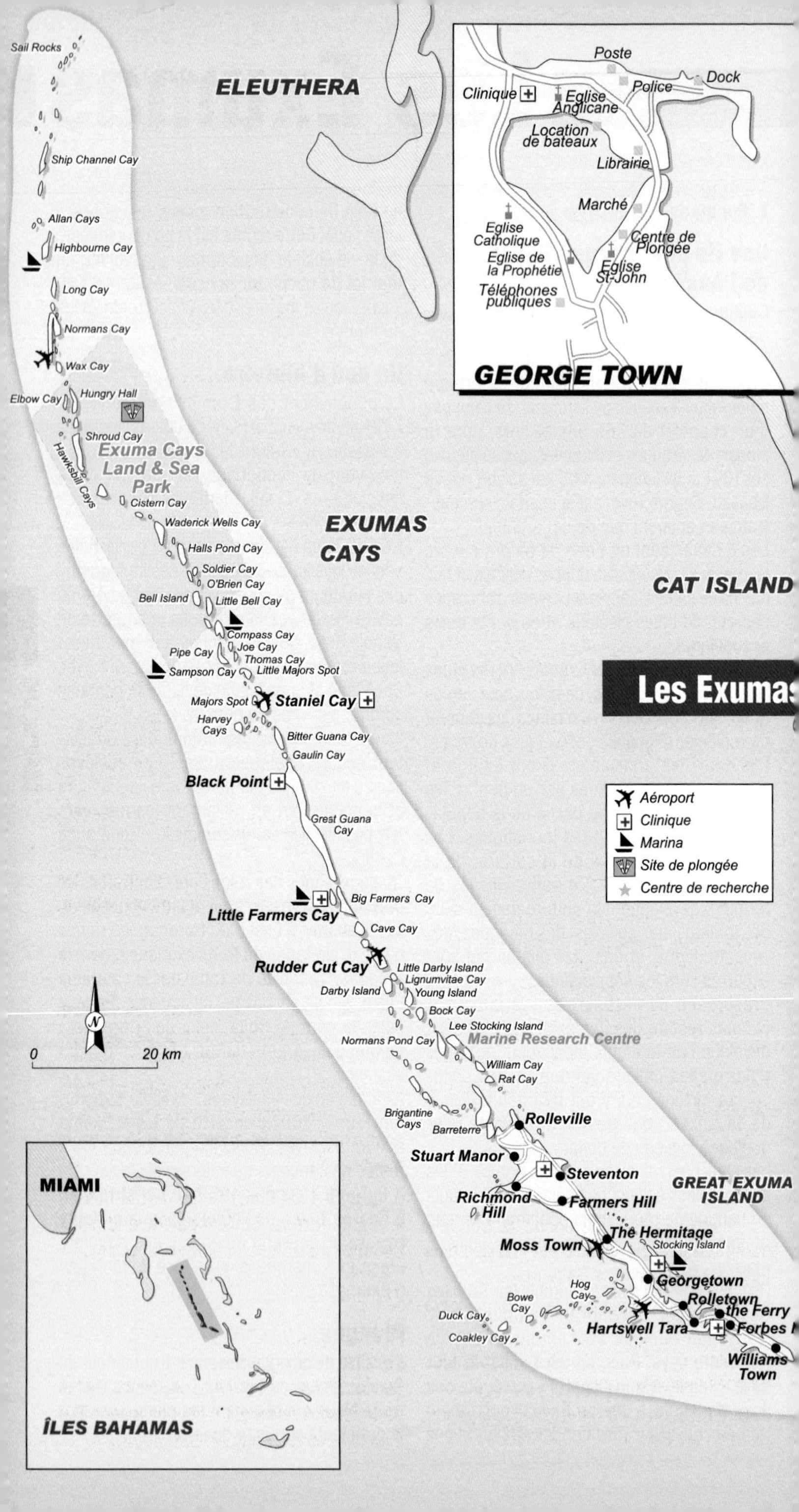
Les Exumas
ELEUTHERA
EXUMAS CAYS
CAT ISLAND
GREAT EXUMA ISLAND
GEORGE TOWN
Poste
Dock
Police
Clinique
Eglise Anglicane
Location de bateaux
Librairie
Marché
Eglise Catholique
Centre de Plongée
Eglise de la Prophétie
Eglise St-John
Téléphones publiques
Sail Rocks
Ship Channel Cay
Allan Cays
Highbourne Cay
Long Cay
Normans Cay
Wax Cay
Elbow Cay
Hungry Hall
Shroud Cay
Exuma Cays Land & Sea Park
Hawksbill Cays
Cistern Cay
Waderick Wells Cay
Halls Pond Cay
Soldier Cay
O'Brien Cay
Bell Island
Little Bell Cay
Compass Cay
Pipe Cay
Joe Cay
Thomas Cay
Sampson Cay
Little Majors Spot
Majors Spot
Staniel Cay
Harvey Cays
Bitter Guana Cay
Gaulin Cay
Black Point
Grest Guana Cay
Big Farmers Cay
Little Farmers Cay
Cave Cay
Rudder Cut Cay
Little Darby Island
Lignumvitae Cay
Darby Island
Young Island
Bock Cay
Lee Stocking Island
Normans Pond Cay
Marine Research Centre
William Cay
Rat Cay
Brigantine Cays
Barreterre
Rolleville
Stuart Manor
Steventon
Richmond Hill
Farmers Hill
The Hermitage
Moss Town
Stocking Island
Georgetown
Hog Cay
Bowe Cay
Rolletown
the Ferry
Duck Cay
Coakley Cay
Hartswell Tara
Forbes
Williams Town
Aéroport
Clinique
Marina
Site de plongée
Centre de recherche
0
20 km
N
MIAMI
ÎLES BAHAMAS

Les sites de plongée

▸ **Angelfish Blue Hole.** Le trou bleu des poissons-anges offre un réseau de grottes qui s'ouvre à 9 m et descend jusqu'à 27 m. Un trou bleu de 7 à 9 m de diamètre se dessine.

▸ **La Crevasse de Crab Cay.** C'est un trou bleu en forme de croissant, entre 4,5 m et 27 m de profondeur. On y rencontre principalement des langoustes, des raies pastenagues et des *snappers*.

▸ **Mystery Cave.** Le site offre un réseau de grottes qui descend de 5m à 30 m.

▸ **Lobster Reef.** Ce site abrite des colonies de poissons, des homards et des invertébrés.

▸ **Pagoda Reef.** On découvre des formations coralliennes spectaculaires, en forme de pagode.

▸ **Stingray Reef.** Le récif des raies pastenagues se trouve entre deux îles, dans le courant d'un chenal ; c'est un poste privilégié d'observation des poissons.

▸ **Gratis et Thunderball Cave.** C'est un des récifs les plus filmés au monde ; on y a notamment tourné plusieurs scènes de films de James Bond.

▸ **The Elkhorn Garden.** Sur ce site se déploient de gigantesques champs de coraux, dont des colonies des variétés cornes d'élan qui s'étendent jusqu'à la limite de la visibilité, à 60 m de profondeur.

▸ **Yellow Bank.** Ce site s'explore en *snorkeling*. Le plateau jaune est une zone sablonneuse dont la profondeur n'excède pas 4,5 m. Des milliers de tête de coraux de différentes espèces la composent. La vie sous-marine est riche en mérous, en homards épineux et en nuées de poisssons de récifs. Des lits de conques tapissent le sol.

Centre de plongée

■ **EXUMA SCUBA ADVENTURES**
George Town
✆ 336 2893 – www.dive-exuma.com
Centre Padi, 2 bateaux. 3 plongées quotidiennes, plongées de nuit.
Spécialisé dans l'écoplongée, le centre organise des plongées dans le respect strict de l'environnement ; l'aspect pédagogique est privilégié. Plongée enfant à partir de 8 ans. Le centre organise également des sorties de pêche.

Transports

Avion

L'aéroport mouchoir de poche se trouve à 15 km de George Town. C'est l'un des plus petits de l'archipel des Bahamas.

▸ **American Airlines** dessert George Town depuis Miami.

▸ **Bahamas Air** dessert quotidiennement les Exumas depuis Nassau.

▸ **Sky Bahamas** effectue six rotations par jour (✆ 377 8993)

Il faut compter 25 US$ en taxi pour se rendre à George Town. Les hôtels organisent des services de pick up. Staniel Cay dispose d'une piste d'atterrissage pour les avionnettes et les charters.

Ferry

▸ **Le ferry de la compagnie Fast Ferries** dessert George Town depuis Nassau. Départ le lundi et le mercredi à 7h30 de Nassau, départ le mardi et le jeudi à 12h30 de George Town. Compter 10 heures de traversée et 90 US$ pour un aller-retour adulte, 50 US$ pour un trajet simple.

▸ **Le mail-boat** GrandMaster part de Nassau le mardi et repar de George Town le jeudi. Comptez 45 US$ et 14 heures de voyage.

Vélo – Taxi

■ **THE EXUMA ACTIVITY CENTER**
16 US$ la demi-journée.
Pour se déplacer sur les îles, une bicyclette fait parfaitement l'affaire. On peut en louer à The Exuma Activity Center (✆ 336 3033).

■ LUTHER ROLLE TAXI SERVICE
✆ 345 5003
Pour se déplacer en taxi.

Pratique

■ OFFICE DU TOURISME
Un bureau, ouvert de 10 h à 17h en semaine, se trouve à George Town, en face de Saint Andrew's Anglican Church.

■ BANQUE : BANK OF NOVA SCOTIA
Ouverte du lundi au vendredi de 9h à 13h et de 15h à 17h.

■ POLICE
✆ 336 2666

**■ SERVICE MEDICAL
CLINIQUE DE GEORGE TOWN**
✆ 336 2088

Hébergement

Les ressources hôtelières consistent principalement en de petits hôtels ou auberges, certaines datant des loyalistes, dont les structures ont été restaurées.

Bien et pas cher

■ STANIEL CAY YACHT CLUB RESORT
Sur l'îlot de Staniel Cay
✆ 355 2024 – Fax : 355 2044
www.stanielcay.com
info@stanielcay.com
L'hôtel organise les transferts par bateau. A partir de 110 US$.
Huit cottages de bois aux couleurs pimpantes sont posés sur un petit bout de côte rocheuse, à proximité immédiate de la plage. Confortables, ils offrent différentes capacités et possèdent air conditionné, réfrigérateur, cafetière et terrasse. Des voiliers et des équipements de *snorkeling* sont à disposition des clients. Les repas sont servis au yacht-club. Une marina est rattachée à cet établissement.

Confort ou charme

■ BONEFISH LODGE
www.ppbonefishlodge.com
info@ppbonefishlodge.net
Compter 845 US$ par personne, sur la base de deux personnes, pour deux jours de pêche et trois nuits.
L'hôtel se trouve sur une péninsule, dans les *flats* au sud de l'île. Il offre un confort plus simple et accueille une clientèle de pêcheurs. Les 8 chambres sont très agréables et équipées de ventilateurs et de TV. Le *lodge* fonctionne en formule pension complète. Des guides expérimentés accompagnent les pêcheurs en journée.

■ CLUB PEACE AND PLENTY
✆ 336 2551 – Fax : 359 5250
www.peaceandplenty.com
info@peaceandplenty.com
Le complexe Peace and Plenty propose 3 formules sur différents sites à partir de 180 US$ la chambre.
Le Club est l'un des pionniers et une institution de l'île. Il se trouve au cœur du village, en bordure de l'eau, mais ne possède pas de plage. Un ponton permet aux bateaux d'accoster. Une navette conduit deux fois par jour à une plage idyllique, aménagée sur l'îlot tout proche de Stocking Island. Les 32 chambres (dont 3 suites de 2 chambres) possèdent air conditionné, TV, mini réfrigérateur et, pour la plupart, une vue sur la mer et sur le Port Elizabeth Harbour. Le restaurant gourmet est un des plus réputés de la ville. Les bars, Pool Deck et Slave Kitchen sont très fréquentés le soir. Les activités proposées sont nombreuses : pédalos, *snorkeling*, excursions dans les îles… Deux fois par semaine, le Club organise un cocktail pour ses hôtes.

■ COCONUT COVE
George Town
✆ 336 2659 – Fax : 336 2658
www.ExumaBahamas.com/coconutcove.html
A partir de 130 US$ la chambre.
Nichées dans un décor de jardin tropical, ce sont 13 chambres et une suite – la paradise suite – avec Jacuzzi et terrasse donnant sur une large baie ; les chambres sont bien équipées (air conditionné, TV, minibar) et joliment décorées. Plage, belle piscine ombragée de cocotiers avec solarium qui domine la mer. Le restaurant raffiné propose une cuisine gourmet avec des spécialités italiennes et bahaméennes orientées vers les produits de la mer ; la carte change chaque jour. Des paniers pique-nique sont préparés à la demande pour le déjeuner ; un bar élégant propose une belle carte de cocktails.

■ HOTEL HIGGINS LANDING
George Town
✆ 357 0008 – Fax : 336 2460
www.higginslan ding.com
stockisl@aol.com

A partir de 220 US$ en demi-pension.
Un petit hôtel qui se veut écologique avec seulement 5 cottages charmants, dans une atmosphère très intime. La propriété borde une petite plage de sable fin. La cuisine gourmet est servie sur une terrasse romantique qui domine la plage.

■ **REGATTA POINT**
George Town
✆ 336 2206
Fax : 336 2046
www.regattapointBahamas.com
Six appartements spacieux et bien équipés, à partir de 125 US$, situés sur un îlot, tout près du marché de la paille et du centre de George Town. Les terrasses donnent sur le port. L'hôtel possède son morceau de plage privée, un ponton, et met à disposition des bicyclettes. Pas de service de restauration.

Luxe

■ **VILLAS DE FEBRUARY POINT**
✆ 327 1567 – Fax : 327 1569
www.februarypoint.com
De 500 US$ la nuit pour une villa avec deux chambres, en basse saison, à 2 100 US$ pour une villa avec quatre chambres, en haute saison.
Voilà une autre façon de se loger, et pas des moins agréable. Toutes les villas de February Point ont vue imprenable sur la mer et font partie d'une propriété où vous aurez accès aux plages, aux courts de tennis, au Spa, au centre de fitness. Une marina et un bon restaurant seront également à votre disposition.

■ **VILLAS DE GRANDE ISLE**
✆ 358 5000
www.grandeisleresort.com
reservations@grandeisleresort.com
De 285 US$ la nuit pour une villa avec une chambre en basse saison à 1340 US$ pour une villa avec quatre chambre et vue sur mer en haute saison.
Très belle adresse !

Restaurants

Outre les restaurants des hôtels, quelques modestes tables locales offrent au visiteur une cuisine bahaméenne sympathique.

■ **CHEATER'S RESTAURANT**
Rolle Town
✆ 336 2535
Cuisine familiale locale. Pour découvrir les ragoûts de poisson ou de mouton.

■ **IVA BOWE'S**
✆ 345 7014
Situé à 14 km au nord de George Town, le restaurant est réputé pour ses spécialités de *conches*.

■ **TOWN CAFE**
Rolle Town
✆ 336 2194

■ **TRAVELLER'S RESTAURANT**
A l'entrée du village de Rolle Town
Pour passer des soirées dans une ambiance très locale autour du billard. Piste de danse animée en fin de semaine.

Points d'intérêt

■ **THE EXUMA NATIONAL LAND AND SEA PARK**
Le parc terrestre et marin, géré par le Bahamas National Trust occupe une surface de 280 km^2 ! Cette zone est un refuge d'espèces protégées qui est accessible uniquement par la mer. Côté terre, oiseaux rares, reptiles tropicaux, espèces de fleurs extraordinaires. Côté mer, spectaculaires récifs coralliens, jardins de corail, grottes et cavernes, trous bleus, la vie sous-marine est intense. Paradis des amateurs de plongée en bouteille ou simplement armés d'un masque et d'un tuba. Le commandant Cousteau a souvent filmé les récifs de cette zone. Les scientifiques viennent nombreux pour y étudier les plus vieilles formations coralliennes du monde, les coraux « stromatolite » de Stocking Island, dont l'origine remonte à 3,5 billions d'années, pour en déterminer la composition. Ils sont formé d'amas de minuscules bactéries, les *Cyanobacteria*, qui emprisonnent le sable pour en faire de minces couches de calcaire.

■ **FERRY**
Petit hameau à flanc de colline.
Juste après le pont de Great Exuma.
Ferry ne mérite d'être visité que pour son musée tenu par celle qui est connue comme « Shark Lady ». Gloria Patience est une célébrité locale qui a créé une collection d'objets et de bijoux faits avec les arêtes et les dents des requins qu'elle a attrapés. Pendant de longues années, cette octogénaire d'origine irlandaise a été le capitaine d'un bateau à l'équipage féminin, et elle pêchait le requin dans les eaux des Exumas, vendant les machoires aux touristes.

■ GEORGE TOWN

La capitale de l'île est une paisible bourgade en forme de boucle, dont l'unique rue encercle un étang appelé le lac Victoria. Il n'y a pas grand-chose de notable dans ce petit port où la vie s'écoule au ralenti. Les habitations s'étagent à flanc de colline, ombragées de cocotiers. Le tropique du Cancer traverse le village. Au cours d'une balade, on remarquera la Saint Andrew's Anglican Church, la majesté de l'édifice gouvernemental néoclassique, avec ses colonnes blanches en front de mer, et le quai, Governement Wharf, où se concentre l'activité diurne à l'arrivée des mail-boats et des bateaux de pêche.

■ ROLLE TOWN

A 7 km au sud de George Town.
C'est un village typique des Exumas, où les fermiers vivent de la culture des oignons, des mangues et des bananes. Il était autrefois la propriété d'un loyaliste, lord Rolle, qui légua la terre à ses esclaves. Le village a hérité du nom de son ancien propriétaire et beaucoup d'habitants portent encore ce patronyme.

■ STANIEL CAY

Abrite la fameuse grotte marine, Thunderball, qui vit le tournage de *Thunderball*, de *Jamais plus jamais* et de *Splash*.

■ WILLIAM'S TOWN

Se trouve à la pointe sud de Little Exuma Dans cette région pousse du coton sauvage, ébouriffant le paysage de touches blanches. Non loin de là subsistent les vestiges de la plantation la mieux préservée des Exumas, l'Hermitage, ancien lieu de culture du coton, dont les ruines rappellent les temps lointains de l'esclavage. On peut la visiter ainsi que les restes des quartiers des esclaves.

Sports et loisirs

■ ROLLE'S CHARTERS

✆ 358 0023
Sorties de pêche au gros.

■ THE STARFISH EXUMA ACTIVITIES CENTER

✆ 336 3033
www.kayakbahamas.com
Cette agence propose des locations de VTT, du kayaking, des excursions en bateau et de la voile. Des visites de découverte écologique, culturelle, historique, de l'île et de sa culture sont également proposées.

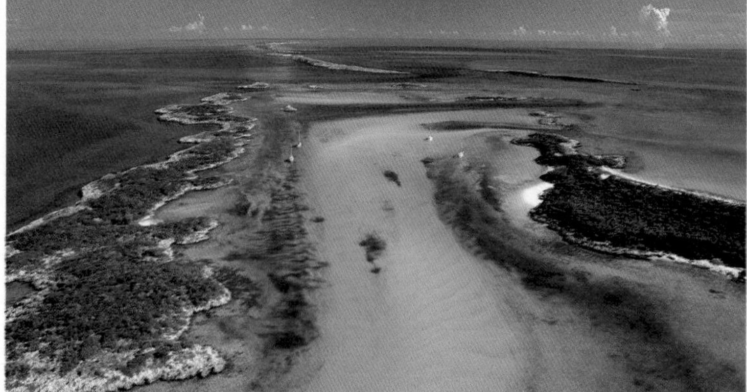

Exumas Cays

Ragged Island et Long Island

RAGGED ISLAND

- **Population :** 50 hab.
- **39 km².**

Sauvage et sèche, balayée par le vent, l'île est très peu visitée. Duncan Town en est le principal établissement. Ses habitants sont réputés pour leurs talents de navigateurs.

La plongée

- **Fringing Reef.** Le tombant frangeant se déploie sur 80 km de longueur. D'énormes plates-formes de corail, des colonies de poissons de récifs, des langoustes et des mérous y ont élu domicile.

LONG ISLAND

- **Population :** 3 404 hab.
- **Superficie :** 1 000 km².

La spectaculaire

Cette île, longue de 128 km pour seulement 6 km au plus large, est traversée par le tropique du Cancer. Elle se trouve au sud-est de l'archipel des Exumas.
Ile à forte personnalité, elle présente deux côtes fort contrastées. La côte ouest, sous le vent, affiche de belles plages dolentes, propices au farniente, comme la belle plage du Cape Santa Maria, tandis que la côte est, la côte au vent, rocheuse, accidentée et découpée, possède des falaises qui tombent abruptement dans la mer, dessinant des grottes qui se perdent dans la profondeur de l'océan. Dans le nord, des collines pentues ponctuent le paysage, tandis que le sud-est est doucement ondulé.
L'île est desservie sur toute sa longueur par le Queen's Highway qui la parcourt sur quelque 120 km ponctués d'une quarantaine de villages et de hameaux pittoresques dominés de petites églises, anglicanes et catholiques.
Peu développée touristiquement, Long Island offre en conséquence peu d'infrastructures. On peut, en revanche, y voir des grottes séculaires avec des traces de la civilisation précolombienne, des villages pittoresques, des églises traditionnelles, des ruines de plantations, témoignages de la période coloniale. Deux événements sportifs majeurs jalonnent l'année, le Bahamian Outer Islands International Gamefish Tournament, en mars, et la Annual Long Island Regatta, régate annuelle de Long Island, réservée aux sloops locaux qui a lieu fin mai.

Un peu d'histoire...

Christophe Colomb et ses compagnons découvrirent cette île au cours de leur troisième voyage vers les Indes. Selon son habitude, le Grand Amiral changea le nom originel de l'île, Yuma, pour la baptiser d'un nom espagnol Fernandina. Ils la délaissèrent, car elle ne présentait pas d'intérêt économique.
Les loyalistes y établirent des plantations de coton. C'est ainsi qu'elle appartint au trio des îles du coton, avec ses voisines, Cat Island et les Exumas.
Malheureusement, les plantations périclitèrent rapidement à cause d'un sol pauvre et également suite à une invasion de chenilles voraces qui détruisirent les plants rapportés du sud de l'Amérique du Nord.
Aujourd'hui, des fermes continuent à exploiter la terre et Long Island est réputée pour ses légumes et son bétail qu'elle « exporte » vers d'autres îles.

La plongée

A Long Island, la nature sous-marine est intacte, peu touchée par les phénomènes de pollution, les eaux sont très limpides, et la fréquentation des sites de plongée est réduite. Les sites sont variés et riches. Les requins affectionnent les eaux du coin.

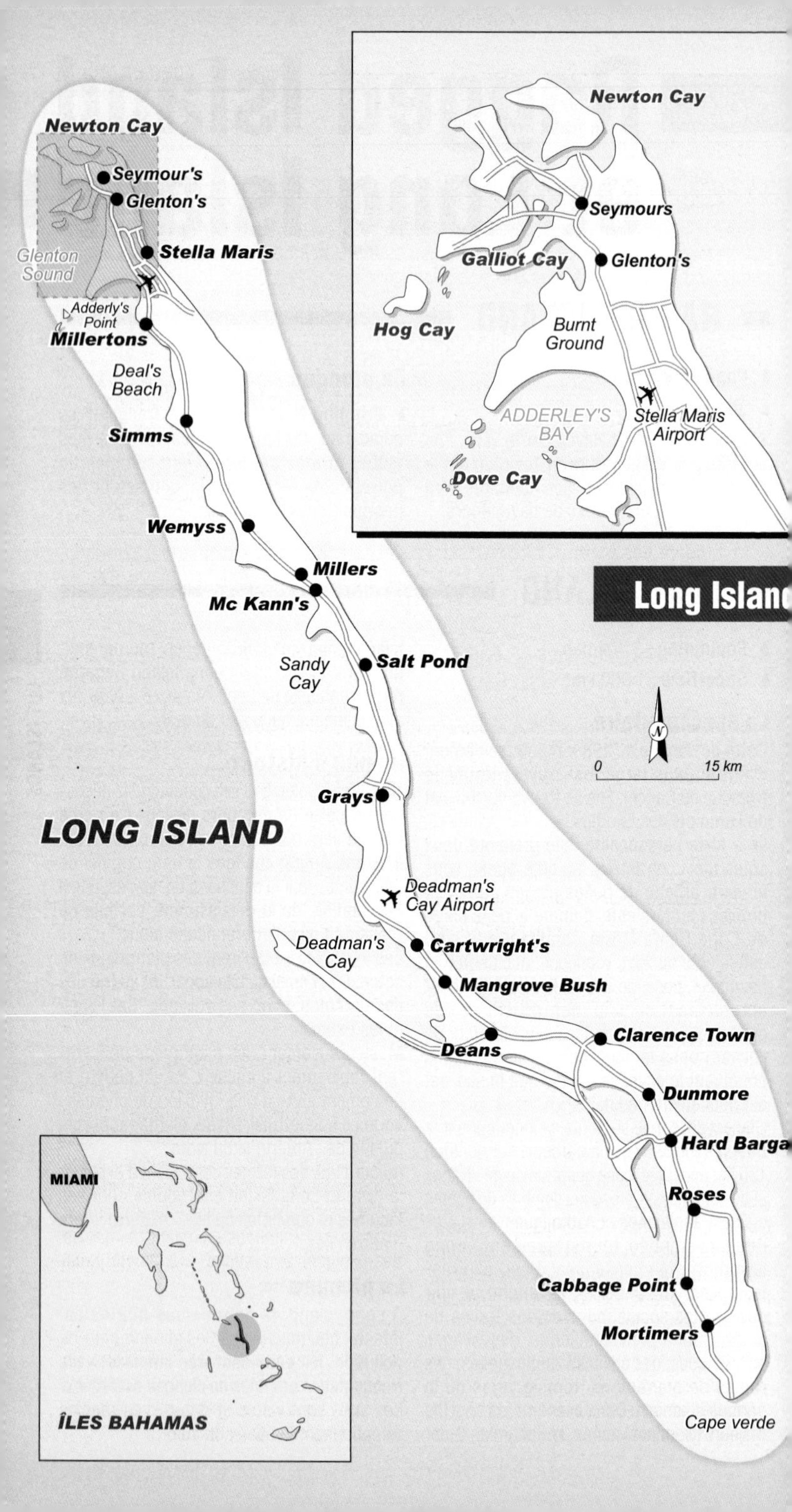

Newton Cay
Seymour's
Glenton's
Stella Maris
Glenton Sound
Adderly's Point
Millertons
Deal's Beach
Simms
Wemyss
Millers
Mc Kann's
Sandy Cay
Salt Pond
Grays
LONG ISLAND
Deadman's Cay Airport
Deadman's Cay
Cartwright's
Mangrove Bush
Deans
Clarence Town
Dunmore
Hard Barga
Roses
Cabbage Point
Mortimers
Cape verde
Newton Cay
Seymours
Galliot Cay
Glenton's
Hog Cay
Burnt Ground
ADDERLEY'S BAY
Stella Maris Airport
Dove Cay
Long Islanc
N
0
15 km
MIAMI
ÎLES BAHAMAS

Les sites de plongée

▶ **Le Récif de Southampton.** Il se situe à Conception Island, entre 6 m et 9 m de profondeur, c'est donc plutôt un site de *snorkeling*, mais il atteint les 28 m. Le récif massif se constitue de massifs coraux cornes d'élan et cornes de cerf qui recouvrent les restes de quelque 150 épaves. Le site abrite une multitude de poissons de récifs qui s'ébattent en un ballet somptueusement coloré.

▶ **Le Mur de Rum Cay.** Cette plongée, qui démarre à partir de 12 m, offre un tombant qui descend dans les abysses.

▶ **Le Tombant de Conception Island.** Le tombant plonge à partir de 14 m jusqu'à 1 800 m, c'est l'un des plus beaux murs des Caraïbes, se déroulant sur quelque 5 km de longueur. De nombreuses espèces d'éponges et de coraux en tapissent la surface. Le tombant reste en grande partie inexploré.

▶ **Comberbach Wreck.** Le site se trouve à la pointe nord de l'île. Cette épave, échouée par 27 m de fond, montre encore une timonerie intacte et les restes d'un autobus qu'il transportait. Elle fut coulée intentionnellement en 1985 pour créer un récif artificiel et un nouveau site de plongée.

▶ **La Vallée des mérous.** Des montagnes sous-marines se dressent entre 12 m et 25 m de profondeur, dessinant une géographie tourmentée. Elles sont visitées par des colonies de mérous, notamment en novembre.

▶ **Le Tombant du Nord.** Le site se caractérise par de belles colonies de corail noir et de profondes crevasses. Le mur se dessine à 30 m et descend jusqu'à 40 m de profondeur.

▶ **Le Récif des requins.** A 10 m de profondeur rôdent des requins de récifs qui attendent les photographes pour prendre la pose et être nourris. Les requins savent reconnaître le bateau de plongée qu'ils accueillent d'un ballet d'ailerons.

▶ **Le Village des mérous.** Sur ce site se dresse une formation corallienne tout en éperons et en failles, habitée de mérous habitués à la visite des plongeurs et quasiment apprivoisés, qui attendent d'être nourris. En novembre, les mérous viennent pondre sur ce site.

▶ **Le Cimetière de bateaux de Cape Santa Maria.** Sur ce site se trouvent deux bateaux, l'un coulé volontairement pour créer un site de plongée sécurisé et un bateau de plaisance coulé accidentellement, qui reposent à 32 m de profondeur.

▶ **Coral Gardens.** A 10 m de profondeur, de belles colonies de coraux de différentes espèces.

▶ **Barracudas Heads.** Le site est intéressant pour sa vie sous-marine et permet de découvrir les mérous, les poissons-soldats, et les barracudas.

Les centres de plongée

■ **CAPE SANTA MARIA DIVE CENTER**
Stella Maris
© 338 5273 – Fax : 338 6013
www.capesantamaria.com
capesm@ direcway.com
Centre affilié Padi. 2 plongées le matin, 1 plongée l'après-midi, 1 plongée de nuit. Deux bateaux de 4 et 14 passagers, 2 instructeurs. Plongée à la carte, plongée avec les requins. Forfaits avec le *resort* Cape Santa Maria.

■ **STELLA MARIS RESORT**
© 338 2052 – Fax : 338 2058
www.stellamarisresort.com
info@stellamarisresort.com
Centre affilié Padi et SSI, intégré au complexe du même nom. Trois plongées quotidiennes, plongées de nuit. Trois instructeurs, quatre bateaux de 4, de 10 et de 18 passagers. Plongée avec les requins, plongée sur Conception Island et près des îlots éloignés, plongée sur épaves, sont les points forts du centre. Plongées de nuit organisées sur demande. Le centre organise des plongées en combiné avec l'hôtel Small Hope Bay à Andros.

Transports

Les deux aéroports de l'île, Stella Maris (en réfection lors de notre passage) et Deadman's Cay, sont desservis par Bahamasair quotidiennement (aux alentours de midi).

Église à Long Island

ISLAND WINGS
✆ 338 2022
www.islandwingscharter.com
islandwings@ hotmail.com
Cette compagnie offre des vols charters de 5 passagers entre Nassau et Long Island.

PINEAPPLE AIR, CHARTER SERVICE ET SOUTHERN AIR
✆ 377 0140
Ces compagnies offrent le même type de service.

M/V ISLAND LINK
Compter 50 US$ le trajet.
Le mail-boat dessert Salt Pond, au centre de l'île, une fois par semaine (12 heures de trajet) ainsi que Clarence Town, plus au sud.

Pratique

LA BANK OF NOVA SCOTIA
Près de la marina de Stella Maris, sur la route principale.
Ouvert du lundi au jeudi, de 9h à 13h, et le vendredi, de 9h30 à 17h.
La banque dispose d'un distributeur de dollars bahaméens, pratique si vous êtes coincés. Autre agence à Buckley's, au sud de l'île.

LA ROYAL BANK OF CANADA
Deux agences, à Grays et à Cartwright's. Distributeur de billets.

POLICE
Deadmans Cay ✆ 337 0999, 338 8555

Hébergement

Il faut noter que les hôtels sont assez distants les uns des autres. L'île compte peu de restaurants, les principaux étant ceux des hôtels.

CAPE SANTA MARIA BEACH RESORT
✆ 338 5273 – Fax : 338 6013
www.capesantamaria.com
resort@capesantamaria.com
A partir de 200 US$.
L'hôtel est superbe et luxueux ; il fait face à la plage du Cape Santa Maria, du côté de la côte sous le vent, dans un décor idyllique. Les chambres spacieuses, à la décoration plutôt neutre, avec air conditionné, ventilateur et terrasse, sont réparties dans dix villas. L'hôtel offre un beach house avec un centre de fitness, un salon TV, une bibliothèque. De nombreuses activités sportives (plongée, pêche, planches à voile, volley, catamarans, bicyclettes) sont proposées. Service de laverie et boutique.

CHEZ PIERRE
Miller's Bay
✆ 338 8809
www.chezpierrebahamas.com
A partir de 140 US$ par nuit, en demi-pension.
La propriété est située entre Stella Maris et Deadman's Cay. Transfert à l'hôtel : 35 US$ depuis Stella Maris et 60 US$ depuis Deadman's Cay. Voilà une des rares adresses francophones des îles. La propriété égrène ses 6 villas en bordure d'une plage superbe et intime. Spacieuses, bien décorées

Cape Santa Maria

(équipées d'une salle de douche, de ventilateurs), jouissant d'une grande véranda, elles peuvent abriter 2 personnes. On peut, au choix, prendre ses repas au restaurant, autour d'une table d'hôtes d'une cuisine française préparée par le propriétaire, ou demander des paniers repas. Location de voitures possible (60 US$ par jour) et organisation de parties de pêche à la mouche dans les *flats*.

■ ELLEN'S INN

Deadman's Cay
✆ 337 1086 – Fax : 337 0333
ellensinn@batelnet.bs
A partir de 75 US$ pour deux, petit déjeuner inclus.
Bien située à Deadman's Cay, à quelques minutes de l'aéroport, la pension offre 9 chambres, simples et doubles, et un cottage de deux chambres. Toutes possèdent air conditionné, TV, téléphone. Une cuisine commune bien équipée est à la disposition des hôtes qui veulent concocter leurs propres repas. Service de location de voiture, multiples activités proposées.

■ GEMS AT PARADISE BEACH RESORT

Clarence Town
✆ 337 3019
www.gemsatparadise.com
gemsatparadise@batelnet.bs
65 US$ par chambre.
Une grande maison, à la haute stature et à l'allure britannique, domine le port et le village d'un côté et de l'autre un jardin qui descend vers la mer. 16 chambres et suites confortables avec cuisine, à la décoration soignée. Location de bicyclettes, bibliothèque et activités nautiques proposées.

■ GREENWICH CREEK LODGE

Clarence Town
✆ 337 6278 – Fax : 337 6282
www.greenwichcreek.com
greenwichcreek@yahoo.com
A partir de 150 US$ la chambre.
Avec des allures de motel, le double édifice n'est pas spécialement charmant. Pourtant, les 12 chambres y sont agréables, bien meublées et décorées avec goût (avec air conditionné et ventilateur). Une petite piscine et un restaurant complètent ces services. Clientèle fidèle de pêcheurs.

■ STELLA MARIS RESORT

✆ 338 2051 – Fax : 338 2052
www.stellamarisresort.com
smrc@stellamarisresort.com
A partir de 120 US$ et jusqu'à 500 US$.
La propriété est nichée dans un vaste jardin tropical fleuri, planté de grands arbres. Elle compte 24 chambres et 18 suites, réparties dans des villas et des bungalows (air conditionné, ventilateur, réfrigérateur, terrasse). Trois piscines, salon-bar, bibliothèque à disposition et 3 plages privées.
Un service de navettes dessert le Cape Santa Maria. Voile, *snorkeling*, plongée, pêche, vélos.

Ancien cimetière à Long Island

Balade du nord au sud

Une balade le long du Queen's Highway offre de superbes points de vue sur l'océan et l'occasion de découvrir un visage moins connu des Bahamas, celui des îles traditionnelles restées à l'écart de la frénésie touristique.

A l'extrémité nord, le Cape Santa Maria, frangé d'une immense plage baignée d'eaux turquoise peu profondes, est le coin le plus prisé des visiteurs, c'est aussi là que se concentrent les infrastructures touristiques les plus importantes. Il fut ainsi baptisé par Christophe Colomb qui y fit halte au cours de son troisième voyage vers les Indes. Un petit sentier non asphalté mène à la Colombus Cove, au nord du Cape Santa Maria Resort. La baie est magnifique avec une anse bien protégée qui permit aux Espagnols de faire relâche ; une stèle commémore le débarquement des conquistadors. Vers Stella Maris, vous pourrez visiter les ruines de la plantation Adderley. Cette ancienne plantation de coton a été restauré et est un des sites historiques de l'île. A quelques kilomètres au sud du cap se trouve Stella Maris, la localité la plus importante pour l'économie locale. C'est une bourgade résidentielle qui s'étire sur 2 km le long du rivage ; c'est aussi le centre de ralliement des amateurs de plongée et de pêche au gros. C'est là que se situe le principal aéroport de l'île. La large baie peu profonde offre de bonnes possibilités de pêche dans les *flats*. Le complexe du Stella Maris Resort domine le village. Il abrite l'un des meilleurs centres de plongée des Bahamas.

▶ **L'intérieur de l'île** est ponctué de collines et de carrières de calcaire qui rejoignent la mer. A 13 km de Stella Maris Resort se trouve le paisible village de Simms, le plus vieil établissement de Long Island. Il possède beaucoup de charme avec ses bicoques de bois aux jolies couleurs, cernées de murets blancs. A la sortie sud du village, la plage de Deal's Beach, avec le beach-club du Stella Maris Resort. Un peu plus loin la belle plage de Mac Kann's Bay sur la côte ouest, avec des lagons cernés de hautes dunes où se retrouvent des centaines d'oiseaux.

▶ **16 km au sud de Simms,** on traverse Salt Pond ; c'est là qu'a lieu, au mois de mai, la régate qui réunit les sloops de facture locale de toutes les îles. C'est le plus grand événement de Long Island. Deadman's Cay se trouve à 56 km au sud de Stella Maris. La bourgade, qui abrite l'essentiel de la population locale, s'étire le long du Queen's Highway sur plusieurs km. Là se concentrent boutiques, églises et écoles. Le second aéroport de l'île se trouve à proximité. Non loin du centre se trouvent les ruines d'une ancienne plantation.

▶ **Au sud du village,** on peut visiter les Cartwright's caves, une enfilade de grottes ornées de stalagmites et de stalactites, autrefois habitées par les Indiens lucayans. On y a identifié des pictogrammes précolombiens. Les chauves-souris ont remplacé les Lucayans et sont désormais les habitants officiels des grottes. Un peu plus au sud, une des curiosités locales est le studio de poterie de Wild Tamarind Pottery dans le village voisin de Pettys. Denis Knight, qui s'est installé aux Bahamas dans les années 1960 pour y enseigner l'art, est un artiste reconnu. Il a réalisé plusieurs fresques murales en céramique pour décorer des bâtiments officiels. Il travaille dans cet atelier à de jolies miniatures de céramique qui reproduisent les maisons traditionnelles des îles. Il crée également des céramiques, pour la table et la décoration, représentant des objets précolombiens, des personnages du *Junkanoo*. On peut acheter sur place les créations présentées.

▶ **Non loin du village de Pettys** se trouve la grotte Hamilton, la plus vaste des Bahamas. Clarence Town est sans doute le village le plus pittoresque de l'île. La vie tourne autour du port et du quai, cœur battant du village. Les bâtiments administratifs se remarquent. Le bourg est célèbre pour ses deux églises construites par le père Jérôme qui, une fois leur édification terminée, se retira pour finir ses jours en ermite sur l'île de Cat Island. Saint-Paul est une église anglicane quand Saint-Peter est catholique et le père la bâtit après sa conversion au catholicisme. Les deux églises se ressemblent et ont un air de famille avec les missions blanches construites par les Espagnols le long de la côte californienne au XVIIIe siècle.

▶ **Encore plus au sud** se rencontrent encore trois églises bâties par le père Jérôme et les vestiges de la plantation fruitière Dunmore, qui appartenait à l'ancien gouverneur des Bahamas dont elle porte le nom. Aux abords de la côte ouest, on distingue des étangs d'eau salée qui servaient de marais salants jusque dans les années 1970 ; leur exploitation est aujourd'hui arrêtée. Le Cape Verde marque l'extrême-sud de Long Island.

Cat Island

Population : 1 678 hab.

La belle assoupie

Située à 130 miles au sud-est de Nassau, voisine de San Salvador, Cat Island s'étire sur 80 km de long pour 6,5 de large, dans un axe nord-sud. Cette petite île, la sixième par la taille, est l'une des plus charmantes de l'archipel. Ce fut le repaire du pirate anglais Arthur Catt qui y aurait enfoui des trésors qui restent encore à mettre au jour. Certains lui attribuent le nom de l'île.

Réputée pour sa beauté et sa quiétude, cette île de Robinson, une des plus belles de l'archipel, est un véritable havre de tranquillité, ponctué de hameaux de pêcheurs et de fermiers, dominés de petites églises touchantes de modestie.

On devine encore, par endroits, les ruines d'anciennes plantations et de maisons, datant du XIXe siècle, ainsi que des traces de cultures indiennes qui n'ont pas encore été mises au jour par les archéologues. Plus fertile que ses voisines, l'île possède de riantes collines, des forêts de pins denses et des kilomètres de plages magnifiques et absolument désertes.

Cat Island possède trois titres de gloire. Elle est fière d'abriter le plus haut sommet des Bahamas, le mont Alvernia, qui culmine glorieusement à 63 m d'altitude. Le père Jérôme y fit bâtir un minuscule monastère, connu sous le nom de l'Hermitage.

Par ailleurs, elle s'enorgueillit d'être le lieu de naissance de l'acteur Sidney Poitier qui fut le premier acteur noir à être oscarisé (voir rubrique « *Enfants du Pays* »). Cet illustre enfant du pays, qui réside désormais à Nassau, est aujourd'hui l'ambassadeur des Bahamas auprès de l'Unesco. Enfin, l'île est réputée pour ses musiciens inventifs qui jouent avec des instruments imaginés à partir de détournements d'objets.

Les orchestres improvisés de *rake'n scrape* se rencontrent au détour d'un bar perdu, en fin de semaine. Le festival de musique, le Cat Island Rake and Scrape Musical Festival, attire les amateurs chaque année au mois de juin.

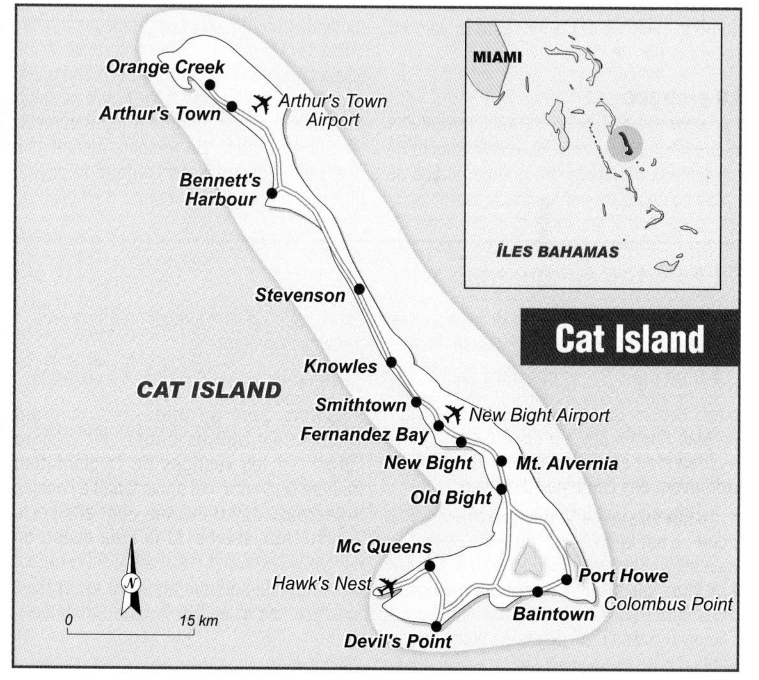

En août, la Annual Cat Island Regatta voit s'affronter les voiliers. Le littoral est contrasté, la côte nord est sauvage et peu fréquentée, la côte sud, face au Bahama Bank, est paisible. Côté plage, Cat Island possède sa « Pink Sand Beach », une magnifique plage de sable rose, longue de 12 km. Fernandez Beach est une magnifique plage de sable blanc en demi-lune. Le tourisme est peu développé à Cat Island et les possibilités d'hébergement sont restreintes.

Transports

Avion

Les deux aéroports, The Bight et Arthur's Town, accueillent le vol de Bahamasair trois fois par semaine (lundi, jeudi, samedi) et celui de Cat Island Air en provenance de Nassau. Sky Bahamas effectue aussi quelques liaisons.

Bateau

LE FERNANDEZ BAY

Compter 45 US$ la traversée.

Deux mail-boats desservent Cat Island, depuis Nassau le mardi avec arrivée le mercredi, retour le jeudi pour l'un et le dimanche pour l'autre. Durée du voyage environ 12 heures. L'île ne compte pas de transport en commun, et seulement quelques taxis. La meilleure solution pour se déplacer reste le vélo et, pourquoi pas, le stop.

La plongée

Les sites de plongée sont variés, offrant des récifs protégés en eaux peu profondes et de vertigineux tombants. De grands jardins de corail se déploient sur les fonds sablonneux.

Les centres de plongée

CAT ISLAND DIVE CENTER GREENWOOD BEACH

Port Howe
✆ 342 3053 – Fax : 342 3053
www.greenwoodbeachresort.com
info@greenwoodbeachresort.com
Centre affilié Padi, 2 à 3 plongées quotidiennes, plongées de nuit, 2 instructeurs, 2 bateaux de 12 passagers. Plongées à la carte. Forfaits avec le *resort*.

DIVE CAT ISLAND SCUBA CENTER

Hawk's Nest Resort
✆ 342 7050 – Fax : 342 7051
www.hawks-nest.com
info@hawks-nest.com
Centre affilié Padi, il est situé à proximité immédiate de nombreux sites de plongée. 2 ou 3 plongées quotidiennes. 2 instructeurs, 2 bateaux de 7 passagers. Plongées à la carte, tombants et grottes. Forfaits avec le Hawk's Nest Resort dans lequel le centre est situé.

ARTHUR'S TOWN

Le petit village ne compte que quelques modestes boutiques et des maisons d'habitation de cultivateurs. Mais son orgueil réside ailleurs que dans son allure sans grand relief, car c'est le village qui a vu naître la seule véritable star que comptent les Bahamas, Sir Sidney Poitier. On imagine aisément à quel point l'itinéraire de l'enfant du pays a dû être complexe et parsemé d'embûches,

Les sites de plongée

- **First Basin Wall.** Le mur du premier bassin est un spectaculaire tombant qui s'enfonce de 30 m à 60 m. Des colonies de raies et de requins le visitent.
- **Blue Hole.** Sur le Bahamas Banks, un trou bleu où évoluent des bancs de poissons multicolores, des requins de récifs et de spectaculaires mérous.
- **The White Hole Reef.** Ce site présente un phénomène particulier aux îles : des dépressions circulaires dans les fonds calcaires forment des bassins plats entourés de monticules de corail de différentes espèces. Des colonies de poissons y vivent.
- **Tunnels.** Une formation corallienne avec des tunnels que l'on peut atteindre depuis la plage. Les tunnels commencent en eau peu profonde et descendent à travers une série de fissures, de canyons et de crevasses, jusqu'à un jardin de corail à 9 m de profondeur.
- **The Third Basin Reef Wall.** Plongée profonde, ce site se situe entre 30 et 40 m. Le décor sous-marin est fantastique : éponges géantes et multicolores et énormes buissons de corail noir cohabitent.

des modestes fermes des membres de sa famille aux néons de New York. L'acteur a d'ailleurs raconté, dans son autobiographie, son enfance à Arthur's Town et son parcours jusqu'aux studios d'Hollywood.

■ **SAMMY T'S**
Bennet's Harbour
✆ 354 5009 – Fax : 354 5010
www.sammytbahamas.com
Compter de 145 US$ à 265 US$ selon la vue et la saison. Fermé du 1er septembre au 15 octobre.
Le *resort* propose plusieurs bungalows dans un cadre idyllique. Plage privée, jardin botanique et collection d'art bahaméen dans le restaurant de l'établissement vous aideront à passer un séjour des plus agréable.

THE BIGHT

C'est là qu'atterrissent les avions en provenance de Nassau, dans un aéroport minuscule. Le village concentre tout ce que l'île compte de vie sociale et économique. L'activité est fort réduite et les quelques touristes en donnent le rythme. L'essentiel des possibilités d'hébergement et de restauration de l'île se concentre dans cette zone.

Hébergement

■ **BRIDGE INN**
✆ 342 3013 – Fax : 342 3041
www.catislandbridgeinn.com
Compter 140 US$ la chambre.
Les 12 chambres sont abritées dans un édifice de plain-pied, moderne et fonctionnel, encadré d'un petit jardin. Confortables, elles possèdent air conditionné et TV. Le restaurant sert tous les repas. Il est réputé pour ses pizzas et ses excellentes recettes de poissons.

■ **FERNANDEZ BAY VILLAGE**
✆ 342 3043 – Fax : 342 3051
www.fernandezbayvillage.com
catisland@fernandezbayvillage.com
A partir de 190 US$ par nuit, hors repas.
Le *resort* se trouve juste au nord de l'aéroport. Il s'étend le long d'une magnifique baie courbe au sable blanc léché par l'océan. C'est une bonne option pour des vacances au grand calme, dans une ambiance familiale et décontractée. 8 bungalows de 4 à 6 personnes et 6 bungalows individuels avec une chambre double ponctuent la plage du complexe sur laquelle ils donnent directement. Pierres, bois, toits de palmes et décoration rustique et de bon goût, salle de bains ouverte, pour certains, leur donnent un charme tout particulier. Tous baptisés de noms évocateurs, ils sont équipés de cuisine pour les plus grands, et de terrasse et de jardin privatif. Le restaurant propose une cuisine qui varie en fonction des ressources du jour, poissons, légumes et fruits locaux. Canoës, kayaks, palmes et tubas sont à la disposition des hôtes, bicyclettes et bateaux à louer.

Restaurants – Sortir

■ **BACHELOR'S REST**
Ici les spécialités de *conches* sont de rigueur.

■ **BLUEBIRD CAFE**
Un modeste restaurant qui sert une cuisine locale épicée.

■ **FIRST AND LAST CHANCE BAR**
Un bar à l'ambiance locale pour se désaltérer d'une bière dans une ambiance qui n'a rien de surfait.

■ **SAILING CLUB**
Bar-restaurant qui sert des spécialités de poissons, de poulet. Le samedi soir un DJ local anime la soirée ou un groupe local de *rak'n scrape* vient faire un bœuf, ce qui est le point culminant de la vie sociale hebdomadaire.

MOUNT ALVERNIA

Tout près de l'aéroport de The Bight se trouve le sommet culminant des Bahamas. Sur cette hauteur appelée l'Hermitage repose le père Jérôme, de son véritable nom John Hawes, qui s'est éteint à l'âge de 80 ans en 1956. On considère sa tombe comme un lieu très sacré. Ce religieux anglican, converti au catholicisme, parcourut le monde avant de s'établir aux Bahamas. On lui doit la construction de deux églises sur l'île de Long Island, celle de Saint-Paul et de Saint-Peter, ainsi que le monastère de Saint-Augustin à Nassau. Après cette activité de bâtisseur, il se retira à Cat Island pour y vivre les 12 dernières années de sa vie comme un ermite. Il sculpta dans la pierre les marches inégales qui grimpent à l'assaut de la colline et mènent au sommet du mont Alvernia, ainsi que les 14 étapes du chemin de croix qui le ponctuent ; puis il construisit le petit monastère qui couronne le sommet avec une chapelle à tour conique coiffée d'un toit pointu, et les trois modestes pièces d'habitation qui lui servirent de retraite.

L'Hermitage, Cat Island

On y voit encore un four et un puits. L'endroit est le théâtre d'un chemin de croix très populaire qui a lieu le Vendredi saint. On atteint le site par un chemin de terre qui démarre à proximité du bureau de police de The Bight. Après une lente ascension en terrain rocailleux, qui demandera quelques efforts compte tenu de la chaleur (ne pas oublier une bouteille d'eau), on pourra admirer la vue magnifique qui offre un panorama à 360 ° sur l'océan.

DEVIL'S POINT

La péninsule sud de Cat Island est ponctuée de lacs intérieurs. A l'extrême sud-ouest de l'île se trouve le paisible village de Devil's Point, quelques maisons de bois de couleur pastel coiffées de toits de palmes. Non loin de là se trouvent les ruines de la plantation Richman Hill dont les champs de coton s'étendaient aux alentours.

■ HAWK'S NEST RESORT

✆ 342 7050 – Fax : 342 7051
www.hawks-nest.com
info@hawks-nest.com
Compter 200 US$ la nuit pour deux.
La propriété est nichée dans un jardin tropical fleuri, à la pointe sud-ouest de l'île, face à la plage de sable fin. Les 10 chambres bien équipées (air conditionné, TV, vidéo) sont charmantes et disposent chacune d'une vaste terrasse donnant sur la mer. Une villa familiale avec deux chambres doubles et une cuisine équipée, une grande terrasse, des chaises longues, est également disponible à la location. Une belle piscine donne sur la plage. La propriété dispose de 3 plages privées, d'un restaurant de cuisine locale dont la terrasse domine la mer et d'un bar. Des activités pour les sportifs, kayak, vélo, tennis, volley-ball, plongée, excursions en bateau. Pour se déplacer dans la propriété, les clients disposent de voiturettes de golf. Enfin, le *resort* dispose d'une piste d'atterrissage à proximité pour les arrivées en charter et d'une marina de 28 emplacements.

PORT HOWE

Le village porte le nom d'un amiral anglais qui combattit durant la révolution américaine. Aux abords du village se dessinent les ruines, envahies de broussailles, de l'imposante Deveaux Mansion, une austère bâtisse de deux niveaux, flanquée des restes des dépendances. Ce fut la demeure principale de l'ancienne plantation de coton du colonel américain Deveaux qui obtint la terre en récompense du raid vainqueur qu'il mena contre les Espagnols à Nassau en 1783.

■ GREENWOOD BEACH RESORT

✆ 342 3053
www.greenwoodbeachresort.com
info@greenwoodbeachresort.com
Isolé à la pointe sud-est de l'île, tout près du Columbus Point, sur une plage de sable blanc. L'entrée de la propriété se trouve derrière les ruines de la Deveaux Mansion. Les 20 chambres, dont une moitié donne sur l'océan, sont plaisantes et confortables. La plage, longue de 10 km et déserte, est aménagée avec des kiosques ombragés de palmes avec tables et chaises. Piscine, kayaks, Jacuzzi, bicyclettes, bibliothèque complètent les services de l'hôtel. Possibilité de navette avec l'aéroport pour 25 US$. Un centre de plongée est abrité dans la propriété.

■ PIGEON CAY BEACH HOTEL

✆ 354 5084
www.pigeoncay-bahamas.com
pigeoncay@starband.net
A partir de 150 US$.
Jolie propriété isolée sur un bout de plage désert. Situé à la pointe nord de l'île, le club offre 7 bungalows construits en matériaux naturels, pierres et palmes. La décoration est de style mexicain. Le confort est simple. Des repas sont préparés à la demande. Des activités sportives, catamaran, canoë, VTT, plongée libre et pêche. L'hôtel organise des transferts aéroports sur demande.

Les Inagua et Mayaguana

GREAT INAGUA ET LITTLE INAGUA

Population : 924 hab.

Les méridionales, paradis des oiseaux

Les deux îles, Great Inagua et Little Inagua, se déploient à l'extrême sud de l'archipel, à quelque 300 miles au sud-est de Nassau et à seulement 50 miles des côtes de Cuba. Elles constituent la troisième île de l'archipel par la surface et la plus au sud. Elles couvrent 1 650 km².

Little Inagua est inhabitée, protégée par une barrière rocheuse et peuplée de hordes d'ânes et de chèvres sauvages. De nombreuses espèces d'oiseaux y vivent, parmi lesquelles une espèce rare de héron. Terres sauvages et désolées, leur climat est semi désertique.

Great Inagua est connue pour les marais salants de la Morton Salt Company, qui produisirent plus d'un million de tonnes de sel par an, la deuxième production nord-américaine. Les amateurs de vie sauvage et d'écotourisme apprécient cette île qui est un paradis pour les ornithologues.

La plongée

Peu de sites de plongée sont répertoriés dans ces îles.

GREAT INAGUA WALL

Le site se trouve au bord du grand mur des Bahamas, au nord de Matthew Town. Le tombant est criblé de têtes de corail géantes qui descendent en cascades jusque dans les abysses.

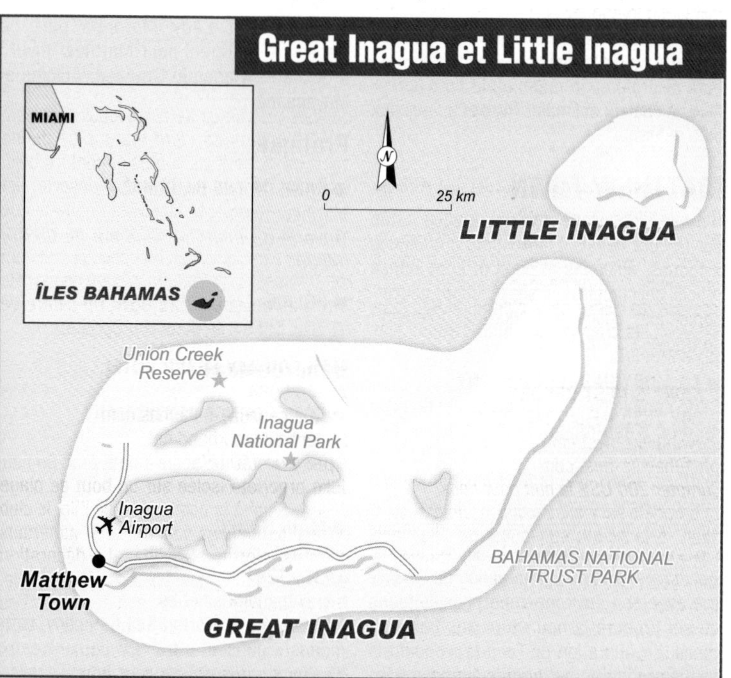

INAGUA NATIONAL PARK

✆ 339 1616

Le parc occupe 735 km² à 25 km au nord-est de Matthew Town. Il est né de l'initiative de Robert Porter Allen, un des responsables de la société Audubon, arrivé à Inagua en 1952. Le parc a été créé en 1963 et il est géré par le Bahamas National Trust. C'est un sanctuaire pour les flamants roses « *West Indies* », l'oiseau national des Bahamas, que l'on ne rencontre que dans cette région. Là vivent quelque 860 000 individus, soit la plus importante colonie au monde, et chaque printemps un recensement de la population est effectué. C'est un spectacle merveilleux que cette ondulante vague rose qui prend son envol au coucher du soleil.

Lieu de nidification privilégié des oiseaux qui y trouvent de la nourriture en abondance (petits crustacés, crevettes, insectes, larves...) dans les étangs salés des environs, le parc abrite également de nombreuses espèces d'oiseaux tropicaux, des canards des Bahamas, des aigrettes, des pélicans, des perroquets des Bahamas, des hiboux noctambules, des hérons perchés sur leurs fines pattes, de graciles aigrettes, des spatules, des cormorans et quelques représentants des sauriens tels des tortues et des iguanes.

Si vous devez visiter cet endroit, téléphonez pour organiser la visite avec un gardien du parc et préférez le matin ou la fin d'après-midi, la chaleur est moins forte et les oiseaux plus délurés.

MATTHEW TOWN

C'est le seul village de Great Inagua. Situé sur la côte ouest, il se résume à quelques bicoques, épiceries et bars, et à un édifice officiel qui cumule diverses fonctions gouvernementales, police, poste, douanes. L'aéroport se trouve à 3 km du village.

■ LA MORTON SALT COMPANY

Cette compagnie, qui extrait du sel de l'eau de mer, s'est implantée ici en 1934. Ses installations se trouvent à 3 km au nord de Matthew Town. Elle produit environ jusqu'à 500 tonnes de sel par an, deuxième rang nord-américain pour cette activité. Elle a longtemps été la principale activité économique d'Inagua. Bel et rare exemple d'interaction de l'industrie avec son environnement, l'exploitation du sel procure la nourriture des flamants roses, l'évaporation de l'eau provoquant la concentration de petits crustacés dans les étangs. On peut visiter les marais salants en se renseignant auprès de la Morton Salt Company (✆ 339 1300). A 8 km au nord se trouve la petite sœur, Little Inagua, qui est cernée par un récif qui la protège des accostages intempestifs. L'île est peu visitée et n'offre pas de structure d'accueil. Ses seuls habitants sont les oiseaux, les ânes sauvages, et des chèvres dont les ancêtres ont été introduits par les Français.

■ LE MUSEE ET LA BIBLIOTHEQUE ERICKSON

Gregory Street

✆ 339 1863

Ouvert de 15h à 17h30 du lundi au vendredi, entrée libre.

Le musée et la bibliothèque méritent un coup d'œil. Ils sont abrités dans un bâtiment qui fut édifié par la Morton Salt Company, lors de son installation sur l'île. Le musée relate l'histoire de l'île à partir de documents et de photographies.

Transports

■ BAHAMASAIR

dessert l'aéroport de Matthew Town trois fois par semaine depuis Nassau.

Le mail-boat *Lady Mathilda* part de Nassau le mercredi pour Matthew Town ; il dessert en chemin Crooked, Acklins et Mayaguana.

Pratique

■ BANK OF THE BAHAMAS

Matthew Town

Ouverte du lundi au vendredi de 9h30 à 14h30.

■ POLICE

✆ 339 1263

Hébergement

■ COZY CORNER RESTAURANT

North Street.

Offre une cuisine locale à petit prix. On peut aussi y prendre un verre.

■ MAIN HOUSE

Matthew Town.

✆ 339 1267

bwm@bahamas.net.bs

Propriété de la Morton Salt Company, cette modeste pension offre, sur deux niveaux, 56 chambres spacieuses et fonctionnelles, avec air conditionné et TV, dotées d'un salon commun. Compter 75 US$ la chambre.

■ **TOPP'S RESTAURANT**
Astwood Street
Offre une cuisine locale à petit prix. On peut aussi y prendre un verre.

■ **WALKINE GUEST-HOUSE**
✆ 339 1612
Modeste pension, elle offre 5 chambres bien tenues dont 3 avec bain privé, à la sortie sud de Matthew Town. Compter 70 US$ la chambre.

MAYAGUANA

- **Population :** 312 hab.
- **285 km².**

Un nom indien

Certains de ses habitants disent d'elle qu'elle est restée juste comme Colomb l'a trouvée... paisible, tranquille et presque déserte.
C'est une des rares îles de l'archipel à avoir conservé son nom indien. Elle se trouve à 105 km au nord de Great Inagua.
L'île offre de bons ports, des ancrages calmes, un territoire de pêche aux eaux poissonneuses. C'est une halte de Robinson où les facilités et les services sont peu nombreux.
Le village le plus important de l'île, tout juste un hameau, est Abraham Bay.

Transports

La piste d'atterrissage se trouve à 3 km à l'ouest d'Abraham's Bay. Bahamasair assure un service depuis Nassau, passant par Great Inagua 3 fois par semaine.
Le mail-boat *Lady Mathilda* assure une liaison hebdomadaire au départ de Potter's Cay à Nassau (compter 80 US$ le trajet et 16 heures de voyage).

Hébergement

■ **BAYCANER BEACH RESORT**
Pirates Well
A 15 km au nord-ouest d'Abraham Bay.
✆ 339 3726 – Fax : 377 3727
www.baycanerbeach.com
info@baycanerbeach.com
A partir de 90 US$ par nuit en basse saison, formule semaine en pension complète possible.
Du *resort*, il n'a que le nom... isolé sur une plage de sable blanc, c'est un parfait refuge de Robinson. Il propose 16 chambres confortables avec air conditionné, TV satellite, restaurant, bar. Possibilité de plongées bouteille.

■ **MAYAGUANA INN GUEST-HOUSE**
Abraham's Bay – ✆ 339 3065
La pension offre 5 chambres au confort sommaire (salle de douche), pour environ 50 US$.

■ **PARADISE VILLAS. ABRAHAM'S BAY**
✆ 339 3109
Compter 90 US$ la nuit, petit déjeuner compris.
20 chambres autour d'une gentille piscine, un salon commun avec TV, billard et revues.

Iguane

San Salvador et Cum Cay

SAN SALVADOR

Population : 465 hab.

L'île de la découverte du Nouveau Monde

Cette île, située à l'extrémité est de l'archipel, ne mesure que 160 km², 19 km de long sur 8 de large, et culmine à 42 m, ce qui, dans l'archipel, est spectaculaire, le point le plus haut des Bahamas se situant à 63 m. C'est une des îles les plus « mouillées » de l'archipel, avec de nombreuses criques profondes, des lagunes intérieures et d'importantes zones de mangrove qui représentent près de la moitié de sa surface. Des kilomètres de plages désertes au sable immaculé, des criques solitaires, des lacs intérieurs cernés de mangroves, du « bush » qui se déploie sous le soleil, tel est le visage de San Salvador. De son nom original amérindien « Guanahani », l'île aux iguanes, San Salvador est l'île la plus importante historiquement puisque c'est la première terre à avoir été abordée par les conquistadors espagnols menés par Christophe Colomb, en route pour les Indes. Le Grand Amiral la découvrit, le 12 octobre 1492, lors de son premier voyage, à bord de la Santa Maria. Quatre monuments, pas moins, marquent l'emplacement exact du débarquement de l'illustre voyageur ; lequel est le bon, c'est une question qui restera sans doute à jamais sans réponse…

Plus tard le pirate anglais George Watling l'investit et l'île porta son nom, Watling Island, durant de nombreuses années jusqu'en 1926. Ancrée dans le passé, calme et paisible, San Salvador vit nonchalamment, alanguie sous le soleil. C'est une île idéale pour se ressourcer loin de toute civilisation. Cependant, les possibilités d'hébergement y sont fort restreintes.

Peu fréquentée, à l'écart du tourisme de masse et des itinéraires des grandes croisières, elle est devenue une île de prédilection des plongeurs, notamment des plus expérimentés. Ses côtes sud et ouest sont bordées par l'un des murs les plus impressionnants des Bahamas qui s'enfonce de 12 m jusqu'à plusieurs centaines de mètres.

Les sites de plongée sont encore peu visités et nombre d'entre eux restent encore à découvrir. La vie sous-marine y est intense. On y pratique la macrophotographie sous-marine.

La plongée

L'île est une destination pour les plongeurs expérimentés. Seuls deux centres permanents de plongée existent sur l'île.

Les sites répertoriés sont peu visités, et de nombreux restent à découvrir. Les côtes sud et ouest sont bordées d'un tombant impressionnant qui plonge dans le bleu abyssal à partir de 12 m. Le challenge des instructeurs de

Sites de plongée

- **Snapshot Reef.** Un site idéal pour la macrophotographie sous-marine.
- **Frascate Wreck.** De 2 à 6 m, ce site permet de découvrir une épave fréquentée par les poissons tropicaux à une faible profondeur.
- **Devil's Claw.** La Griffe du diable est un site imposant, trois grandes crevasses entaillent le mur entre 13 et 25 m de profondeur.
- **Grottos.** De 15 à 40 m. Le tombant est troué de cavernes qui commencent à 15 m. On y rencontre des éponges, des mérous, des barracudas et des carangues.
- **3 Barrels.** De 11 à 40 m. Le site présente un fond sablonneux puis un tombant abritant d'énormes éponges où évoluent des requins-nourrices.

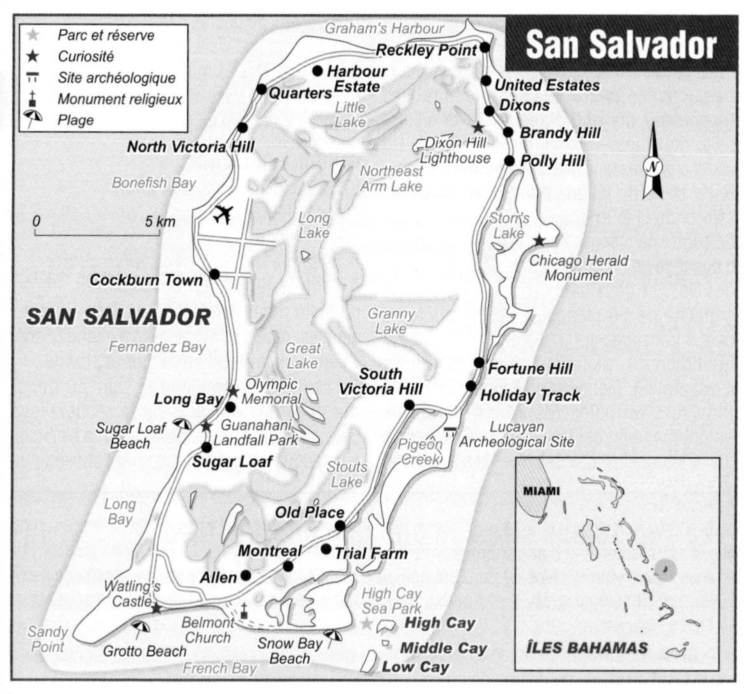

plongée est d'explorer les fonds sous-marins encore vierges, de découvrir un nouveau site et de le baptiser. Du fait de son isolement, San Salvador garde une vie sous-marine extrêmement riche et diversifée. Les plongées sont sujettes à des rencontres étonnantes, poissons tropicaux, requins-marteaux et raies mantas…

Clubs de plongée

(Voir « Hébergement »)
Les deux hôtels de l'île possèdent un club de plongée.

Transports – Pratique

■ BAHAMASAIR

Bureau à l'aéroport.
Un vol quotidien relie San Salvador à Nassau, horaires variables selon les jours. Compter 80 US$ l'aller simple.

■ CLINIQUE

✆ 331 2105

Orientation

Le Queen's Highway fait le tour de l'île en une boucle de 55 km, donc il n'y a aucun risque de s'égarer. Les points d'intérêt de San Salvador sont peu nombreux, mais une visite permet de prendre toute la mesure du rythme de vie insulaire dans les Out Islands.

Hébergement

■ CLUB MED

✆ 331 2000 – Fax : 331 2458
www.clubmed.com
A partir de 1 500 € pour un adulte et 1 200 € pour les moins de 12 ans en pension complète, avec activités (hors plongée, massage et excursions) et transport inclus (vol direct depuis Paris).
Le village est un des fleurons du Club Med. « Luxe, calme et volupté » pourrait être la devise de ce village qui se déploie au bord d'une immense plage de sable blanc en croissant. Les 280 chambres de 4 catégories avec vue sur mer ou sur jardin s'abritent dans des bungalows de couleurs vives reliés par des passerelles de bois. Bien équipées (dressing, air climatisé, TV, téléphone, coffre-fort, sèche-cheveux, réfrigérateur…) et vastes, les chambres offrent une décoration raffinée avec des touches asiatiques.

Côté restauration et vie sociale, le village compte un restaurant buffet et deux restaurants de spécialités, 3 bars et une discothèque. Les activités proposées sont nombreuses (*snorkeling*, planche à voile, voile, tir à l'arc, salle de fitness, tennis, bicyclettes...). Un service de massage à la carte permet d'effacer toute trace de fatigue musculaire après les efforts de la journée.
Le centre de plongée est affilié Padi et CMAS. Il possède un des caissons de décompression des îles, et deux bateaux dernier cri d'une capacité de 50 plongeurs. 15 instructeurs dont 5 francophones encadrent les 3 plongées quotidiennes, plongées de nuit, plongées d'orientation, plongées profondes.
Plusieurs formules (débutant, confirmé, autonome) sont possibles sur des durées de 3 et 6 jours, ainsi que des plongées à la carte. Des parties de pêche, des croisières au soleil couchant et une visite de l'île sont également proposées. Des formules *day pass*, déjeuner, dîner ou *disco pass* sont disponibles pour les clients extérieurs au Club Med.

■ **RIDING ROCK INN**

✆ 331 2631 – Fax : 331 2020
www.ridingrock.com
info@ridingrock.com
A partir de 138 US$ en chambre double.
A l'entrée du village de Cockburn, l'hôtel de style motel propose 42 chambres assez simples, mais correctes, avec air conditionné, TV et réfrigérateur, entre mer et piscine.
Le restaurant possède un bar au décor marin sympathique. C'est le rendez-vous des plongeurs et des plaisanciers. La baignade est rendue un peu difficile par l'absence de

Le Top 10 des sites de plongée du Club Med

▶ **La Crevasse.** De 14 à 40 m. C'est une plongée profonde. Une grande crevasse fissure le mur, dessinant grottes et tunnels. Les requins, les murènes et les tortues sont les hôtes réguliers du site.

▶ **Dr John's Reef.** De 13 à 40 m. C'est une plongée impressionnante et profonde où une crevasse et une faille dans le mur débouchent sur le grand bleu. Le corail est ici très abondant ; des requins-marteaux, des tortues, des raies aigles et parfois des dauphins se rencontrent.

▶ **Doble Caves.** De 13 à 40 m. Le mur est creusé de deux grandes grottes où les plongeurs s'immiscent. Un double tunnel aux voies parallèles descend à 40 m dans le tombant.

▶ **Doolittles.** De 10 à 40 m. On rencontre d'abord un fond sablonneux puis on descend par un tunnel sur un tombant à 30 m. Plus profondément encore se trouvent des grottes. Des requins-marteaux et des mérous fréquentent le site.

▶ **Great Cut.** De 10 à 40 m. Une grande cassure forme un double tombant. Deux gorges forment une île dans le mur à 40 m de profondeur. On y rencontre des carangues, des tortues et des requins.

▶ **North Pole Cave.** De 13 à 40 m. Le tombant se trouve à 12 m. A 23 m, on accède à l'entrée d'une cheminée qui descend jusqu'à 43 m. Des éponges barils, des requins et des gonettes se rencontrent fréquemment.

▶ **Hole in the Wall.** De 13 à 40 m. Des failles dans le mur sont la particularité de ce site.

▶ **Gardener's Reef.** De 13 à 40 m. Le tombant est, à cet endroit, extrêmement poissonneux. Un tunnel renferme une vie sous-marine très riche et diversifiée.

▶ **Amphithéâtres.** De 12 à 40 m. Le fond ressemble à un amphithéâtre adossé à un mur. Des raies, des murènes, des langoustes et des poissons tropicaux évoluent dans ces eaux.

▶ **Telephone Pole.** De 9 à 40 m. A 12 m une stèle, commémorant la découverte de l'île de San Salvador par Christophe Colomb en 1492, est immergée. On trouve un fond sablonneux, et une arête du mur de corail permet d'accéder à un tunnel qui débouche dans le mur à 25 m. Des raies pastenagues, des barracudas et des tortues se rencontrent fréquemment.

Mérou de Nassau (Epinephelus striatus).

plage et des rochers qui bordent la mer. Mais la petite piscine se déploie devant l'hôtel en bordure de route. Location de bicyclettes. Le centre de plongée est affilié Padi. Il offre 3 bateaux de 18 passagers, 3 plongées quotidiennes dont une de nuit.

Balade

Quelques kilomètres après l'aéroport, un monument à la mémoire du père Schreiner se dresse à l'endroit où le religieux est enterré. Celui-ci s'est rendu célèbre pour avoir donné son nom espagnol à l'île en 1926.
L'endroit est signalé sur la route. Quelques marches taillées dans la roche permettent de gravir la colline pour arriver à la tombe.

▸ **Bahamian Field Station,** à Graham Harbour ; c'est une ancienne base de l'armée américaine construite en 1950. Elle est devenue aujourd'hui un centre de recherches et d'études biologiques, géologiques et archéologiques, fréquenté par des étudiants américains et bahaméens.

▸ Un de ses édifices a été transformé en école secondaire. Plus loin se dresse le phare de Dixon Hill.

▸ **Phare de Dixon Hill**. Il date de 1887 et a refait peau neuve en 1930, mais fonctionne toujours au kérosène. Il se trouve dans le village de United Estates. Il est ouvert aux visiteurs. Une fois au sommet par l'étroit escalier en colimaçon de 80 marches, on est récompensé par une vue extraordinaire sur l'île et la découverte des mécanismes du phare où se relaient deux opérateurs.

Des ruines de plantations marquent le passage des loyalistes américains. On pourra jeter un œil curieux aux ruines de la plantation, le Watling Castle.

▸ **Watling Castle.** Seuls des pans de murs de ce qui fut la maison centrale restent encore debout, envahis d'un fouillis inextricable de broussailles. On devine les restes de bâtiments annexes.

▸ **Landfall Park**. C'est un bout de plage en face de Long Bay, qui est le lieu le plus officiel de San Salvador. Ici se dressent quatre stèles. La première est le monument qui est dédié aux Jeux olympiques de 1968 ; la flamme fit halte à San Salvador pendant son périple entre Athènes et Mexico. Tout proche se trouve le monument dédié à Christophe Colomb, une simple croix de béton blanc plantée le 2 décembre 1956, qui marque l'endroit exact du débarquement espagnol. Il est allumé chaque année le jour de la découverte, le 12 octobre. Le troisième monument est une stèle offerte par le gouvernement espagnol pour commémorer les 500 ans de la découverte. Une sculpture métallique aux couleurs bahaméennes le surmonte. Le dernier est une plaque offerte par le gouvernement japonais qui construisit en 1992 une réplique de la Santa Maria.

▶ **Cockburn Town** est le village principal, « capitale » de l'île. Le bateau courrier hebdomadaire accoste dans la marina toute proche. Petit village paisible aux rues étroites, Cockburn Town compte plusieurs églises, une cour de justice, un commissariat de police, une clinique, un drugstore, deux épiceries et quelques bars. Un petit cimetière désolé hérisse ses pierres tombales dans le sable face à la mer. Le musée de San Salvador, résultat d'une initiative associative, est abrité dans une bâtisse rose à volets verts qui a malheureusement refermé ses portes sur sa collection d'objets arawaks jusqu'à nouvel ordre. Sister Josephine, que l'on trouve à l'église voisine du Holy Savour, en détient la clé et peut ouvrir le musée à la demande. Une petite boutique d'artisanat aux heures d'ouverture erratiques s'abrite dans ce qui tient lieu de Straw Market.

▶ **Sport Bar**, à la sortie nord du village, est un lieu de rendez-vous du soir. On peut y manger un morceau sur le pouce.

CUM CAY

▶ **Population :** 100 hab.

▶ **Superficie :** 16 km de long et 8 km de large.

Selon les locaux, Christophe Colomb la baptisa « Santa Maria de la Concepción ». Cet îlot, qui tiendrait son nom d'une épave de *rum runner* qui sombra dans ses eaux pendant la prohibition américaine, est sous l'administration de San Salvador. Encerclée d'un anneau de récifs coralliens, Rum Cay se tient à l'écart de toute activité touristique. L'île a été malmenée par des cyclones qui ont détruit les minces activités économiques qui tournaient autout du sel. Le mail-boat en provenance de Nassau via San Salvador y accoste chaque mardi. Port Nelson, un port abrité sur la côte sud, est le seul endroit habité de l'île. Le village se résume à quelques maisons et commerces, un poste de police et un bureau de poste. Le reste de l'île est du « bush » inhabité. Les possibilités d'hébergement sont réduites à la location d'appartements ou de villas. A l'Ocean View, un restaurant sert une cuisine locale.

SNOW FIELDS

Sur ce site, des falaises sculpturales de corail se détachent sur un fond sablonneux.

Côte sauvage des Bahamas

Crooked Island et Acklins

▶ **Population :** 600 hab.

Loin de tout

Ces deux petites îles n'en forment pratiquement qu'une ; situées à 385 km au sud-est de Nassau, elles sont séparées par un étroit chenal, the Going Through. Ce sont les îles les plus méridionales de l'archipel. Le climat y est plus sec. Les premiers colons s'y installèrent à la fin du XVIIIe siècle. Entourées de récifs, elles constituent un excellent centre de plongée.
Acklins, plutôt rocheuse, s'étend sur 300 km². C'est un havre de paix composé de minuscules villages et d'anses cachées. L'île abrite 450 personnes, concentrées à Spring Point, qui vivent principalement de la pêche. L'aérodrome se trouve non loin de Spring Point. Au sud du village, on trouve les vestiges de ce qui semble avoir été le principal établissement lucayan des Bahamas. Le site n'est que partiellement fouillé et n'a pas encore livré tous ses secrets. Le phare de Castle Island, bâti en 1867, se dresse à la pointe sud de l'île. Crooked est plus petite avec 235 km². C'est un paradis de la pêche avec des *flats* et des criques profondes. Elle possède de nombreux récifs coralliens et des grottes peuplées de chauves-souris. Colonel Hill, la capitale de Crooked, concentre l'essentiel de l'activité. Au sommet de la colline se dresse l'église de Saint-Jean-Baptiste. L'aérodrome de Crooked est voisin.
Le Bird Rock Lighthouse est un phare construit en 1876 avec les pierres des ruines d'un fort anglais voisin, le Gun Bluff. L'île possède également de belles plages qui sont loin d'être surpeuplées. Pêcher, plonger, se balader pour visiter les grottes de Pirate's Bluff, profiter des merveilleux couchers de soleil, et ne rien faire, « farniente », voilà le programme d'un séjour à Crooked.

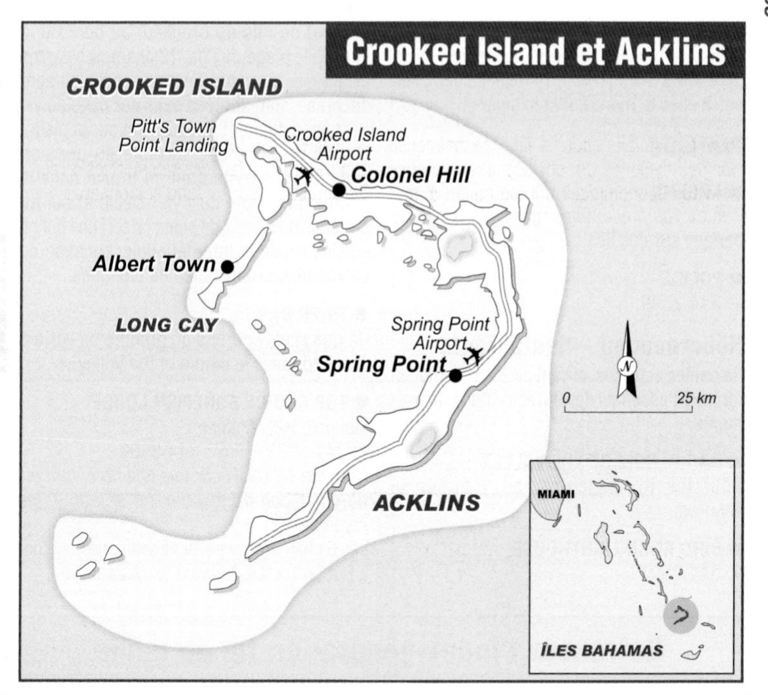

Long Cay est une langue de terre effilée au sud de Crooked. Autrefois connue sous le nom de Fortune Island, elle abrite une colonie de flamants à la pointe sud. Albert Town, autrefois une escale sur la route de l'Angleterre, est un village fantôme qui n'abrite plus qu'une quarantaine d'âmes.
On y compte plus de chèvres sauvages que d'habitants. Seule l'église anglicane reste sur pied contre vents et marées.

Plongée

■ DROP OFF
Le tombant de Crooked Island est tapissé de formations spongieuses et de colonies de corail noir. Il se trouve à la pointe nord de l'île, où le mur a pris une forme de fer à cheval. Il s'enfonce à partir de 12 m de profondeur.

■ MILLION DOLLAR MISTAKE
L'épave de l'avion qui effectuait des transports de drogue repose par 6 m de fond. On y a trouvé une mallette contenant 1 million de dollars qu'un membre de l'administration de Nassau se serait approprié avant de prendre la poudre d'escampette.

Transports

Chacune des deux îles est desservie quotidiennement par avion par Bahamasair, et par mail-boat tous les 10 jours environ, le voyage dure toute la nuit. Un ferry relie les deux îles entre elles le mercredi et le samedi.

Pratique

■ ARGENT
Prenez vos précautions, car il n'y a pas de banque sur ces îles.

■ POLICE
✆ 344 2599

Hébergement – Restaurants

De petites pensions, offrant de 2 à 5 chambres, forment l'essentiel des infrastructures touristiques.

■ BAR BLOOM OF THE VALLEY
Pour les noctambules, on y danse le vendredi.

■ BIRD ROCK LIGHTHOUSE
✆ 344 2507
info@birdrocklighthouse.com
Si vous aviez rêvé de dormir dans un phare, ne ratez pas cette étape étonnante. 4 chambres au style d'autrefois avec salle de bains privée dans le phare restauré. Plage privée à proximité.

■ CHESTER'S HIGHWAY BONEFISH LODGE & INN
Chester Bay
✆ 344 3114 – Fax : 361 3220
www.chestershighwayinn.com
info@chestershighwayinn.com
Un charmant lodge bahaméen, non loin des *flats* propices à la pêche. Plusieurs activités vous seront proposées, dont évidemment la pêche.

■ CROOKED ISLAND BEACH INN
Cabbage Hill
✆ 344 2321
Seulement 6 chambres modestes avec ventilateur et deux salles de bains à partager.

■ PITTSTOWN POINT LANDINGS
✆ 344 2676
www.pittstownpoint.com
info@ pittstownpoint.com
Compter 60 US$.
L'hôtel se trouve à 20 km de l'aéroport, isolé au nord de l'île de Crooked, au bord de la plus belle plage de l'île. 12 chambres vastes et aérées, au confort simple, mais joliment décorées, sont abritées dans des bungalows. Certaines donnent directement sur la plage. L'hôtel propose une formule en pension complète. Le restaurant se trouve dans le bâtiment qui date du XVIIIe siècle et qui fut autrefois un bureau de poste ; il sert une bonne cuisine locale et internationale. Location de bicyclettes, organisation de plongées.

■ TIGER BAR
Un des seuls endroits où prendre un verre à Crooked (avec le Bloom of the Valley).

■ TOP CHOICE BONEFISH LODGE
Mason's Bay, Acklins
✆ 344 3628 – Fax : 344 3550
Compter 55 US$ pour une chambre, formule pension complète pour un séjour d'une semaine.
Les 6 chambres avec air conditionné sont tout à fait correctes. Service de restauration.

Retrouvez l'index général en fin de guide

Lors du carnaval Junkanoo.

Pense futé

ARGENT

Monnaie et subdivisions

Il s'agit du dollar bahaméen (BSD), qui n'a cours qu'aux Bahamas, et qui est à parité avec le dollar américain. Son cours est donc strictement identique à celui du dollar américain et comme lui, il se divise en cents.

Change

- **Courant juillet 2009 :** 1 BSD = 0,71 € / 1 € = 1,39 BSD

Sur place, on peut payer indifféremment avec des pièces et billets bahaméens ou américains.
L'import et l'export est limité à 200 BSD. Mais vous pouvez entrer et sortir du pays avec toutes les autres devises étrangères majeures. Tous les billets sont émis par « The Central Bank Of The Bahamas ». En revanche, on ne peut pas utiliser les dollars bahaméens aux Etats-Unis.

- **N'hésitez pas à contacter notre partenaire National Change** au 0 820 888 154 en mentionnant le code PF06, ou en consultant le site www.nationalchange.com. Vos devises et chèques de voyages vous sont envoyés à domicile.

Coût de la vie

Attention à l'addition ! Des vacances aux Bahamas coûtent une petite fortune, même si l'on choisit des hôtels modestes. Ces îles entretiennent volontiers leur réputation de destination haut de gamme. Mais des plages désertes, des eaux cristallines, un aquarium à ciel ouvert, des activités spectaculaires et un service souvent impeccable, cela n'a pas de prix ! Il est vrai que les infrastructures touristiques, les excursions, les activités sont bien rodées et que le niveau de prestations est rarement décevant. On doit aussi compter avec les taxes hôtelières d'environ 15 % et les taxes d'aéroport. Il est très difficile d'envisager une quelconque négociation sur les tarifs, établis par le gouvernement et les différentes corporations, par exemple celle des taxis. Et avec, de surcroît, une monnaie à parité avec le dollar américain et une économie entièrement vouée au tourisme, ce constat de cherté n'a rien d'étonnant ! Mais, rassurez-vous, vous pourrez faire de bonnes affaires en négociant dans les marchés d'artisanat...

Budget

- **Petit budget :** 50 US$ à 90 US$ la chambre, 30 US$ pour les repas.
- **Budget moyen :** 100 US$ à 150 US$ la chambre, 50 US$ pour les repas.
- **Budget luxe :** 300 US$ la chambre, 100 US$ pour les repas.

Les diverses activités et les déplacements sur les îles et inter-îles sont assez onéreux. Pour ce qui est de la vie courante, comptez 2,50 US$ pour un café et 6 US$ environ pour une bière. N'oubliez pas les taxes qui ne pas tout le temps incluses dans les prix.

Banques

Les banques sont généralement ouvertes du lundi au jeudi de 9h30 à 15h et le vendredi de 9h30 à 17h. Un grand nombre d'entre elles possèdent un distributeur de billets qui délivre en général des dollars bahaméens.

Moyens de paiement

Cash

- **Où trouver des distributeurs ?** Vous trouverez des distributeurs à l'extérieur de toutes les banques et à l'intérieur de tous les grand resorts. A chaque retrait à l'étranger avec votre carte, une commission est retenue à la fois par la banque du distributeur et par votre banque. Les tarifs qui s'appliquent se composent d'une commission fixe et de frais proportionnels au montant retiré ou payé. Pour éviter donc de multiplier les frais, pensez à grouper vos retraits d'argent ou à prendre des Traveller's Cheques.
- **Le transfert d'argent.** Avec ce système, on peut envoyer et recevoir de l'argent de n'importe où dans le monde en quelques minutes. Le principe est simple : un de vos proches se rend dans un point MoneyGram® ou Western Union® (poste, banque, station-service, épicerie...), il donne votre nom et verse une somme à son interlocuteur.

De votre côté de la planète, vous vous rendez dans un point de la même filiale. Sur simple présentation d'une pièce d'identité avec photo et de la référence du transfert, on vous remettra aussitôt l'argent.

Carte de crédit

Les cartes de crédit sont acceptées partout. Avant votre départ, pensez à vérifier avec votre conseiller bancaire la limitation de votre plafond de paiement et de retrait.
Demandez, si besoin est, une autorisation exceptionnelle pour la période de votre voyage.

▶ **En cas de perte ou de vol de votre carte de paiement,** appelez le serveur vocal du groupement des cartes bancaires Visa®, EuroCard® et MasterCard® au ✆ (00 33) 892 705 705 ou (00 33) 836 690 880. Il est accessible 7j/7 et 24h/24. Si vous connaissez le numéro de votre carte bancaire, l'opposition est immédiate et confirmée. Dans le cas contraire, l'opposition est enregistrée mais vous devez confirmer l'annulation à votre banque par fax ou lettre recommandée.

▶ **En cas de dysfonctionnement de votre carte de paiement ou si vous avez atteint votre plafond de retrait,** vous pouvez bénéficier d'un cash advance. Proposé dans la plupart des grandes banques, ce service permet de retirer du liquide sur simple présentation de votre carte au guichet d'un établissement bancaire, que ce soit le vôtre ou non. On vous demandera souvent une pièce d'identité. En général, le plafond du cash advance est identique à celui des retraits, et les deux se cumulent (si votre plafond est fixé à 500 €, vous pouvez retirer 1 000 € : 500 € au distributeur, 500 € en cash advance). Quant au coût de l'opération, c'est celui d'un retrait à l'étranger.

Traveller's Cheques

Ce sont des chèques prépayés émis par une banque, valables partout, et qui permettent d'obtenir des espèces dans un établissement bancaire ou de payer directement ses achats auprès de très nombreux lieux affiliés (boutiques, hôtels, restaurants...). Ils sont valables à vie. Leur avantage principal est l'inviolabilité : un système de double signature (la deuxième étant faite par vous devant le commerçant) empêche toute utilisation frauduleuse. A la fin de votre séjour, s'il vous reste des Traveller's Cheques, vous pourrez les changer contre des euros ou les restituer à votre banque qui les imputera à votre compte courant.
A noter que le paiement par chèque classique est rarement possible à l'étranger. Lorsque c'est le cas, l'utilisation est compliquée et très coûteuse.
Aux Bahamas, les chèques de voyage se négocient facilement. Les banques pratiquent un taux de change sensiblement plus intéressant que celui des hôtels.

Pourboire, marchandage et taxes

Pourboire

Bien que les taxes comprennent le service, il est correct de laisser un pourboire de l'ordre de 10 % dans les bars et restaurants si le service est satisfaisant.
En ce qui concerne les taxis et les grooms d'hôtels, le pourboire est laissé à l'appréciation du client.

Marchandage

Le marchandage ne se pratique pas en général aux Bahamas, excepté sur les marchés.

Taxes

Les prix affichés incluent rarement les taxes. Seuls les petits établissements pratiquent des prix taxes comprises. Il faut rajouter une taxe de 10 % à 12 % pour les hôtels et 15 % pour les restaurants.

Duty Free

Puisque votre destination finale est hors de l'Union européenne, vous pouvez bénéficier du Duty Free (achats exonérés de taxes). Attention, si vous faites escale au sein de l'Union européenne, vous en profiterez dans tous les aéroports à l'aller, mais pas au retour.
Par exemple, pour un vol Paris-Londres-Bahamas, vous pourrez faire du shopping en Duty Free dans les trois aéroports à l'aller, mais seulement dans celui présent au Bahamas au retour.

ASSURANCES

Simples touristes, étudiants, expatriés ou professionnels, il est possible de s'assurer selon ses besoins et pour une durée correspondant à son séjour. De la simple couverture temporaire s'adressant aux baroudeurs occasionnels à la garantie annuelle, très avantageuse pour les grands voyageurs, chacun pourra trouver le bon compromis. A condition toutefois de savoir lire entre les lignes.

Choisir son assureur

Voyagistes, assureurs, secteur bancaire et même employeurs : les prestataires sont aujourd'hui très nombreux et la qualité des produits proposés varie considérablement d'une enseigne à une autre. Pour bénéficier de la meilleure protection au prix le plus attractif, demandez des devis et faites jouer la concurrence. Quelques sites Internet peuvent être utiles dans ces démarches comme celui de la Fédération française des sociétés d'assurances (www.ffsa.fr), qui saura vous aiguiller selon vos besoins, ou le portail de l'Administration française (www.service-public.fr) pour toute question relative aux démarches à entreprendre.

Voyagistes

Ils ont développé leurs propres gammes d'assurances et ne manqueront pas de vous les proposer. Le premier avantage est celui de la simplicité. Pas besoin de courir après une police d'assurance. L'offre est faite pour s'adapter à la destination choisie et prend normalement en compte toutes les spécificités de celle-ci. Mais ces formules sont habituellement plus onéreuses que les prestations équivalentes proposées par des assureurs privés. C'est pourquoi il est plus judicieux de faire appel à son apériteur habituel si l'on dispose de temps et que l'on recherche le meilleur prix.

Assureurs

Les contrats souscrits à l'année comme l'assurance responsabilité civile couvrent parfois les risques liés au voyage. Il est important de connaître la portée de cette protection qui vous évitera peut-être d'avoir à souscrire un nouvel engagement. Dans le cas contraire, des produits spécifiques pourront vous être proposés à un coût généralement moindre. Les mutuelles couvrent également quelques risques liés au voyage. Il en est ainsi de certaines couvertures maladie qui incluent une protection concernant par exemple tout ce qui touche à des prestations médicales.

Employeurs

C'est une piste largement méconnue mais qui peut s'avérer payante. Les plus généreux accordent en effet à leurs employés quelques garanties applicables à l'étranger. Pensez à vérifier votre contrat de travail ou la convention collective en vigueur dans votre entreprise. Certains avantages non négligeables peuvent s'y cacher.

Cartes bancaires

Moyen de paiement privilégié par les Français, la carte bancaire permet également à ses détenteurs de bénéficier d'une assurance plus ou moins étendue. Visa®, MasterCard®, American Express®, toutes incluent une couverture spécifique qui varie selon le modèle de carte possédé. Responsabilité civile à l'étranger, aide juridique, avance des fonds, remboursement des frais médicaux : les prestations couvrent aussi bien les volets assurance (garanties contractuelles) qu'assistance (aide technique, juridique, etc.). Les cartes bancaires haut de gamme de type Gold® ou Visa Premier® permettent aisément de se passer d'assurance complémentaire. Ces services attachés à la carte peuvent donc se révéler d'un grand secours, l'étendue des prestations ne dépendant que de l'abonnement choisi. Il est néanmoins impératif de vérifier la liste des pays couverts, tous ne donnant pas droit aux mêmes prestations. De plus, certaines cartes bancaires assurent non seulement leurs titulaires mais aussi leurs proches parents lorsqu'ils voyagent ensemble, voire séparément. Pensez cependant à vérifier la date de validité de votre carte car l'expiration de celle-ci vous laisserait sans recours.

Précision utile : beaucoup pensent qu'il est nécessaire de régler son billet d'avion à l'aide de sa carte bancaire pour bénéficier de l'ensemble de ces avantages. Cette règle ne s'applique en fait qu'à la garantie annulation du billet de transport – si elle est prévue au contrat – et ne concerne que l'assurance, en aucun cas l'assistance. Les autres services, indépendants les uns des autres, ne nécessitent pas de répondre à cette condition afin de pouvoir être actionnés.

Choisir ses prestations

Garantie annulation

Elle reste l'une des prestations les plus utiles et offre la possibilité à un voyageur défaillant d'annuler tout ou partie de son voyage pour l'une des raisons mentionnées au contrat. Ce type de garantie peut couvrir toute sorte d'annulation : billet d'avion, séjour, location... Cela évite ainsi d'avoir à pâtir d'un événement imprévu en devant régler des pénalités bien souvent exorbitantes. Le remboursement est la plupart du temps conditionné à la survenance d'une maladie ou d'un accident grave, au décès du voyageur ayant contracté l'assurance ou à celui d'un membre de sa famille. L'attestation d'un médecin assermenté doit alors être fournie. Elle s'étend aussi à d'autres cas comme un licenciement économique, des dommages graves à son habitation ou son véhicule, ou encore à un refus de visa des autorités locales. Moyennant une surtaxe, il est également possible d'élargir sa couverture à d'autres motifs comme la modification de ses congés ou des examens de rattrapage. Les prix pouvant atteindre 5 % du montant global du séjour, il est donc important de bien vérifier les conditions de mise en œuvre qui peuvent réserver quelques surprises. Dernier conseil : s'assurer que l'indemnité prévue en cas d'annulation couvre bien l'intégralité du coût du voyage.

Assurance bagages

Voir la partie « Bagages ».

Assurance maladie

Voir la partie « Santé ».

Autres services

Les prestataires proposent la plupart du temps des formules dites « complètes » et y intègrent des services tels que des assurances contre le vol ou une assistance juridique et technique. Mais il est parfois recommandé de souscrire à des offres plus spécifiques afin d'être paré contre toute éventualité. L'assurance contre le vol en est un bon exemple. Les plafonds pour ce type d'incident se révèlent généralement trop faibles pour couvrir les biens perdus et les franchises peuvent finir par vous décourager. Pour tout ce qui est matériel photo ou vidéo, il peut donc être intéressant de choisir une couverture spécifique garantissant un remboursement à hauteur des frais engagés.

BAGAGES

Réglementation des bagages

Bagages en soute

Généralement, 20 à 23 kg de bagages sont autorisés en soute pour la classe économique et 30 à 40 kg pour la première classe et la classe affaires. Si vous prenez une des compagnies low-cost, sachez qu'elles font souvent payer un supplément pour chaque bagage enregistré.

Bagages à main

En classe éco, un bagage à main et un accessoire (sac à main, ordinateur portable) sont autorisés, le tout ne devant pas dépasser les 12 kg ni les 115 cm de dimension. En première et en classe affaires, deux bagages sont autorisés en cabine. Les liquides et gels sont désormais interdits : seuls les tubes et flacons de 100 ml maximum sont tolérés, et ce dans un sac en plastique transparent fermé (dimension 20 cm x 20 cm). Seules exceptions à la règle : les aliments pour bébé et médicaments accompagnés de leur ordonnance. Enfin, si vous souhaitez ramener des denrées typiquement françaises sur votre lieu de villégiature, sachez que les fromages à pâte molle et les bouteilles achetées hors du Duty Free ne sont pas acceptés en cabine.

▶ **Pour un complément d'informations,** contactez directement la compagnie aérienne concernée.

Excédent de bagages

Lorsqu'on en vient à parler d'excédent de bagages, les compagnies aériennes sont assez strictes. Elles vous laisseront souvent tranquille pour 1 ou 2 kg de trop, mais passé cette marge, le couperet tombe, et il tombe sévèrement : 30 € par kilo supplémentaire sur un vol long-courrier chez Air France, 120 € par bagage supplémentaire chez British Airways, 100 € chez American Airlines. A noter que les compagnies pratiquent parfois des remises de 20 à 30 % si vous réglez votre excédent de bagages sur leur site Web avant de vous rendre à l'aéroport. Si le coût demeure trop important, il vous reste la possibilité d'acheminer une partie de vos biens par voie postale.

Perte/vol de bagages

En moyenne, 16 passagers sur 1 000 ne trouvent pas leurs bagages sur le tapis à l'arrivée. Si vous faites partie de ces malchanceux, rendez-vous au comptoir de votre compagnie pour déclarer l'absence de vos bagages.
Pour que votre demande soit recevable, vous devez réagir dans les 21 jours suivant la perte. La compagnie vous remettra un formulaire qu'il faudra renvoyer en lettre recommandée avec accusé de réception à son service clientèle ou litiges bagages.
Vous récupérerez le plus souvent vos valises au bout de quelques jours. Dans tous les cas, la compagnie est seule responsable et devra vous indemniser si vous ne revoyez pas la couleur de vos biens (ou si certains biens manquent à l'intérieur de votre bagage). Le plafond de remboursement est fixé à 20 € par kilo ou à une indemnisation forfaitaire de 1 200 €. Si vous considérez que la valeur de vos affaires dépasse ces plafonds, il est fortement conseillé de le préciser à votre compagnie au moment de l'enregistrement (le plafond sera augmenté moyennant finance) ou de souscrire à une assurance bagages. A noter que les bagages à main sont sous votre responsabilité et non sous celle de la compagnie.

Matériel de voyage

DELSEY
www.delsey.com
La deuxième marque mondiale dans le domaine du bagage, présente dans plus de 100 pays, avec 6 000 points de vente.

INUKA
www.inuka.com
Ce site vous permet de commander en ligne tous les produits nécessaires à votre voyage, du matériel de survie à celui d'observation en passant par les gourdes ou la nourriture lyophilisée.

SAMSONITE
www.samsonite.com
Leader mondial de l'univers des solutions de voyage. Les produits sont distribués sous les marques Samsonite, Samsonite Black Label, American Tourister, Lacoste et Timberland.

TREKKING
www.trekking.fr
Trekking propose dans son catalogue tout ce dont le voyageur a besoin : trousses de voyage, ceintures multipoches, sacs à dos, sacoches, étuis... Une mine d'objets de qualité pour voyager futé et dans les meilleures conditions.

AU VIEUX CAMPEUR
www.au-vieux-campeur.fr
Fondé en 1941, Au Vieux Campeur est la référence incontournable lorsqu'il s'agit d'articles de sport et loisirs.

DÉCALAGE HORAIRE

Il y a - 6h de décalage horaire toute l'année entre la France et les Bahamas.
Quand il est midi à Paris, il est 6h du matin à Nassau.

ÉLECTRICITÉ, POIDS ET MESURES

Électricité

Standard nord-américain, courant alternatif 60 HZ, 120 V, fiches plates. Un adaptateur pour fiches plates est donc indispensable pour recharger les batteries. Les hôtels en ont généralement à la disposition de leurs clients.

Poids et mesures

Aux Bahamas, tradition britannique oblige, on roule en miles, on fait le plein d'essence en gallons, on pèse en onces et en pounds, on mesure la profondeur en pieds et les terrains en acres. A vos calculettes et autres convertisseurs !

FORMALITÉS, VISA ET DOUANE

Tabac	Cigarettes (unités)	200*
	Tabac à fumer (g)	250
	Cigares (unités)	50
Alcool (litres)	Vin	4
	Produits intermédiaires (- 22°)	2
	Boissons spiritueuses (+ 22°)	1
	Bières	16
Café (g)	Café	500
	Extraits/essences de café	200

* Certains pays peuvent abaisser ce chiffre à 40 selon leur politique de santé.

Le passeport en cours de validité doit être valable 6 mois après le retour. Il n'est pas demandé de visa aux ressortissants français pour un séjour inférieur à 3 mois. Le billet de retour est en revanche exigé. Les taxes sont incluses dans les billets d'avion.

▶ **Attention** à vous conformer aux exigences douanières américaines en cas d'escale aux Etats-Unis !

▶ **Attention** aux conditions d'entrée pour vos animaux de compagnies. Renseignez-vous avant votre départ pour savoir comment ils pourront vous accompagner.

▶ **Pour en savoir plus,** vous pouvez consulter les fiches pays de l'Ecole vétérinaire de Maison Alfort : www.vet-alfort.fr/ressources/anivoyage.

Obtention du passeport

Tous les passeports délivrés en France sont désormais biométriques. Ils comportent votre photo, vos empreintes digitales et une puce sécurisée. Pour l'obtenir, rendez-vous en mairie muni d'un timbre fiscal, d'un justificatif de domicile, d'une pièce d'identité, d'un extrait d'acte de naissance et de deux photos d'identité. Le passeport est délivré sous trois semaines environ. Il est valable dix ans. Attention, il n'est plus possible d'inscrire les enfants sur le passeport de leurs parents : ils doivent disposer d'un passeport personnel (valable cinq ans).

▶ **Conseil futé :** avant de partir, pensez à photocopier tous les documents que vous emportez avec vous. Vous emporterez un exemplaire de chaque document et laisserez l'autre à quelqu'un en France. En cas de perte ou de vol, les démarches de renouvellement seront ainsi beaucoup plus simples auprès des autorités consulaires.

Douane

Dans un souci de protection de l'économie européenne, vous ne pouvez ramener pour plus de 430 € de marchandise par personne si vous empruntez une voie aérienne ou maritime, 300 par voie terrestre ou navigable. Si vous voyagez avec 7 600 € de devises ou plus, vous devez les déclarer en douane et si vous transportez des objets d'origine étrangère, munissez-vous des factures ou des quittances de paiement des droits de douane : on peut vous les demander pour prouver que vous êtes en règle. Certains produits sont libres de droits de douane jusqu'à une certaine quantité (voir tableau). Au-delà de celle-ci, ils doivent être déclarés. Vous acquitterez alors les taxes normalement exigibles. Les franchises ne sont pas cumulatives : si vous choisissez de ramener du tabac, vous pouvez acheter 200 cigarettes ou 50 cigares mais pas les deux. Contactez la douane pour en savoir plus.

HORAIRES D'OUVERTURE ET JOURS FÉRIÉS

Horaires d'ouverture

Les bureaux sont généralement ouverts de 9h à 17h du lundi au vendredi.
Dans les Out Islands, les horaires sont souvent plus restrictifs, parfois même les banques ne sont pas ouvertes tous les jours. Il conviendra de se renseigner sur place. Les boutiques sont fermées le dimanche, qui est un jour mort sur les îles, repos dominical oblige !

Fêtes et jours fériés

▶ **1er janvier :** jour de l'an

▶ **Fin mars :** vendredi saint

▶ **Lundi de Pâques**

- **Labour Day :** fête du Travail, 1er vendredi de juin
- **Lundi de Pentecôte**
- **10 juillet :** fête de l'Indépendance
- **Fête de l'Emancipation :** 1er lundi d'août
- **12 octobre :** jour de la découverte de l'Amérique
- **25 décembre :** Noël
- **26 décembre :** Boxing Day, lendemain de Noël.

INTERNET

Les cafés et centres Internet sont partout présents. Dans les villages des îles extérieures, certains hôtels offrent ce service. Le coût en est cependant assez élevé, sauf à Nassau où quelques centres Internet se font concurrence sur Bay Street. Comptez environ 10 US$ pour 20 minutes au plus cher et 3 US$ pour la connexion plus 30 cents/min. à Nassau.

LANGUES PARLÉES

L'anglais est la langue officielle, parlée par tous. Hors d'elle, point de salut. L'accent bahaméen est assez facile à comprendre d'autant plus que le phrasé est lent.

Apprendre la langue

Il existe différents moyens d'apprendre quelques bases de la langue et l'offre pour l'auto-apprentissage peut se faire sur différents supports : CD, cassettes vidéo, cahiers d'exercices ou même directement sur Internet.

LA MÉTHODE ASSIMIL
BOUTIQUE ASSIMIL
11, rue des Pyramides, 75001 Paris
✆ 01 42 60 40 66 – www.assimil.com
Cette méthode se décompose en deux phases. Durant la première, vous écoutez, lisez et répétez à haute voix des phrases simples pendant 20 à 30 minutes chaque jour. Durant la seconde, à partir de la cinquantième leçon, en plus des exercices habituels, vous traduisez la leçon.

LA MÉTHODE TELL ME MORE ONLINE
www.tellmemore-online.com
Sur ce site Internet, votre niveau est d'abord évalué et des objectifs sont fixés en conséquence. Ensuite, vous vous plongez parmi les 10 000 exercices et 2 000 heures de cours proposés. Enfin, votre niveau final est certifié selon les principaux tests de langues.

LA MÉTHODE POLYGLOT
www.polyglot-learn-language.com
Ce site propose à des personnes désireuses d'apprendre une langue d'entrer en contact avec d'autres dont c'est la langue maternelle. Une manière conviviale de s'initier à la langue et d'échanger.

PHOTOS

Quelques conseils pour prendre de belles photos de voyage

- **Vous prendrez les meilleures photos tôt le matin ou aux dernières heures de la journée.** Un ciel bleu de midi ne correspond pas aux conditions optimales : la lumière est souvent trop verticale et trop blanche. En outre, une météo capricieuse offre souvent des atmosphères singulières, des sujets inhabituels et, par conséquent, des clichés plus intéressants.
- **Prenez votre temps.** Promenez-vous jusqu'à découvrir le point de vue idéal pour prendre votre photo. Multipliez les essais : changez les angles, la composition, l'objectif… Vous avez réussi à cadrer un beau paysage, mais il manque un petit quelque chose ? Attendez que quelqu'un passe dans le champ ! Tous les grands photographes vous le diront : pour obtenir un bon cliché, il faut en prendre plusieurs.
- **Appliquez la règle des tiers.** Divisez mentalement votre image en trois parties horizontales et verticales égales.

Les points forts de votre photo doivent se trouver à l'intersection de ces lignes imaginaires. En effet, si on cadre son sujet au centre de l'image, la photo devient plate, car cela provoque une symétrie trop monotone. Pour un portrait, il faut donc placer les yeux sur un point fort et non au centre. Essayez aussi de laisser de l'espace dans le sens du regard.

Un coup d'œil aux cartes postales et livres de photos sur la région vous donnera des idées de prises de vue. A savoir : les tons jaunes, orange, rouges et les volumes focalisent l'attention ; ils donnent une sensation de proximité à l'observateur. Les tons plus froids (vert ou le bleu) créent de leur côté une impression d'éloignement.

Protection des intempéries

Pluie, sable, poussière : en voyage, votre appareil est mis à rude épreuve. Vous pouvez le protéger en achetant une housse de pluie (50 € environ) ou une pochette étanche (à partir de 10 €). Dans le cas où vous n'auriez pas pensé à vous munir de ce genre d'accessoire avant le départ, un bon vieux sac plastique assurera une protection minimale.

À noter : si votre appareil a été mouillé, n'essayez surtout pas de l'utiliser pour voir s'il fonctionne, c'est le meilleur moyen de l'endommager réellement. Laissez-le sécher 48 heures à l'air libre, boîtier ouvert.

Développer/gérer/partager

Plusieurs sites proposent de stocker vos photos et de les partager en ligne avec vos proches.

FLICKR

www.flickr.com

Sur Flickr, vous pouvez créer des albums photo, retoucher vos clichés et les classer par mots-clés tout en déterminant s'ils seront visibles par tous ou uniquement par vos proches. Petit plus du site : vous avez la possibilité d'effectuer des recherches par lieux et découvrir votre destination à travers les photos d'autres internautes. D'autant plus intéressant que nombre de photographes professionnels utilisent Flickr.

FOTOLIA

http://fr.fotolia.com

Fotolia est une banque d'images. Le principe est simple : vous téléchargez vos photos sur le site pour les vendre à qui voudra. Le prix d'achat de base est fixé à 0,83 € et peut monter jusqu'à 8,30 € par cliché. Pas de quoi payer vos prochaines vacances donc, mais peut-être assez pour réduire la note de vos tirages !

PHOTOWEB

www.photoweb.fr

Photoweb est un laboratoire photo en ligne. Vous pouvez y télécharger vos photos pour commander des tirages ou simplement créer un album virtuel. Le site conçoit aussi tout un tas d'objets à partir de vos clichés : tapis de souris, livres, posters, faire-part, agendas, tabliers, cartes postales… Les prix sont très compétitifs et les travaux de qualité.

POSTE

Le courrier est très lent dans le sens Bahamas-Europe (comptez de 3 à 4 semaines). Pensez donc à poster vos cartes postales avant le dernier jour de séjour. Avis aux amateurs de tampons exotiques, il n'est pas toujours facile de trouver une poste sur les îles.
Heureusement, les hôtels disposent tous de services de courrier ou se chargent volontiers de rendre ce service à leurs clients. Quant aux philatélistes, ils seront comblés par la diversité des timbres colorés qui traitent de tous les thèmes, de la famille royale d'Angleterre aux oiseaux-mouches en passant par les orchidées ou les mail-boats. N'hésitez pas à être exigeant pour vos achats de timbres, vos interlocuteurs seront flattés.

QUAND PARTIR ?

Comme leurs voisines des Caraïbes, les Bahamas sont une destination agréable en toute saison. Néanmoins deux périodes ont la faveur des visiteurs.

La meilleure période de séjour, qui correspond à la haute saison touristique et aux tarifs les plus élevés, est l'hiver de mi-novembre à mars ; les fêtes de fin d'année représentent le pic de la fréquentation touristique. Durant la saison sèche, les vents sont plus présents et la température de l'eau plus fraîche ; d'avril à août, c'est la période d'été et la saison des pluies : la température est sensiblement plus élevée (jusqu'à 33 °C), ainsi que le taux d'humidité ; l'intensité des pluies quotidiennes s'intensifie. Cette période a également la faveur des touristes, avec des visiteurs principalement originaires d'Europe et du Canada.

▶ **La période la plus calme** correspond aux mois de septembre à mi-octobre, période que choisissent de nombreux établissements pour leur fermeture annuelle. A noter que les tarifs hôteliers baissent de 20 à 40 % en basse saison.

▶ **Pour connaître le temps qu'il fait sur place,** vous pouvez vous rendre sur le site www.meteo-consult.com – Vous y trouverez les prévisions météorologiques pour le monde entier.

Les manifestations

▶ **1er janvier :** Junkanoo Parade, défilé du carnaval à Nassau et Freeport, festivités dans les îles extérieures. Informations sur les horaires et parcours au ✆ 322 3140.

▶ **Fin avril :** Annual Family Island Regatta, régates à Exuma. Quatre jours de régates au cours desquelles s'affrontent des sloops, bateaux de conception locale, à partir de Elizabeth Harbour. Informations au ✆ 336 2430.

▶ **Mai :** National Art Festival, festival national des arts à Nassau. Musique, ballets, théatre. Informations au ✆ 356 2691/2.

▶ **Fin mai :** Annual Long Island Regatta, régate annuelle de Long Island réservée aux sloops locaux.

▶ **Début juin :** Annual Eleuthera Pineapple Festival, festival annuel de l'ananas à Eleuthera. Artisanat et concours de recettes. Musique et danses. Pineathlon, le triathlon de l'ananas, avec différentes épreuves sportives, des matchs de volley-ball, basket, courses de kayaks… ✆ 332 2142.

▶ **Juillet-août :** Grand Bahama Jazz Festival, concerts d'artistes internationaux. ✆ 352 6721.

▶ **De juin à août :** Junkanoo Summer Festival.

▶ **1er lundi d'août :** fête de l'Emancipation sur toutes les îles. Célébration de l'abolition de l'esclavage en 1834. Le Junkanoo démarre dès 16h de Fox Hill à Nassau. L'ascension du mât graisseux, un des moments forts de la fête, est un épisode haut en rebondissements.

▶ **12 octobre :** jour de la découverte de l'Amérique, Colombus Day. Concours d'ouverture de conques à Mc Lean's Town, Grand Bahama (Conch Cracking Contest).

▶ **5 novembre :** Guy Fawkes Day célèbre la pendaison d'un malfrat ayant fomenté en 1605 un complot contre le Parlement britannique. Au cours des festivités, on pend et on brûle l'effigie du bandit. Dans la capitale se déroule une grande parade.

▶ **26 décembre :** Junkanoo Day Parade. Le défilé de carnaval du lendemain de Noël démarre à 2h du matin. Informations au ✆ 322 3140.

▶ **4 fois par an** (janvier, avril, juillet, octobre), ouverture de la Cour suprême à 10h à Nassau. Un magistrat, coiffé de la traditionnelle perruque blanche et bouclée, inspecte la garde d'honneur du corps de police dans le square Rawson à Nassau.

▶ **Un samedi sur deux,** relève de la garde devant le palais du gouvernement.

SANTÉ

Aucune vaccination n'est nécessaire pour se rendre aux Bahamas. Aucune précaution sanitaire particulière n'est recommandée. Cependant il est préférable de boire de l'eau en bouteille (hors de prix par rapport à la France) plutôt que celle du robinet. De même, il convient de faire attention quand on consomme des fruits de mer ou de la nourriture dans les petits stands de rue aux conditions sanitaires de préparation plus incertaines. Il n'existe pas d'animaux venimeux aux Bahamas. Seule la veuve noire, une araignée ventrue qui ne se rencontre que très rarement, inflige une piqûre mortelle. Les désagréments les plus fréquents sont liés aux moustiques et aux puces de sable – les phlébotomes appelées familièrement no see 'em (littéralement « on ne les voit pas ») par les habitants – qui attaquent principalement à la tombée du jour aux abords des plages et dans les zones de mangrove. Leur morsure provoque une brûlure plus qu'une démangeaison. Les précautions à prendre pour prévenir les piqûres sont d'éviter les vêtements de couleurs vives, de protéger les chevilles et les pieds, et d'éviter le parfum.

Les plongeurs seront attentifs à ne pas toucher les poissons, coraux et organismes marins qui peuvent se révéler venimeux.

Il est recommandé de prévoir une très bonne protection solaire avec un indice élevé et une crème après-soleil efficace. A noter qu'il existe de bons établissements médicaux à Nassau et des cliniques dans les capitales des principales îles. Pour vous informer de l'état sanitaire du pays et recevoir des conseils, n'hésitez pas à consulter votre médecin. Vous pouvez aussi vous adresser à la Société de médecine des voyages du centre médical de l'Institut Pasteur au ✆ 01 40 61 38 46 (www.pasteur.fr/sante/cmed/voy/listpays.html) ou vous rendre sur le site du Cimed (www.cimed.org), du ministère des Affaires étrangères à la rubrique « Conseils aux voyageurs » (www.diplomatie.gouv.fr/voyageurs) ou de l'Institut national de veille sanitaire (www.invs.sante.fr).

Diarrhée du voyageur (turista)

Statistiquement, un voyageur sur deux est touché par la turista au cours des 48 premières heures de son séjour. Ces diarrhées et douleurs intestinales sont dues à une mauvaise hygiène, à la cuisson insuffisante des aliments, à une nourriture trop épicée ou, le plus souvent, à l'eau. 80 % des maladies contractées en voyage sont en effet directement imputables à une eau contaminée. Ces troubles disparaissent en général en un à trois jours. Prenez un antidiarrhéique, un désinfectant intestinal et hydratez-vous bien (pas de jus de fruits).
Si la diarrhée persiste ou s'accompagne de pertes de sang ou de glaires, consultez un médecin. Pour éviter ces désagréments, achetez des bouteilles d'eau scellées, faites bouillir l'eau (le café et le thé sont des boissons « sûres »), évitez les crudités ou les fruits non pelés, bannissez les glaçons, ne vous brossez pas les dents avec l'eau du robinet et ayez toujours sur vous des comprimés désinfectants.
Avant de partir, vous pouvez acheter du Micropur® Forte DCCNa – seul produit sur le marché qui purifie l'eau rapidement (élimine bactéries, virus, giardia et amibes) et permet à l'eau de rester potable. Il existe aussi Aquatabs® ou Hydroclonazone®. Ce dernier est le moins cher mais le goût en chlore est très prononcé et seules les bactéries sont éliminées.
Pour les aventuriers, un filtre est indispensable pour l'eau boueuse. Les filtres Katadyn® répondent aux attentes de ces baroudeurs avec plusieurs modèles, dont le filtre bouteille qui permet d'avoir de l'eau potable instantanément sans pomper (il élimine aussi les virus).

En cas de maladie

Un réflexe : contacter le consulat français. Il se chargera de vous aider, de vous accompagner et vous fournira la liste des médecins francophones. En cas de problème grave, c'est aussi lui qui prévient la famille et qui décide du rapatriement. Pour connaître les urgences et établissements aux standards internationaux : consulter les sites www.cimed.org, www.diplomatie.gouv.fr et www.pasteur.fr.

Adresses et numéros utiles

Vous trouverez les numéros utiles dans la partie « Pratique » de chaque chapitre.

Assurance/assistance médicale

Sachez tout d'abord qu'il est possible de bénéficier des avantages de la Sécurité sociale, même à l'étranger. A l'international, des garanties de sécurité sociale s'appliquent et sont mises en œuvre par le Centre des liaisons européennes et internationales de Sécurité sociale (www.cleiss.fr) chargé d'aiguiller les ressortissants dans leurs démarches. Mais cette prise en charge a ses limites. C'est pourquoi souscrire à une assurance maladie peut s'avérer très utile. Les prestations comprennent la plupart du temps le rapatriement, les frais médicaux et d'hospitalisation, le paiement des examens de recherche ou le transport du corps en cas de décès.

■ PLUS D'INFORMATIONS :

Le Centre des Liaisons Européennes
et Internationales de la Sécurité Sociale
11 rue de la tour des Dames
75436 Paris cedex 09
✆ 01 45 26 33 41 – Fax : 01 49 95 06 50
www.cleiss.fr ou www.ameli.fr

Rapatriement sanitaire par les opérateurs de cartes bancaires

Si vous possédez une carte bancaire Visa®, EuroCard® MasterCard®, vous bénéficiez automatiquement d'une assurance médicale et d'une assistance rapatriement sanitaire valables pour tout déplacement à l'étranger de moins de 90 jours (le paiement de votre voyage avec la carte n'est pas nécessaire pour être couvert, la simple détention d'une carte valide vous assure une couverture). Renseignez-vous auprès de votre banque et vérifiez attentivement le montant global de la couverture et des franchises ainsi que les conditions de prise en charge et les clauses d'exclusion. Si vous n'êtes pas couvert par l'une de ces cartes, n'oubliez surtout pas de souscrire une assistance médicale avant de partir.

NUMÉROS D'URGENCE ET D'ASSISTANCE

Pour la carte Bleue Visa® :
✆ 01 41 85 88 81
✆ 33 1 41 85 88 81 depuis l'étranger
ou le numéro indiqué au dos de votre carte
www.europ-cartes.com

Pour l'Eurocard® – Mastercard® :
✆ 01 45 16 65 65
✆ 33 1 45 16 65 65 depuis l'étranger
ou le numéro indiqué au dos de votre carte
www.mastercard.com/fr

SÉCURITÉ ET ACCESSIBILITÉ

RAS côté insécurité. Bien sûr, le risque zéro n'existe pas, mais les îles des Bahamas sont plutôt sûres ; ici chacun connaît et surveille son voisin, et le moindre écart de conduite est remarqué, voire dénoncé. Pas d'agression, pas de délinquance, seuls quelques vols, aussi est-il nécessaire de prendre les précautions classiques et de ne pas attiser les convoitises en exhibant des objets de valeur. Aux Bahamas, les actes de violence sont le plus souvent liés à des différends de voisinage ou des querelles d'amoureux et ne concernent pas les touristes. En revanche, ils font la une des journaux locaux. Pour connaître les dernières informations sur la sécurité sur place, consultez la rubrique « Conseils aux voyageurs » du site du ministère des Affaires étrangères : www.diplomatie.gouv.fr/voyageurs. Sachez cependant que le site dresse une liste exhaustive des dangers potentiels et que cela donne parfois une image un peu alarmiste de la situation réelle du pays.

Voyager avec des enfants

Aucun problème pour emmener ses enfants aux Bahamas. Excepté quelques hôtels clubs réservés aux plus de 18 ans, les autres mettront à disposition des infrastructures dédiés à vos chers bambins.

Voyageur handicapé

Tous les gros resorts sont adaptés à l'accueil des personnes à mobilité réduite, ce qui n'est pas toujours le cas des plus petites adresses. Les musées aussi sont adaptés. En revanche, prendre les transports prendra souci. Il faudra alors privilégier le taxi. Si vous présentez un handicap physique ou mental ou que vous partez en vacances avec une personne dans cette situation, différents organismes et associations s'adressent à vous.

Pour le conseil et l'accompagnement

HANDI VOYAGES
12, rue du Singe, 58000 Nevers
✆ 0 872 32 90 91 ou 06 80 41 45 00
www.handi-voyages.tk
handi.voyages@free.fr
Cette association assure l'aide aux personnes à mobilité réduite dans l'organisation de leurs voyages individuels ou en petits groupes. Elle propose un service d'aide à la recherche d'informations sur l'accessibilité mais aussi la mise en relation avec des volontaires compagnons de voyage. En outre, dans le cadre de l'opération « Des fauteuils en Afrique », Handi Voyages récupère du matériel pour personne à mobilité réduite et le distribue en Afrique.

Pour des séjours spécifiquement adaptés

A.C.T.I.S VOYAGES
www.actis-voyages.fr

AILLEURS ET AUTREMENT
www.ailleursetautrement.fr

ASSOCIATION DES PARALYSÉS DE FRANCE
www.apf.asso.fr

COMPTOIR DES VOYAGES
www.comptoir.fr

ÉVÉNEMENTS ET VOYAGES
www.evenements-et-voyages.com

GLOBE-TROTTER CLUB
www.globetrotterclub.com

NOUVELLES EVASIONS VACANCES
www.vacances-neva.com

OLÉ VACANCES
www.olevacances.org

Femme seule

Les femmes seules n'auront pas de soucis particuliers sur l'archipel. Par contre, une promenade seule en pleine nuit à Nassau est à éviter.

Homosexualité

Les Bahamas ne sont pas une destination privilégiée des voyageurs gays.

Il n'existe pas de lieux spécifiques et réservés aux gays et lesbiennes et même à Nassau vous sentirez des regards insistants se poser sur vous. A noter, la Rainbow Alliance (✆ 327 1247) est un organisme de soutien juridique et moral pour les homosexuel(le)s bahaméens.

TÉLÉPHONE

Peu de possibilités de téléphoner s'offrent à vous, car vous constaterez que les cabines sont très rares sauf dans les centres urbains et les centres commerciaux. Les bureaux de Batelco, la compagnie nationale, présents sur presque toutes les îles, possèdent des postes téléphoniques. Leurs horaires d'ouverture correspondent à ceux des administrations, avec parfois quelques libertés sur les îles extérieures. Des cartes de téléphone prépayées de Batelco, d'une valeur de 5, 10, 20 ou 50 US$, sont en vente dans les boutiques agréées, bureaux de Batelco et dans certains hôtels. Les boutiques rendent parfois service en dépannant d'un coup de fil, mais le tarif dépend de la bonne volonté du commerçant. Le plus simple est de téléphoner depuis les hôtels. Mais, comme tous les services, le téléphone est honteusement cher dans ces établissements. Les appels locaux coûtent 25 cents et les interurbains 1,25 cent la minute ; il faut compter jusqu'à 4 US$ la minute pour les appels vers l'Europe. Les appels réalisés chez Batelco sont payables uniquement en espèces, il y a également la possibilité de téléphoner en PCV.

- **Indicatif téléphonique des Bahamas :** ✆ 1 242
- **Pour téléphoner de France aux Bahamas :** 00 + 1 242 + les 7 chiffres du correspondant.
- **Pour téléphoner à l'intérieur d'une île :** les 7 chiffres du numéro du correspondant.
- **Pour téléphoner d'une île à une autre :** 242 + les 7 chiffres du numéro du correspondant.
- **Pour téléphoner des Bahamas en France :** 00+ 33 + le numéro du correspondant sans le 0.

Utiliser son téléphone mobile

La norme GSM (que l'on connaît en Europe) n'est toujours pas reconnue à l'heure actuelle, mais des accords entre opérateurs sont en négociation. N'hésitez donc pas à contacter votre opérateur avant de partir.

Qui paie quoi ?

La règle est la même chez tous les opérateurs. Lorsque vous utilisez votre téléphone français à l'étranger, vous payez la communication, que vous émettiez l'appel ou que vous le receviez. Dans le cas d'un appel reçu, votre correspondant paie lui aussi, mais seulement le prix d'une communication locale. Tous les appels passés depuis ou vers l'étranger sont hors forfait, y compris ceux vers la boîte vocale.

Skype et MSN

Pas besoin de combiné mais d'un ordinateur et d'une connexion Internet pour téléphoner avec Skype ou MSN. Les deux personnes cherchant à entrer en contact doivent avoir téléchargé l'un de ces deux logiciels gratuits. L'utilisation est ensuite très simple : un micro, un casque et une webcam si vous en avez une, et vous pouvez discuter pendant des heures sans payer un centime (connexion Internet exceptée).

TARIFS DES DIFFÉRENTS OPÉRATEURS				
	Bouygues	Orange (HT)	SFR	SFR Vodafone (option gratuite)
Appel émis	2,30 €/ min.	2,35 €/min.	2,90 €/min.	2,20 € + 0,37 €/min.
Appel reçu	1 €/min.	1,10 €/min.	1,40 €/min.	2,20 € par appel (jusqu'à 20 min.).
SMS	0,30 € – réception gratuite	0,29 € – réception gratuite	0,50 € pour les forfaits souscrits depuis le 12/03/2008, 0,30 € pour les autres – réception gratuite	0,30 € – réception gratuite

À VOIR, À LIRE

Bibliographie

- ***Bonjour les Bahamas,*** Hélène Leprisé, éditions du Pélican.
- ***Contes érotiques de ma grand-mère,*** Robert Antoni, éditions du Rocher.
- ***Carnaval,*** Robert Antoni, éditions Denoël (2005).
- ***Bahamas,*** Maurice Denuzière, éditions Fayard. Une grande fresque romanesque en trois volumes (*Le Pont de Buena Vista, Retour à Soledad*) se déroulant au XIXe siècle dans l'archipel des Bahamas.
- ***Le Vieil Homme et la mer,*** Ernest Hemingway.
- ***Lady pirate.*** Mireille Calmel, éditions XO. Le récit romancé de la vie de la célèbre femme pirate dont une bonne part des aventures se déroule dans les îles des Bahamas.
- ***Guide des poissons de récifs coralliens,*** R. F. Myers & E. Lieske, éditions Delachaux et Niestlé.
- ***The Dives Sites of the Bahamas,*** Lawson Wood, éditions Paperback.

LIBRAIRIES

Le voyage commence souvent bien calé dans son fauteuil, un récit de voyage ou un guide touristique à la main.
Nous vous proposons ici une liste de librairies spécialisées qui devraient satisfaire votre appétit de guides, romans et autres manuels pour partir à la découverte du monde.

Paris

ITINERAIRES, LA LIBRAIRIE DU VOYAGE
60, rue Saint-Honoré (1er)
✆ 01 42 36 12 63
Fax : 01 42 33 92 00
www.itineraires.com
M° Les Halles. Ouvert du lundi au samedi de 10h à 19h. Cette charmante librairie vous réserve bien des surprises. Logée dans un bâtiment classé des Halles, elle dispose d'un ravissant patio et de caves dans lesquelles sont organisées de multiples rencontres. Le catalogue de 15 000 titres est disponible sur le site Internet. Dédiée à « *la connaissance des pays étrangers et des voyages* », cette librairie offre un choix pluridisciplinaire d'ouvrages classés par pays.
Si vous désirez connaître une destination en particulier, quelques titres essentiels de la littérature vous sont proposés, ainsi que les guides de voyage existants, des livres de recettes, des précis de conversation, des études historiques… Dans la mesure du possible, les libraires mettent à votre disposition une sélection exhaustive pour un panorama complet d'un pays, de sa culture et de son histoire. La librairie organise régulièrement des expositions de photos.

LIBRAIRIE DE VOYAGEURS DU MONDE
55, rue Sainte-Anne (2e)
✆ 01 42 86 17 37 – Fax : 01 42 86 17 89
www.vdm.com
M° Pyramides ou Quatre-Septembre. Ouvert du lundi au samedi de 9h30 à 19h sans interruption. Située au sous-sol de l'agence de voyages Voyageurs du Monde, cette très belle librairie est logiquement dédiée aux voyages et aux voyageurs. Vous y trouverez tous les guides en langue française existants actuellement sur le marché, y compris les collections relativement confidentielles. Un large choix de cartes routières, de plans de villes, de régions vous est également proposé ainsi que des méthodes de langue, des ouvrages truffés de conseils pratiques pour le camping, trekking et autres réjouissances estivales. Rayon littérature et témoignages, récits d'éminents voyageurs et quelques romans étrangers.

LIBRAIRIE ULYSSE
26, rue Saint-Louis-en-l'Ile (4e)
✆ 01 43 25 17 35 – www.ulysse.fr
M° Pont-Marie. Ouvert du mardi au vendredi de 14h à 20h. Un jour de 1971, Catherine Domain

a posé ses valises sur l'île Saint-Louis où elle a ouvert une petite librairie. Depuis, c'est elle qui incite les autres au départ. Ne soyez pas rebuté par l'apparent fouillis des bibliothèques : les bouquins s'y entassent jusqu'au plafond, mais la maîtresse des lieux sait exactement où trouver ce qu'on lui demande. Car ici, il faut demander, le panneau accroché devant la porte de l'entrée vous y encourage franchement : « *Vous êtes dans une librairie spécialisée à l'ancienne, au contraire du self-service, de la grande surface ou du bouquiniste. Ce n'est pas non plus une bibliothèque, vous ne trouverez pas tout seul. Vous pouvez avoir des rapports humains avec la libraire qui, elle aussi, a ses humeurs.* » Vous voilà prévenu ! La boutique propose plus de 20 000 ouvrages (romans, beaux livres, guides, récits de voyages, cartes, revues) neufs et anciens sur tous les pays. Un service de recherche de titres épuisés est à la disposition des clients.

■ **LIBRAIRIE EYROLLES PRATIQUE**
63, boulevard Saint-Germain (5e)
✆ 01 46 34 82 75
M° Maubert-Mutualité ou Cluny-La Sorbonne et R.E.R. Saint-Michel. Ouvert de 9h30 à 19h30. La librairie s'est agrandie et le 63 n'est autre que l'extension du 61 ! Consacrée à la vie pratique, cette nouvelle boutique se présente sur deux niveaux : l'un est réservé à l'artisanat, au bien-être, à la santé, au jardinage, à la gastronomie et à Paris ; l'autre est entièrement dédié au tourisme. Voyageurs du monde, bienvenue au « paradis eyrollien ». Vous trouverez tout pour préparer votre escapade : cartes, guides, plans... Il ne vous reste plus qu'à prendre vos billets.

■ **LIBRAIRIE L'HARMATTAN**
16 et 21, rue des Ecoles (5e)
✆ 01 40 46 79 10 et 01 46 34 13 71
www.editions-harmattan.fr
M° Maubert-Mutualité. Ouvert du lundi au samedi de 10h à 12h30 et de 13h30 à 19h. Se consacrant essentiellement au continent africain, cette librairie propose toutefois de nombreux ouvrages sur l'Asie, l'Océanie, les pays de l'Est, le monde arabe et l'Amérique latine. Vous y trouverez littérature ou études, dans des domaines de savoir aussi divers que la sociologie, l'anthropologie, l'analyse politique ou encore l'histoire. Vous cherchez des contes vietnamiens ? Vous désirez une étude solide sur la dictature indonésienne ? Vous êtes à bonne enseigne.

■ **AU VIEUX CAMPEUR**
2, rue de Latran (5e) ✆ 01 53 10 48 48
A Paris, Quartier latin : 26 boutiques autour du 48, rue des Ecoles (5e)
www.au-vieux-campeur.fr
M° Maubert-Mutualité ou Cardinal-Lemoine. Ouvert du lundi au samedi ; lundi, mardi, mercredi et vendredi de 11h à 19h30, samedi de 10h à 19h30, nocturne le jeudi jusqu'à 21h. Les magasins du Vieux Campeur disposent d'une librairie dédiée au tourisme sportif en France. Vous y trouverez de nombreux guides mais aussi des cartes, des beaux livres, des revues et un petit choix de vidéos. Quelques pays d'Europe et d'autres contrées plus lointaines (comme l'Himalaya) sont également évoqués, mais ce sont surtout les régions de France qui sont ici représentées. Le premier étage met à l'honneur le sport, les exploits et découvertes. Vous pourrez vous y documenter sur l'escalade, le V.T.T., la plongée sous-marine, la randonnée, la voile, le ski... Commande possible par Internet.

■ **LIBRAIRIE LA GEOGRAPHIE**
184, boulevard Saint-Germain (6e)
✆ 01 45 48 03 82
www.librairie-la-geographie.com
M° Saint-Germain ou Rue-du-Bac. Ouvert du lundi au samedi de 10h à 19h. La librairie La GéoGraphie a récemment ouvert ses portes dans le Quartier latin. Gérée par deux amoureux du voyage, elle offre de quoi contenter amis de la terre et baroudeurs. Il y en a pour tous les goûts : aux ouvrages couvrant les sujets de la Société de géographie s'ajoutent des récits de voyages et d'aventures, des guides touristiques, des écrits géopolitiques, des cartes, etc. Voici un endroit convivial où l'on découvre, discute, comprend... Et ça ne s'arrête pas là : le site Internet et son blog fourmillent d'informations sur le monde (actualités, conférences...).

Découvrir le monde avec LibertyTV
LibertyTV est une chaîne non cryptée sur Astra 19,2° Est (12 552 Mhz, polarisation verticale)
Cinéma du monde
Les coulisses du voyage
la télé des vacances
noos numericable canal 92-94
orange canal 112
CANALSAT canal 76
neuf cegetel SFR canal 98
mauritiustelecom canal 4
Maroc Telecom
proximus
Alice canal 52
France CitéVision canal 144
ci clubinternet canal 140
DARTY BOX canal 46
free canal 154
Monaco telecom canal 145
estvidéo canal 77
Mobistar

ESPACE IGN

107, rue La Boétie (8e)
✆ 01 43 98 80 00 / 0 820 20 73 74
www.ign.fr
M° Franklin D.-Roosevelt. Ouvert du mardi au vendredi de 11h à 19h, le samedi de 11h à 18h30 et le lundi de midi à 18h30. Les bourlingueurs de tout poil seraient bien inspirés de venir faire un petit tour dans cette belle librairie sur deux niveaux avant d'entamer leur périple. Au rez-de-chaussée se trouvent les documents traitant des pays étrangers : cartes en veux-tu, en voilà (on n'est pas à l'Institut géographique national pour rien), guides de toutes éditions, beaux livres, méthodes de langue en version poche, ouvrages sur la météo, mappemondes, conseils pour les voyages... L'espace est divisé en plusieurs rayons consacrés chacun à un continent. Tous les pays, mers et océans du monde y sont représentés. Les enfants ont droit à un coin rien que pour eux avec des ouvrages sur la nature, les animaux, les civilisations... Quant aux amateurs d'ancien, ils pourront se procurer des reproductions de cartes datant pour certaines du XVIIe siècle.

GITES DE FRANCE

59, rue Saint-Lazare (9e)
✆ 01 49 70 75 75 – Fax : 01 42 81 28 53
www.gites-de-france.fr
M° Trinité. Ouvert du lundi au vendredi de 10h à 18h30 et le samedi de 10h à 13h et de 14h à 18h30 (sauf en juillet et en août). Pour vous aider à choisir parmi ses 55 000 adresses de vacances, Gîtes de France a conçu une palette de guides comportant des descriptifs précis des hébergements. Vous trouverez également dans les boutiques d'autres guides pratiques et touristiques, ainsi que des topo-guides de randonnée et des cartes routières et touristiques. Commande en ligne possible.

LIBRAIRIE MARITIME OUTREMER

55, avenue de la Grande-Armée (16e)
✆ 01 45 00 17 99 – Fax : 01 45 00 10 02
www.librairie-outremer.com
M° Argentine. Ouvert du lundi au samedi de 10h à 19h. La librairie de la rue Jacob a rallié les locaux de la boutique avenue de la Grande-Armée. Des ouvrages sur l'architecture navale, des manuels de navigation, des ouvrages de droit marin, les codes Vagnon, les cartes du Service hydrographique et océanique de la marine, des précis de mécanique pour les bateaux, des récits et romans sur la mer, des livres d'histoire de la marine... tout est là. Cette librairie constitue la référence dans ce domaine. Son catalogue est disponible sur Internet et en format papier à la boutique.

Bordeaux

LA ROSE DES VENTS

40, rue Sainte-Colombe
✆/Fax : 05 56 79 73 27
rdvents@hotmail.com
Ouvert du lundi au samedi de 10h à 12h30 et de 14h à 19h. Dans cette librairie, le livre fait voyager au sens propre comme au figuré. Les cinq continents y sont représentés à travers des guides et des cartes qu'il sera possible de déplier sur une table prévue à cet effet et décorée... d'une rose des vents. Des ouvrages littéraires ainsi que des guides de nature garnissent également les étagères. Le futur aventurier pourra consulter gratuitement des revues spécialisées. Lieu convivial, La Rose des Vents propose tous les jeudis soir des rencontres et conférences autour du voyage. Cette librairie fait maintenant partie du groupe Géothèque (également à Tours et Nantes).

LATITUDE VOYAGE

13, rue du Parlement-Saint-Pierre
✆ 05 56 44 12 48
www.latitudevoyage.fr
On est déjà ailleurs et plus très loin d'un voyage en pénétrant cette librairie du quartier historique de Bordeaux. Latitude Voyage possède de nombreux guides culturels, touristiques, de randonnée mais également des beaux livres. La littérature associée aux voyages est également représentée.
Pour ceux qui ont envie de franchir leur imaginaire et de se lancer dans leur propre voyage, il existe un grand choix de cartes avec les principaux éditeurs. Et si vous hésitez encore devant les rayons, sachez que la librairie présente ses coups de cœur sur son site Internet et que ses vendeurs sont à votre disposition pour vous donner des conseils. Vous pouvez même acheter vos livres en ligne (*1 € de frais de port par exemplaire*). Latitude Voyage accueille régulièrement des expositions et organise des soirées littéraires.

LIBRAIRIE DE VOYAGEURS DU MONDE

28, rue Mably
✆ 05 57 14 01 45 – www.vdm.com
Ouvert du mardi au samedi de 11h à 19h. Tout comme ses homologues de Paris, Marseille ou Toulouse, la librairie propose un vaste choix

de guides en français et anglais, de cartes géographiques et atlas, de récits de voyages et d'ouvrages thématiques. Egalement pour les voyageurs en herbe : des atlas, des albums et des romans d'aventures.

Brest

■ MERIDIENNE

31, rue Traverse
✆ 02 98 46 59 15
Ouvert de 9h30 à 12h30 et de 14h à 19h du mardi au vendredi et le samedi de 9h30 à midi et de 14h à 19h. Spécialisée dans les domaines maritimes et naturalistes, cette librairie est aussi une boutique d'objets de marins, de décoration et de jeux. Les curieux y trouveront des ouvrages de navigation, d'astronomie, des récits, des témoignages, des livres sur les sports nautiques, les grands voyages, l'ethnologie marine, la plongée, l'océanographie, les régions maritimes…

Caen

■ HEMISPHERES

15, rue des Croisiers
✆ 02 31 86 67 26
Fax : 02 31 38 72 70
www.aligastore.com
hemispherescaen@aol.com
Ouvert du mardi au samedi de 9h à 19h sans interruption. Dans cette librairie dédiée au voyage, les livres sont classés par pays : guides, plans de villes, littérature étrangère, ethnologie, cartes et topo-guides pour la randonnée. Les rayons portent aussi un beau choix de livres illustrés et un rayon musique. Le premier étage allie littérature et nourriture et des expositions de photos y sont régulièrement proposées.

Clermont-Ferrand

■ LA BOUTIQUE MICHELIN

2 place de la Victoire
✆ 04 73 90 20 50
www.michelin-boutique.com
Ouvert du mardi au samedi de 10h à 13h et de 14h à 19h, le lundi après-midi l'été. Vous trouverez dans cette boutique toute la production Michelin, des guides verts (en français, anglais ou allemand) aux guides rouges en passant par les cartes France et étranger. Egalement bagagerie, articles de sport, vaisselles et tout le nécessaire pour vos voyages (du triangle au contrôleur de pression) et de nombreux produits dérivés.

Grenoble

■ LIBRAIRIE DE VOYAGEURS DU MONDE

16, boulevard Gambetta
✆ 04 76 85 95 97 – www.vdm.com
Ouvert du mardi au samedi de 11h à 19h. Tout comme ses homologues de Paris, Marseille ou Toulouse, la librairie propose un vaste choix de guides en français et anglais, de cartes géographiques et atlas, de récits de voyages et d'ouvrages thématiques… Egalement pour les voyageurs en herbe : des atlas, des albums et des romans d'aventures.

Lille

■ AUTOUR DU MONDE

15, rue Saint-Jacques
✆/Fax : 03 20 78 19 33
www.autourdumonde-lille.com
Ouvert du mardi au samedi de midi à 19h. Ouverte en 2006, cette librairie située au cœur du vieux Lille est tenue par un ancien professionnel du tourisme qui se fera un plaisir de vous conseiller. Romans, carnets de voyages, guides, cartes IGN, livres jeunesse, jeux, cartes et affiches remplissent les rayons de cette boutique. Pour s'y retrouver, c'est facile : les ouvrages sont rangés par continents, puis selon les quatre points cardinaux. Vous partez en Islande ? Rendez-vous au nord-ouest du magasin. Possibilité de commande sur le site de la librairie.

■ LIBRAIRIE DE VOYAGEURS DU MONDE

147, boulevard de la Liberté
✆ 03 20 06 76 30 – Fax : 03 20 06 76 31
www.vdm.com
Ouvert du lundi au samedi de 10h à 19h. La Librairie des Voyageurs du Monde lilloise est située dans le centre-ville. Elle compte pas moins de 14 000 références, livres et cartes, uniquement consacrées à la découverte de tous les pays du monde, de l'Albanie au Zimbabwe en passant par la Chine.

Lyon

■ RACONTE-MOI LA TERRE

14, rue du Plat (2e)
✆ 04 78 92 60 20 – Fax : 04 78 92 60 21
www.raconte-moi.com
Ouvert le lundi de midi à 19h30, du mardi au samedi de 10h à 11h30 et de 14h30 à 19h30, nocturne le mercredi jusqu'à 22h. Connexion Internet, restaurant « exotique », cette libraire s'ouvre sur le monde des voyages. Les vendeurs vous conseillent et vous emmènent jusqu'à l'ouvrage qui vous

convient. Ethnographes, juniors, baroudeurs, Raconte-moi la Terre propose de quoi satisfaire tous les genres de voyageurs.

AU VIEUX CAMPEUR

Préfecture-université : 7 boutiques autour du 43, cours de la Liberté (3e)
www.au-vieux-campeur.fr
Ouvert du mardi au vendredi de 11h à 19h30, le samedi de 10h à 19h et le lundi de 11h à 19h. Les magasins du Vieux Campeur disposent d'une librairie dédiée au tourisme sportif en France. Vous y trouverez de nombreux guides mais aussi des cartes, des beaux livres, des revues et un petit choix de vidéos. Quelques pays d'Europe et d'autres contrées plus lointaines (comme l'Himalaya) sont également évoqués, mais ce sont surtout les régions de France qui sont ici représentées.

Marseille

LIBRAIRIE DE LA BOURSE MAISON FREZET

8, rue Paradis (1er) ✆ 04 91 33 63 06
Ouvert le lundi de 14h à 19h et du mardi au samedi de 8h45 à 12h15 et de 13h45 à 19h. Cette librairie fondée en 1876 sauve depuis plusieurs générations les explorateurs en tout genre. Sa spécialité ? Les plans, cartes et guides touristiques du monde entier. Terre, mer, montagne ou campagne, tous les sentiers battus se trouvent parmi les centaines d'ouvrages proposés. Si jamais l'idée vous tente de partir à l'aventure, rien ne vous empêche de vérifier votre thème astral ou de vous faire tirer les cartes avec tout le matériel ésotérique et astrologique également disponible.

LIBRAIRIE MARITIME OUTREMER

26, quai Rive-Neuve (1er)
✆ 04 91 54 79 40 – Fax : 04 91 54 79 49
www.librairie-maritime.com
Ouvert du mardi au vendredi de 9h à 12h30 et de 14h à 18h30, le samedi de 10h à 12h30 et de 15h à 18h30. Que vous ayez le pied marin ou non, cette librairie vous ravira tant elle regorge d'ouvrages sur la mer. Ici, les histoires sont envoûtantes, les images incroyables... De quoi se mettre à rêver sans même avoir jeté l'ancre !

LIBRAIRIE DE VOYAGEURS DU MONDE

25, rue Fort-Notre-Dame (1er)
✆ 04 96 17 89 26 – Fax : 04 96 17 89 18
www.vdm.com
Ouvert le lundi de midi à 19h et du mardi au samedi de 10h à 19h sans interruption. Sur le même site sont regroupés les bureaux des conseillers Voyageurs du Monde et ceux de Terres d'Aventure. La librairie détient plus de 5 000 références : romans, ouvrages thématiques sur l'histoire, spiritualité, cuisine, reportages, cartes géographiques, atlas, guides (en français et en anglais). L'espace propose également une sélection d'accessoires incontournables : moustiquaires, bagages...

AU VIEUX CAMPEUR

255, avenue du Prado
✆ 04 91 16 30 30
Fax : 04 91 16 30 59
www.au-vieux-campeur.fr
Ouvert du mardi au vendredi de 10h30 à 19h30, le samedi de 10h à 19h et le lundi de 10h30 à 19h. Les magasins du Vieux Campeur disposent d'une librairie dédiée au tourisme sportif en France. Vous y trouverez de nombreux guides mais aussi des cartes, des beaux livres, des revues et un petit choix de vidéos. Quelques pays d'Europe et d'autres contrées plus lointaines (comme l'Himalaya) sont également évoqués, mais ce sont surtout les régions de France qui sont ici représentées.

Montpellier

LES CINQ CONTINENTS

20, rue Jacques-Cœur
✆ 04 67 66 46 70 – Fax : 04 67 66 46 73
Ouvert le lundi de 13h à 19h et de 10h à 19h du mardi au samedi. Les libraires globe-trotters de cette boutique vous aideront à faire le bon choix parmi les nombreux ouvrages des cinq continents. Récits de voyages, guides touristiques, livres d'art, cartes géographiques et autres livres de cuisine ou musicaux vous permettront de mieux connaître divers pays du monde et régions de France. Régulièrement, la librairie organise des rencontres et animations (programme trimestriel disponible sur place). A fréquenter avant de partir ou pour le plaisir du voyage immobile.

Nantes

LA GEOTHEQUE

10, place du Pilori
✆ 02 40 47 40 68 – Fax : 02 40 47 66 70
geotheque-nantes@geotheque.com
Ouvert le lundi de 14h à 19h et du mardi au samedi de 10h à 19h. Vous trouverez des centaines de magazines, guides spécialisés et plus de 2 000 cartes IGN à la Géothèque. Une bonne adresse pour savoir où l'on va et, en voyageur averti, faire le point avant le départ.

■ **LIBRAIRIE DE VOYAGEURS DU MONDE**
1-3, rue des Bons-Français
✆ 02 40 20 64 39 – www.vdm.com
Ouvert du mardi au samedi de 11h à 19h. Tout comme ses homologues de Paris, Marseille ou Toulouse, la librairie propose un vaste choix de guides en français et anglais, de cartes géographiques et atlas, de récits de voyages et d'ouvrages thématiques. Egalement pour les voyageurs en herbe : des atlas, des albums et des romans d'aventures.

Nice

■ **LIBRAIRIE DE VOYAGEURS DU MONDE**
4, rue du Maréchal-Joffre
✆ 04 97 03 64 65 – Fax : 04 97 03 64 60
www.vdm.com
Ouvert de 10h à 19h du lundi au samedi. Les librairies des Voyageurs du Monde travaillent en partenariat avec plusieurs instituts géographiques à travers le monde et également quelques éditeurs privés. Elles proposent tous les ouvrages utiles pour devenir un voyageur averti !

Rennes

■ **ARIANE**
20, rue du Capitaine-Alfred-Dreyfus
✆ 02 99 79 68 47 – Fax : 02 99 78 27 59
www.librairie-voyage.com
Ouvert tous les jours de 9h30 à 12h30 et de 14h à 19h. Fermé le lundi matin. En France, en Europe, à l'autre bout du monde, plutôt montagne ou résolument mer, forêts luxuriantes ou déserts arides… quelle que soit votre envie, chez Ariane, vous trouverez de quoi vous documenter avant de partir. De la boussole aux cartes routières et marines, en passant par les guides de voyage, plans et articles de trekking, vous ne repartirez certainement pas sans avoir trouvé votre bonheur.

Strasbourg

■ **GEORAMA**
20, rue du Fossé-des-Tanneurs
✆ 03 88 75 01 95 – Fax : 03 88 75 01 26
Ouvert du lundi au samedi de 9h30 à 18h45, fermé le lundi matin. Le lieu est dédié au voyage et les guides touristiques voisinent avec les cartes routières et les plans de villes. Des accessoires indispensables au voyage (sac à dos, boussole) peuplent aussi les rayons de cette singulière boutique. Notez également la présence (et la vente) de fascinants globes lumineux et de cartes en relief.

■ **AU VIEUX CAMPEUR**
32, rue du 22-Novembre
www.au-vieux-campeur.fr
Ouvert du mardi au vendredi de 11h à 19h30, le samedi de 10h à 19h et le lundi de 11h à 19h. Les magasins du Vieux Campeur disposent d'une librairie dédiée au tourisme sportif en France. Vous y trouverez de nombreux guides mais aussi des cartes, des beaux livres, des revues et un petit choix de vidéos. Quelques pays d'Europe et d'autres contrées plus lointaines (comme l'Himalaya) sont également évoqués, mais ce sont surtout les régions de France qui sont ici représentées.

Toulouse

■ **LIBRAIRIE PRESSE DE BAYARD LA LIBRAIRIE DU VOYAGE**
60, rue Bayard
✆ 05 61 62 82 10 – Fax : 05 61 62 85 54
Ouvert du lundi au vendredi de 8h à 12h30 et de 14h à 19h, le samedi de 9h à 12h30 et de 14h à 17h. Pour ne pas gâcher vos vacances en tournant en rond, cette librairie offre toutes sortes de cartes IGN (disponibles aussi en CD-ROM), topo-guides, guides touristiques, cartes du monde entier et plans de villes (France et étranger). Cette surface de vente – la plus importante de Toulouse consacrée au voyage – possède également un rayon consacré à la navigation aérienne, maritime et aux cartes marines et un fonds important de guides Petit Futé !

■ **OMBRES BLANCHES**
48-50, rue Gambetta
et 5-7, rue des Gestes
✆ 05 34 45 53 33 – Fax : 05 61 23 03 08
www.ombres-blanches.com
Ouvert du lundi au samedi de 10h à 19h. On entre et on tombe sur une tente de camping. Pas de panique, ceci est bien une librairie, la petite sœur de la grande Ombres Blanches d'à côté, mais une librairie spécialisée dans les voyages et le tourisme. Beaux livres, récits de voyages, cartes de rando et de montagne, livres de photos… On voyage avant même d'avoir quitté sa ville !

■ **AU VIEUX CAMPEUR**
23, rue de Sienne, Labège-Innopole
www.au-vieux-campeur.fr
Ouvert du mardi au vendredi de 11h à 19h30, le samedi de 10h à 19h et le lundi de 11h à 19h. Les magasins du Vieux Campeur disposent d'une librairie dédiée au tourisme sportif en France. Vous y trouverez de nombreux guides

mais aussi des cartes, des beaux livres, des revues et un petit choix de vidéos. Quelques pays d'Europe et d'autres contrées plus lointaines (comme l'Himalaya) sont également évoqués, mais ce sont surtout les régions de France qui sont ici représentées.

Tours

LA GEOTHEQUE, LE MASQUE ET LA PLUME

14, rue Néricault-Destouches
✆ 02 47 05 23 56 – Fax : 02 47 20 01 31
geotheque-tours@geotheque.com
Ouvert du mardi au samedi de 10h à 12h30 et de 14h à 19h. Totalement destinée aux globe-trotters, cette librairie possède une très large gamme de guides et de cartes pour parcourir le monde. Et que les navigateurs des airs ou des mers sautent sur l'occasion : la librairie leur propose aussi des cartes, manuels, CD-ROM et GPS.

Belgique

LIBRAIRIE ANTICYCLONE DES AÇORES

34, rue Fossé-aux-Loups, 1000 Bruxelles
✆ 02 217 52 46
Cette librairie située près de la Bourse offre un grand choix d'ouvrages pour le voyageur. On y va pour ses guides et ses beaux livres mais surtout pour son large choix cartographique. Cartes topographiques, de randonnée, cyclotouristiques, plans de villes, cartes et atlas routiers, globes terrestres : vous ne vous lasserez pas de vous perdre dans les rayons de cette librairie.

LIBRAIRIE PEUPLES ET CONTINENTS

17-19, galerie Ravenstein, 1000 Bruxelles
✆ 02 511 27 75 – Fax : 02 514 57 20
www.peuplesetcontinents.com
Ouvert du mardi au vendredi de 9h à 18h et le samedi de 10h à 18h. Cette librairie indépendante propose guides de voyage et de randonnée, cartes routières, plans de villes, lexiques de conversation, guides d'identification botanique, atlas animaliers. Parmi plus de 5 000 titres, vous trouverez aussi des livres d'art sur les civilisations, des récits de voyages, historique, d'ethnologie, d'anthropologie et des beaux livres sur tous les pays du monde. Le tout en français, néerlandais ou anglais.

Québec

LIBRAIRIE ULYSSE

4176, rue Saint-Denis
et 560, rue Président-Kennedy, Montréal
✆ 514 843 9447 et 514 843 7222
La librairie des guides éponymes. Vous y trouverez près de 10 000 cartes et guides Ulysse en français et en anglais.

Suisse

LIBRAIRIE LE VENT DES ROUTES

50, rue des Bains, 1205 Genève
✆ (0041) 022 800 338 – www.vdr.ch
Le Vent des Routes réunit sous le même toit une librairie, une agence de voyages et un café-restaurant. Vous y trouverez guides, cartes, romans, idées de voyages et des libraires très disponibles qui vous feront part de leurs livres coup de cœur.

Randonnée en canoë à Grand Bahama

CARNET D'ADRESSES

Rappel : le rôle principal de l'ambassade est de s'occuper des relations entre les Etats, tandis que la section consulaire est responsable de sa communauté de ressortissants. Ainsi, pour tout problème concernant les papiers d'identité, la santé, le vote, la justice ou l'emploi, il faut s'adresser à la section consulaire de son pays. En cas de perte ou de vol de papiers d'identité, le consulat délivre un laissez-passer pour permettre uniquement le retour dans le pays d'origine, par le chemin le plus court. Il faut, bien entendu, avoir préalablement déclaré la perte ou le vol auprès des autorités locales.

Les Bahamas en France

■ CONSULAT DES BAHAMAS

5, rue de Beaune – 75007 Paris
✆ 01 42 86 03 60 – Fax : 01 47 03 39 27
L'ambassade se trouve à Londres
(✆ 00 44 207 408 44 88)

■ DÉLÉGATION PERMANENTE AUPRÈS DE L'UNESCO

5, rue de Beaune – 75007 Paris
✆ 09 50 60 65 54 – Fax : 01 47 03 39 27
www.unesco.org
dl.bahamas@unesco.org

La France aux Bahamas

■ CONSULAT DE FRANCE

A Nassau ✆ 356 76 51 – Fax : 356 76 53
Pour les urgences : ✆ (1 786) 390 55 39
Il n'y a pas d'ambassade de France aux Bahamas. L'ambassade de rattachement elle celle qui se trouve à Kingston en Jamaïque.
✆ (1 876) 978 02 10

MÉDIAS

Presse

■ COURRIER INTERNATIONAL

www.courrierinternational.com
Hebdomadaire regroupant les meilleurs articles de la presse internationale en version française.

■ GEO

www.geo.fr
Le mensuel accorde une large place aux reportages photographiques. Il propose aussi des articles et actualités, l'ensemble étant désormais imprimé sur du papier provenant de forêts gérées durablement.

■ GRANDS REPORTAGES

www.grands-reportages.com
Le magazine de l'aventure et du voyage propose des dossiers, reportages photo et articles divers sur les peuples, civilisations, paysages et monuments. Chaque sujet est complété par un important volet pratique pour préparer son voyage.

■ PETIT FUTÉ MAG

www.petitfute.com/mag
Notre journal bimestriel vous offre une foule de conseils pratiques pour vos voyages, des interviews, un agenda, le courrier des lecteurs… Le complément parfait à votre guide !

■ RANDOS-BALADES

www.randosbalades.fr
Magazine mensuel sur les randonnées en France et à l'étranger. L'approche est thématique (sentiers du littoral, itinéraires sauvages, thèmes culturels…) et la publication est riche en actualités, trucs et astuces, tests matériels, fiches topographiques et, bien sûr, en guides de randonnée.

■ TERRE SAUVAGE

www.terre-sauvage.com
Au sommaire : des aventures dans le sillage des expéditions scientifiques, la découverte des écosystèmes, des enquêtes sur la protection de l'environnement ou encore des rubriques plus pratiques avec, par exemple, des conseils photo.

■ ULYSSE

www.ulyssemag.com
Ce magazine culturel du voyage est édité par *Courrier International*. Huit numéros par an pour découvrir le monde, avec une large place accordée à la photographie.

Radio

■ RADIO FRANCE INTERNATIONALE

www.rfi.fr
89 FM à Paris. Pour vous tenir au courant de l'actualité du monde partout sur la planète.

Télévision

■ ESCALES
www.escalestv.fr
Cette chaîne consacrée aux documentaires s'intéresse aux voyages et au tourisme, en France et à l'étranger. Ils se déclinent sous différentes thématiques, comme la nature, les animaux, la culture ou encore la gastronomie.

■ FRANCE 24
www.france24.com
Chaîne d'information en continu, France 24 apporte 24h/24 et 7j/7, un regard nouveau à l'actualité internationale. Diffusée en 3 langues (français, anglais, arabe) dans plus de 160 pays, la chaîne est également disponible sur internet et le mobile sur www.france24.com, pour vous accompagner tout au long de vos voyages.

■ LIBERTY TV
www.libertytv.com
Cette chaîne non cryptée propose des reportages sur le monde entier et un journal sur le tourisme toutes les heures. La « télé des vacances » met aussi en avant des offres de voyages et promotions touristiques toutes les 15 minutes.

■ PLANÈTE
www.planete.tm.fr
Depuis presque 20 ans, Planète propose de découvrir le monde, ses origines, son fonctionnement et son probable devenir avec une grille de programmation documentaire éclectique : civilisation, histoire, société, investigation, reportages animaliers, faits divers, etc.

■ TV5 MONDE
www.tv5.org
La chaîne de télévision internationale francophone. Diffuse des émissions de ses partenaires nationaux (France Télévisions, RTBF, TSR et CTQC) ainsi que ses propres programmes.

■ USHUAÏA TV
www.ushuaiatv.fr
La chaîne découlant du magazine éponyme a un slogan clair : « Mieux comprendre la nature pour mieux la respecter ». Elle se veut télévision du développement durable et de la protection de la planète et propose nombre de documentaires, reportages et enquêtes.

■ VOYAGE
www.voyage.fr
Terres méconnues ou inconnues, grands espaces et mégapoles, lieux incontournables ou insolites, cultures et nouvelles tendances : Voyage TV vous propose d'explorer le monde dans toute sa richesse à l'aide de documentaires ou en compagnie de guides éclairés.

Les Bahamas sur Internet

■ www.bahamas.fr
Version française du site officiel du ministère du Tourisme des Bahamas.

■ www.bahamas.com
Site officiel du ministère du Tourisme des Bahamas.

■ www.nassauparadiseisland.com
Site officiel du ministère du Tourisme de l'île de New Providence.

■ www.grand-bahams.com
Site officiel de l'office du tourisme de l'île de Grand Bahama.

■ www.myoutislands.com
Site dédié aux îles extérieures.

■ www.whatsonbahamas.com
Site du magazine *What's On,* suggestions d'activités, articles de fond notamment sur New Providence, Freeport et les Abacos.

■ www.thenassauguardian.com
Site du quotidien de Nassau, liens avec d'autres journaux insulaires.

■ www.bahamasonline.com
Présentation des îles et sélection d'hôtels.

■ www.bahamiansonline.com
Liens vers les hôtels et annonces classées locales.

■ www.abacos.com
Location de résidences à long terme.

■ www.bahamasnews.com
Site général.

■ www.briland.com
Histoire de Harbour Island et actualités régionales.

■ www.edudulturebahamas.com
Site dédié au carnaval.

■ www.junkanoo.com
Site dédié au carnaval local.

■ www.mailboatbahamas.com
Ce site présente succinctement les îles et communique des informations sur les services offerts par les mail-boats.

■ www.oii.net
Guide sur les Abacos.

Comment partir ?

PARTIR EN VOYAGE ORGANISÉ

Annuaire des voyagistes

Les agences de voyages vous proposeront des croisières vers les spots de plongée et les paysages de cartes postales des Bahamas. Il faut dire qu'il y a fort à faire si vous êtes amateurs de grands espaces hors et sous l'eau ! Evidemment, la destination est aussi propice aux voyages de noces. Se marier sous les cocotiers ne sera donc pas difficile. De nombreux tour-opérateur vous proposeront aussi de réaliser votre voyage sur mesure avec vols, hébergement, location de voiture ou de voiliers, des formules « all inclusive » ou des circuits découvertes ... Bref, il est presque possible de tout faire !

Les spécialistes

Vous trouverez ici les tour-opérateurs spécialisés dans votre destination. Ils produisent eux-mêmes leurs voyages et sont généralement de très bon conseil car ils connaissent la région sur le bout des doigts. A noter que leurs tarifs se révèlent souvent un peu plus élevés que ceux des généralistes.

■ **AMV VOYAGES**
25, avenue des Arènes – 31130 Balma
✆ 05 62 47 41 10 – Fax : 05 62 47 41 20
www.amv-voyages.fr
AMV Voyages est un spécialiste de la plongée. A destination des Bahamas, ce voyagiste vous propose deux croisières qui vous permettront de profiter de ce sport dans plusieurs spots : « Turks et Caicos » et « Sea Explorer, Pirate's Lady ou Morning Star ». Egalement une excursion autour de Nassau pour observer requins et épaves et un séjour plongée de 9 jours « Echappée nature aux Bahamas » avec sorties plongées quotidiennes.

■ **AQUAREV**
2, rue du Cygne – 75001 Paris
✆ 01 48 87 55 78 – Fax : 01 48 87 50 81
www.aquarev.com
Aquarev propose des croisières, des centres et sites de plongée mais aussi des hébergements. L'occasion de découvrir tombants, récifs, grottes et épaves au milieu d'une faune aquatique très riche.

■ **BACK ROADS**
14, place Denfert-Rochereau – 75014 Paris
✆ 0143 22 65 65 – Fax : 01 43 20 04 88
www.backroads.fr
Back Roads a choisi de composer avec vous votre séjour aux Bahamas, afin d'être à l'écoute de vos besoins et de trouver des tarifs étudiés. Vols, hôtels à travers tout l'archipel, croisières : de nombreux éléments sont à votre disposition pour construire le séjour qui vous ressemble.

■ **COCORICO**
3, place du Général Leclerc
37000 Tours ✆ 02 47 75 27 90
Fax : 02 47 75 01 50
www.cocorico-voyages.com
Cocorico vous invite à découvrir sur mesure les paysages de rêve et les spots de plongée de Paradise Island, Nassau, Andros et Abaco. Egalement sur mesure votre voyage de noces et même votre cérémonie de mariage si vous le voulez !

■ **COMPAGNIE DE L'AMERIQUE LATINE ET DES CARAIBES**
82, bd Raspail (angle rue de Vaugirard)
75006 Paris
✆ 01 53 63 15 35 – Fax : 01 42 22 20 15
www.compagniesdumonde.com
Chez Compagnie de l'Amérique latine et des Caraïbes, vous trouverez des vols à prix compétitifs et une sélection d'hébergements à travers l'archipel.

■ **EMPREINTE VOYAGES**
ZAC des Etangs Avenue des Peupliers
13920 Saint Mitre les Remparts
✆ 0 826 106 107 – Fax 04 42 81 26 45
www.empreinte.net
Cette agence a sélectionné de nombreux établissements et séjours aux Bahamas. Empreintes voyages propose également des voyages sur mesure à constituer selon ses envies.

■ **FORCE 4**
29, rue de Clichy – 75009 Paris
✆ 01 53 68 90 79
www.force4plongee.com
Force 4, spécialiste de la plongée, construit avec vous le voyage qui vous sied le mieux quel que soit votre niveau, en s'adaptant également à votre budget. Vols, hébergements et sites de plongée, c'est à vous de choisir !

■ **ILES RESA.COM**
19, rue de la Paix – 75002 Paris
✆ 01 56 69 25 25 – Fax : 01 56 69 25 20
www.iles-resa.com
Ce tour-opérateur en ligne spécialiste des îles vous offre la possibilité de consulter, de comparer et de réserver votre voyage sur mesure aux Bahamas. Avec une offre d'hébergements, iles-resa.com vous propose aux Bahamas un séjour à la carte, adapté à votre budget. Egalement des croisières de 8 et 10 jours et des combinés.

■ **JETSET – EQUINOXIALES**
41, rue Galilée – 75116 Paris
✆ 01 53 67 13 00 – Fax : 01 53 67 13 29
www.jetset-voyages.fr
Jetset/Equinoxiales propose toute une gamme de produits pour composer vos vacances aux Bahamas sur mesure. Egalement deux séjours : « Expérience sous-marine aux Bahamas » en 9 jours avec Nassau, Long Island et Andros au programme ; « Coktail d'îles » en 14 jours de Nassau à Gran Bahama pour une découverte plus complète.

■ **MOORINGS**
82, rue Beaubourg – 75003 Paris
✆ 0 800 80 30 30 – Fax : 01 40 26 38 25
www.moorings.co
Moorings propose des vols et hébergements pour un circuit et voyage sur mesure. Egalement des croisières en voiliers et des excursions à la carte pour découvrir les Bahamas selon son rythme et ses envies.

■ **OCEANES**
231, rue Paul Julien – 13100 Le Tholonet
✆ 04 42 52 82 40 – Fax : 04 42 52 82 42
www.oceanes.com
Océanes propose des croisières sur voiliers et catamarans à la découverte des îles des Bahamas. Egalement des séjours plongées à Providence Island, Long Island ou bien encore à Andros Island. Océanes met aussi en place les listes de mariage.

■ **PAC – PECHE CHASSE AVENTURE**
7, rue des Rosiéristes
69140 Champagne-au-Mont-d'Or
✆ 04 78 33 48 70 – Fax : 04 78 35 56 24
www.pacvoyages.fr
PAC a sélectionné deux sites pour la pêche aux Bahamas : le premier se situe à Eleuthera, cette île permettant une pêche très personnelle grâce à un accès sans bateau de ses principaux flats. Le second site, l'île de Long Island, plus plate, offre tous les avantages que peut attendre le pêcheur à la mouche. Avec ou sans guide, sur les flats avec ou sans bateau, à vous de décider et de profiter.

■ **SPORT AWAY VOYAGES**
BP 109 – 13321 Marseille cedex 16
✆ 0 826 88 10 20 (0,15 €/min)
Fax : 04 91 46 79 66
www.sport-away.com
Sport Away Voyages est une agence spécialisée dans le golf, le kitesurf, le windsurg et le golf. A destination des Bahamas : deux croisières plongée à Exumas, une en 9 jours et l'autre en 10, en bateau tout confort. Les vols sont compris.

■ **UNIKTOUR**
1720 Fleury Est Montréal
Québec H2C 1T2 ✆ 514 722 0909
ou sans frais) : 1 866 722 0909
Fax : 514 722 2064 – www.uniktour.com
Uniktour est spécialiste des voyages d'aventure en individuel et sur mesure. Uniktour vous propose la location de voiliers ainsi qu'une croisière de luxe aux Exumas avec plongée, apnée, kayak, pêche…

■ **UN MONDE BAHAMAS**
24, rue Chauchat – 75009 Paris
✆ 0 892 234 254 – Fax : 01 70 37 34 24
www.unmondebahamas.com
Il y a de tout ! Un Monde Bahamas propose des séjours et des combinés inter-îles mais également avec les Etas-Unis (New York, la Floride...). Un large choix d'hôtels est disponible, et vous pouvez choisir votre séjour par thème d'activités : pêche au gros, plongée, Spa, casino, nage avec les dauphins ou les requins, golf ou excursions au départ de Nassau. Egalement des croisières et voyages de noces.

Les revendeurs généralistes

Vous trouverez ici les tour-opérateurs dits « généralistes ». Ils couvrent un large panel de destinations et revendent le plus souvent des produits packagés par d'autres. S'ils délivrent des conseils moins pointus que les spécialistes, ils proposent des tarifs généralement plus attractifs.

■ **ARTS ET VIE**
251, rue de Vaugirard, 75015 Paris
✆ 01 40 43 20 21 – Fax : 01 40 43 20 29
www.artsetvie.com
Depuis 50 ans, Arts et Vie, association culturelle de voyages et de loisirs, développe un tourisme tourné vers le savoir et la découverte. L'esprit des voyages culturels Arts et Vie s'inscrit dans une tradition associative et tous les séjours sont animés et conduits par des accompagnateurs passionnés et formés par l'association. Arts et Vie propose des conférences et ateliers thématiques portant sur la culture ou les différentes civilisations, animés par des universitaires.

■ **CARLSON WAGONLIT VOYAGES**
✆ 0 826 828 824 – www.cwtvoyages.fr
C'est l'agence de voyages virtuelle de la société Carlson Wagonlit. Le site propose plus d'un million de tarifs négociés au départ de l'Europe. La recherche est bien guidée et plutôt efficace. A noter, une catégorie exclusivement réservée aux départs de province et une rubrique de location de voitures reliée, au choix, au site d'Avis, d'Europcar ou de Holiday Autos.

■ **EXPEDIA FRANCE**
✆ 0 892 301 300 – www.expedia.fr
Expedia est le site français n° 1 mondial du voyage en ligne. Un large choix de 500 compagnies aériennes, 14 000 hôtels, plus de 3 000 stations de prise en charge pour la location de voitures et la possibilité de réserver toute une série d'activités sur votre lieu de vacances. Cette approche sur mesure du voyage est enrichie par une offre très complète comprenant prix réduits, séjours tout compris, départs à la dernière minute...

■ **GO VOYAGES**
14, rue de Cléry, 75002 Paris
www.govoyages.com
✆ 0 899 651 951 (billets)
✆ 0 899 651 851 (hôtels,
week-ends et location de voitures)
✆ 0 899 650 242 (séjours/forfaits)
✆ 0 899 650 246 (séjours Best Go)
✆ 0 899 650 243 (locations/ski)
✆ 0 899 650 244 (croisières)
✆ 0 899 650 245 (thalasso)
✆ 0 899 654 657 (circuits)
Go Voyages offre un comparateur qui vous permettra de trouver les meilleurs prix des

vols secs (charters et réguliers) au départ et à destination des plus grandes villes. Possibilité également d'acheter des packages sur mesure « vol + hôtel » permettant de réserver simultanément et en temps réel un billet d'avion et une chambre d'hôtel. Grand choix de promotions sur tous les produits, y compris la location de voitures. La réservation est simple et rapide.

■ **LAST MINUTE DEGRIFTOUR – TRAVELPRICE**

✆ 04 66 92 30 29
✆ 0 899 78 5000
www.lastminute.fr

Des vols secs à prix négociés, dégriffés ou publics sont disponibles sur Last Minute. On y trouve également des week-ends, des séjours, de la location de voitures... Mais Last Minute est surtout le spécialiste des offres de dernière minute pour voyager à petits prix. Que ce soit pour un week-end ou une semaine, une croisière ou simplement un vol, des promos sont proposées et renouvelées très régulièrement.

■ **OPODO**

✆ 0 899 653 656 – www.opodo.fr

Opodo vous permet de réserver au meilleur prix en comparant les vols de plus de 500 compagnies aériennes, les chambres d'hôtel parmi plus de 45 000 établissements et les locations de voitures partout dans le monde. Vous pouvez également y trouver des locations saisonnières ou des milliers de séjours tout prêts ou sur mesure. Opodo a été classé meilleur site de voyages par le banc d'essai Challenge Qualité – l'Echo touristique en 2004. Des conseillers voyage vous répondent 7j/7 au ✆ 0 899 653 656 (0,34 €/min., de 8h à 23h du lundi au vendredi, de 9h à 19h le samedi et de 11h à 19h le dimanche).

■ **PROMOVACANCES**

✆ 0 892 232 626
✆ 0 892 230 430 (thalasso, plongée ou lune de miel) – www.promovacances.com

Promovacances propose de nombreux séjours touristiques, des week-ends, locations, hôtels à prix réduits ainsi qu'un très large choix de billets d'avion à tarifs négociés sur vols charters et réguliers. Vous y trouverez également des promotions de dernière minute, les bons plans du jour et des informations pratiques pour préparer votre voyage (pays, santé, formalités, aéroports, voyagistes, compagnies aériennes.)

■ **THOMAS COOK**

✆ 0 826 826 777 (0,15 €/min.)
www.thomascook.fr

Tout un éventail de produits pour composer son voyage : billets d'avion, location de voitures, chambres d'hôtel... Thomas Cook propose aussi des séjours dans ses villages-vacances et les « 24h de folies » : une journée de promos exceptionnelles tous les vendredis. Leurs conseillers vous donneront des conseils utiles sur les diverses prestations des voyagistes.

■ **VIVACANCES**

✆ 0 899 653 654 (1,35 €/appel et 0,34 €/min.)
www.vivacances.fr

Vivacances est une agence de voyages en ligne créée en 2002 et rachetée en 2005 par Opodo, leader du voyage en ligne. Vous trouverez un catalogue de destinations soleil, farniente, sport ou aventure extrêmement riche : vols secs, séjours, week-ends, circuits, locations... Les prix sont négociés sur des milliers de destinations et des centaines de compagnies aériennes. Vous pourrez aussi effectuer vos réservations d'hôtels et vos locations de voitures à des tarifs avantageux. Le site propose des offres exclusives sans cesse renouvelées : à visiter régulièrement.

Les sites comparateurs

Plusieurs sites permettent de comparer les offres de voyages (packages, vols secs, etc.) et d'avoir ainsi un panel des possibilités et donc des prix.
Ils renvoient ensuite l'internaute directement sur le site où est proposée l'offre sélectionnée.

■ **EASYVOYAGE**

www.easyvoyage.com

Le concept de Easyvoyage.com peut se résumer en trois mots : s'informer, comparer et réserver. Des infos pratiques sur quelque 255 destinations en ligne (saisonnalité, visa, agenda...) vous permettent de penser plus efficacement votre voyage. Après avoir choisi votre destination de départ selon votre profil (famille, budget...), Easyvoyage.com vous offre la possibilité d'interroger plusieurs sites à la fois concernant les vols, les séjours ou les circuits. Enfin grâce à ce méta-moteur performant, vous pouvez réserver directement sur plusieurs bases de réservation (Lastminute, Go Voyages, Directours, Anyway... et bien d'autres).

ILLICOTRAVEL

www.illicotravel.com

Illicotravel permet de trouver le meilleur prix pour organiser vos voyages autour du monde. Vous y comparerez les billets d'avion, hôtels, locations de voitures et séjours. Ce site très simple offre des fonctionnalités très utiles comme le baromètre des prix pour connaître les meilleurs prix sur les vols à plus ou moins 8 jours.

Le site propose également des filtres permettant de trouver facilement le produit qui répond à tous vos souhaits (escales, aéroport de départ, circuit, voyagiste...).

KELKOO

www.kelkoo.com

Ce site vous offre la possibilité de comparer les tarifs de vos vacances. Vols secs, hôtels, séjours, campings, circuits, croisières, ferries, locations, thalassos : vous trouverez les prix des nombreux voyagistes et pourrez y accéder en ligne grâce à Kelkoo.

LILIGO

www.liligo.com

Liligo interroge agences de voyage, compagnies aériennes (régulières et low cost), trains (TGV, Eurostar ...), loueurs de voiture mais aussi 250 000 hôtels à travers le monde pour vous proposer les offres les plus intéressantes du moment. Les prix sont donnés TTC et incluent donc les frais de dossier, d'agence... Le site comprend aussi deux thématiques : « week-end » et « ski ».

MYZENCLUB

www.myzenclub.com

Le site recense les meilleures offres des voyagistes en ligne les plus importants. Myzenclub vous informe des bons plans et des promotions trouvées parmi toutes les agences pour vos vacances en France et à l'étranger, hôtels, croisières, thalasso, vols... L'inscription est gratuite.

PRIX DES VOYAGES

www.prixdesvoyages.com

Ce site est un comparateur de prix de voyages, permettant aux internautes d'avoir une vue d'ensemble sur les diverses offres de séjours proposées par des partenaires selon plusieurs critères (nombre de nuits, catégories d'hôtel, prix, etc.). Les internautes souhaitant avoir plus d'informations ou réserver un produit sont ensuite mis en relation avec le site du partenaire commercialisant la prestation. Sur Prix des Voyages, vous trouverez des billets d'avion, des hôtels et des séjours.

SPRICE

www.sprice.com

Un jeune site qui gagne à être connu. Vous pourrez y comparer vols secs, séjours, hôtels, locations de voitures ou biens immobiliers, thalassos et croisières. Le site débusque aussi les meilleures promos du Web parmi une cinquantaine de sites de voyages. Un site très ergonomique qui vous évitera bien des heures de recherches fastidieuses.

VOYAGER MOINS CHER

www.voyagermoinscher.com

Ce site référence les offres de près de 100 agences de voyages et tour-opérateurs parmi les plus réputés du marché et donne ainsi accès à un large choix de voyages, de vols, de forfaits « vol + hôtel », de locations, etc. Il est également possible d'affiner sa recherche grâce au classement par thèmes : thalasso, randonnée, plongée, All Inclusive, voyages en famille, voyages de rêve, golf ou encore départs de province.

Long Island, Dean's Blue Hole

PARTIR SEUL

En avion

Les Bahamas possèdent 11 aéroports internationaux dont les deux plus importants sont celui de Nassau (New Providence) et celui de Freeport (Grand Bahama). Certains vols internationaux atterrissent sur Abaco, Eleuthera, Andros, Bimini et Exuma. Les vols ne manquent donc pas. Signalons toutefois qu'Air France n'assure pas de liaisons vers la destination. Les Bahamas sont en revanche bien desservies depuis les Etats-Unis, notamment depuis la Floride (Miami et Fort Lauderdale), et le Canada par des vols réguliers assez économiques.

Attention aussi si vous optez pour une compagnie américaine faisant escale aux Etats-Unis. Il faudra vous soumettre aux conditions d'accès sur le territoire américain et donc obtenir une « pré-autorisation » au plus tard 72 heures avant votre départ en remplissant un dossier, systématiquement, sur le site officiel : https://esta.cbp.dhs.gov (informations au ✆ 0 899 70 24 70 et info@office-tourisme-usa.com). Il vous faut également être en possession d'un passeport à lecture optique.

▸ **Prix moyen d'un vol Paris-Nassau.** Haute saison : de 1 000 à 1 300 € • Basse saison : de 725 à 1 000 €.

© THE ISLANDS OF THE BAHAMAS

New Providence - Nassau, Cabbage Beach

A noter que la variation de prix dépend de la compagnie empruntée mais, surtout, du délai de réservation. Pour obtenir des tarifs intéressants, il est indispensable de vous y prendre très en avance. Pensez à acheter vos billets six mois avant le départ !

Principales compagnies desservant les Bahamas

■ **AMERICAN AIRLINES**

✆ 01 55 17 43 41

www.americanairlines.fr

American Airlines propose des liaisons quotidiennes entre Paris et Nassau et Paris et Freeport.

■ **BRITISH AIRWAYS**

✆ 0 825 825 400 – www.ba.com

British Airways propose au moins un vol quotidien entre Paris et Nassau, via Londres.

■ **DELTA AIRLINES**

✆ 0 811 64 00 05 – www.delta.com

La compagnie propose plusieurs vols quotidiens à destination de Nassau et de Freeport.

Vous rendre à Roissy CDG ou Orly en transports en commun

■ **ROISSYBUS – ORLYBUS**

Renseignements :

✆ 0 892 68 77 14 ou sur www.ratp.fr

La R.A.T.P. permet de rejoindre facilement les deux grands aéroports parisiens grâce à des navettes ou des lignes régulières.

▸ **Pour Roissy-CDG,** départs de la place de l'Opéra (à l'angle de la rue Scribe et la rue Auber) entre 5h45 et 23h toutes les 15 à 20 minutes. Comptez 8,90 € l'aller simple et entre 45 et 60 minutes de trajet. Possibilité également de prendre le R.E.R. B : comptez 45 minutes au départ de Denfert-Rochereau pour rejoindre Roissy-CDG (toutes les 10 à 15 minutes). Vous pourrez rejoindre l'aérogare 1 et 2 – terminal 4 et le Roissypôle Gare – R.E.R. au départ de Paris-Gare de l'Est avec le bus 350 et au départ de Paris-Nation avec le bus 351. La fréquence des bus est de 10 à 15 minutes en semaine, 20 à 35 minutes le week-end et les jours fériés.

▸ **Pour Orly,** départs de la place Denfert-Rochereau de 5h30 à 23h toutes les 15 à

20 minutes. Comptez 6,30 € l'aller simple et 30 minutes de trajet. Possibilité également de prendre le RER C (25 minutes de trajet entre Austerlitz et Orly, départ toutes les 15 minutes) ou l'Orlyval (connexion avec Antony sur la ligne du RER B) : comptez 8 minutes de trajet entre Antony et Orly, toutes les 4 à 7 minutes. Orly-Antony : 7,40 €. Orly-Paris : 9,60 €.

Vous rendre à Roissy-CDG ou Orly avec les cars Air France

■ RENSEIGNEMENTS
✆ 0 892 350 820
www.cars-airfrance.com
Pour vous rendre aux aéroports de Roissy-Charles-de-Gaulle et d'Orly, vous pouvez utiliser les services des cars Air France.
Cinq lignes sont à votre disposition :

- **Ligne 1 :** Orly-Montparnasse-Invalides : 10 € pour un aller simple et 16 € pour un aller-retour.
- **Ligne 1 Bis :** Orly-Montparnasse-Arc de triomphe : 10 € pour un aller simple, 16 € pour un aller-retour.
- **Ligne 2 :** CDG-Porte Maillot-Etoile : 14 € pour un aller simple et 22 € pour un aller-retour.
- **Ligne 3 :** Orly-CDG : 18 € pour un aller simple.
- **Ligne 4 :** CDG-Gare de Lyon-Montparnasse : 15 € pour un aller simple et 24 € pour un aller-retour.

Tarif réduit pour les moins de 12 ans et les groupes de plus de 4 personnes.

Aéroports en France

■ PARIS
www.aeroportsdeparis.fr
Roissy-Charles-de-Gaulle
✆ 01 48 62 12 12
Orly ✆ 01 49 75 52 52

■ BORDEAUX
www.bordeaux.aeroport.fr
✆ 05 56 34 50 00

■ LILLE LESQUIN
www.lille.aeroport.fr
✆ 0 891 67 32 10 (0,23 € T.T.C./min.)

■ LYON SAINT-EXUPÉRY
www.lyon.aeroport.fr ✆ 0 826 800 826

■ MARSEILLE PROVENCE
www.marseille.aeroport.fr
✆ 04 42 14 14 14

■ MONTPELLIER MÉDITERRANÉE
www.montpellier.aeroport.fr
✆ 04 67 20 85 00

■ NANTES ATLANTIQUE
www.nantes.aeroport.fr
✆ 02 40 84 80 00

■ NICE CÔTE D'AZUR
www.nice.aeroport.fr
✆ 0 820 423 333

■ STRASBOURG
www.strasbourg.aeroport.fr
✆ 03 88 64 67 67

■ TOULOUSE BLAGNAC
www.toulouse.aeroport.fr
✆ 0 825 380 000

Aéroport en Belgique

■ BRUXELLES
www.brusselsairport.be
✆ 02 753 77 53 ou 0900 700 00 (uniquement de Belgique)

Aéroport en Suisse

■ GENÈVE
www.gva.ch/fr ✆ +41(0)900 57 15 00 (1,19 CHF/min. depuis la Suisse)

Aéroports au Canada

■ QUÉBEC – JEAN-LESAGE
www.aeroportdequebec.com
✆ 418 640 2600

■ MONTRÉAL TRUDEAU
www.admtl.com ✆ 1 800 465 1213

Les sites comparateurs

Ces sites vous aideront à trouver des billets d'avion au meilleur prix. Certains d'entre eux comparent les prix des compagnies régulières et low-cost. Vous trouverez des vols secs (transport aérien vendu seul, sans autres prestations) au meilleur prix.

■ www.easyvols.fr

■ www.jetcost.com

■ http://voyages.kelkoo.fr

■ www.sprice.com

■ www.voyagermoinscher.com

Pour connaître le degré de sécurité de la compagnie aérienne que vous envisagez d'emprunter, rendez-vous sur le site Internet www.securvol.fr ou sur celui de la Direction générale de l'aviation civile : www.dgac.fr

Séjourner

SE LOGER

L'éventail des possibilités d'hébergement qu'offrent les Bahamas est extrêmement large. De la pension de famille au palace colonial, du petit hôtel de charme indépendant aux grosses structures hôtelières, de la « guest-house » aux complexes all inclusive (tout inclus), toutes les formes d'hébergement coexistent sur les îles. D'une manière générale, les infrastructures hôtelières sont d'excellente qualité, offrent de nombreux services et sont gérées avec beaucoup de professionnalisme et un grand sens de l'hospitalité. La qualité de l'accueil est partout incomparable. De nombreux hôtels sont labellisés « small treasures », « small luxury hotels », et leur appartenance à ce type de chaîne témoigne du haut niveau de qualité de leurs prestations.

Quelques bémols. Il y a très peu d'hôtels et de structures francophones dans les îles, ce qui offre une excellente occasion de pratiquer votre anglais.

La qualité des établissements peut varier d'une île à l'autre. Mais surtout, les hôtels restent chers sur la majorité des îles. Les possibilités de camping sont inexistantes. La plupart des hôtels offrent des tarifs qui ne prennent pas en compte le petit déjeuner qui est facturé en sus. Dans le cas contraire, il s'agit de Bed & Breakfast. De nombreux hôtels, surtout quand ils sont isolés, proposent des formules demi-pension. Les hôtels de Nassau et de Grand Bahama prélèvent une taxe de 10 %. Sur les îles extérieures, la taxe est de 8 % à laquelle s'ajoutent 2 à 5 % pour le service. Les prix indiqués dans le guide incluent ces taxes.

De particulier à particulier

MÉDIAVACANCES

www.mediavacances.com

Médiavacances propose des locations de vacances de particulier à particulier en France et partout dans le monde. Des offres de dernière minute sont disponibles sur le site Internet où vous pourrez également choisir votre location selon le type de vacances (montagne, mer, campagne, station thermale, ville) et d'hébergements recherchés (studio, appartement, villa, bungalow, mobil-homes ...). Au total ce sont 12 000 offres d'hébergement répertoriées.

Trouver tous types d'offres

HOSTELSCLUB.COM

www.hostelsclub.com

Hostelsclub.com est une société jeune et dynamique qui permet à des milliers de voyageurs de réserver facilement, rapidement et en toute sécurité dans le monde entier. Le portail vous permet de trouver un hébergement n'importe où : Europe, Amérique du Nord, Amérique du Sud, Asie, Océanie et Afrique.

Hôtels

On distinguera plusieurs catégories d'hôtellerie, qui permettront de satisfaire tous les clients, des plus modestes aux plus exigeants.

Les « mega resorts »

Géants du tourisme, ces immenses complexes hôteliers qui comptent de 700 à 1 500 chambres en moyenne appartiennent en général à des chaînes internationales (Starwood, Hilton ou Wyndham) et reproduisent le même concept et les mêmes niveaux de prestations d'un pays à l'autre. Bien équipés en infrastructures sportives (piscines, courts de tennis, gymnasium) et offrant un large éventail d'activités sportives nautiques et terrestres (plongée, voile, golf...), ils comptent également de nombreux restaurants et bars de différentes catégories, et souvent un bout de plage privatisé. Ces « resorts » se trouvent principalement sur les îles de Nassau, de Paradise Island et de Grand Bahama. Certains proposent des formules club, tout compris, d'autres des formules à la carte.

L'hôtellerie de charme

Elle est composée de structures de 10 à 60 chambres. Elle compte une centaine d'hôtels à l'ambiance plus chaleureuse, voire familiale. Ils correspondent à différentes catégories de confort, du Bed & Breakfast sans prétention à des haltes de grand luxe, classées parmi les plus beaux hôtels du monde. Certains se logent dans des demeures centenaires au style colonial, d'autres sont abrités dans des édifices récents. Très nombreux dans les Out Islands, ces petits établissements offrent des prestations de restauration et possèdent des équipements sportifs. C'est dans cette catégorie que l'on trouve les plus beaux hôtels des îles.

Les hôtels à taille humaine

Entre ces deux extrêmes, se situent les hôtels d'une capacité moyenne de 200 chambres, « resorts » à taille humaine, qui offrent une large palette d'activités et de services, restaurants et bars.

Les petits hôtels

Enfin la petite hôtellerie, offrant un confort modeste mais correct, à des prix plus doux, existe également. Ces hôtels sont en général des entreprises familiales, où l'ambiance est plus locale. Ils attirent le plus souvent une clientèle jeune et sportive. On trouve des haltes de ce type sur toutes les îles.

Locations de villas

Pour les séjours de longue durée ou pour privilégier l'indépendance, vous pouvez opter pour une location de villa ou d'appartement dans un condominium. Généralement assez luxueuses, ces locations peuvent comprendre des prestations annexes (restaurants et activités sportives). Cette option existe sur toutes les îles. De nombreux sites Internet présentent des catalogues de locations.

SE DÉPLACER

Transports inter-îles

Avion

C'est le moyen de transport privilégié entre les îles, car c'est le plus rapide. Toutes les îles importantes possèdent un aéroport, voire deux ou trois, soit au total 60 aéroports nationaux qui parfois se résument à une simple piste d'atterrissage. La plupart des vols intérieurs rayonnent depuis Nassau, ce qui rend compliqué l'établissement d'un itinéraire dans l'archipel, en augmentant également le coût, avec parfois en prime une nuit à Nassau entre deux avions. La solution peut être d'affréter un avion charter pour ces déplacements afin d'optimiser le temps dévolu aux vacances et, à partir de 3 passagers, cette option peut s'avérer plus économique. De nombreuses compagnies proposent ce type de service dans tous les aéroports, notamment dans les Out Islands. Bahamasair est la compagnie aérienne nationale. Elle assure les liaisons inter-îles, à des fréquences assez importantes. Cependant on déplore le manque d'exactitude des rotations, en conséquence, on recommande donc de prendre ses précautions en cas de correspondance avec un vol international. D'ailleurs, les indiscrétions locales laissent entendre que le gouvernement serait prêt à privatiser la compagnie, espérant une meilleure gestion. ✆ 377 5505 ou 800 222 4262.

Différentes petites compagnies d'aviation offrent la location d'avionnettes pour rejoindre les îles les plus éloignées. Elles sont basées à l'aéroport de Nassau.

■ **CAT ISLAND AIR**
✆ 377 3318

■ **LEAR AIR**
✆ 377 2356

■ **MAJOR'S AIR**
✆ 352 5778

■ **SKY UNLIMITED**
✆ 377 8993

■ **SOUTHERN AIR**
✆ 377 2014

Ferry

Les ferries de la compagnie Bahama Fast Ferries (✆ 323 2166 – www.bahamasferries.com – terminal et guichets sur Potter's Cay Dock, à Nassau) sont un moyen sûr et rapide de gagner certaines îles depuis Nassau. Les rotations sont régulières, le transport est rapide et les horaires respectés. Il est prudent de réserver sa place à l'avance. Le Bahama Fast Ferry relie quotidiennement Nassau à Spanish Wells, Harbour Island et Eleuthera (plusieurs escales). Compter 2 heures de trajet, 65 US$ pour un trajet simple adulte, 45 US$ enfant et 110 US$ pour un aller-retour adulte, 70 US$ aller-retour enfant. Le Bahamas Searoad Sea Link transporte passagers et véhicules entre Nassau et Eleuthera 3 fois par semaine. Il dessert également Andros chaque jour à des horaires différents, avec trois étapes : Andros nord, centre et sud ; compter 90 US$ aller-retour par adulte et 55 US$ pour un enfant. Le trajet dure environ 3 heures.

Georges Town, la capitale des Exuma, est desservie le lundi et le mercredi (90 US$ aller-retour par adulte et 55 US$ par enfant). Sandy Port à Abaco est desservi le mercredi, le vendredi et le dimanche (mêmes tarifs).

Mail-boat

Les bateaux-poste (mail-boats) sont pour certaines îles le seul contact avec la capitale. Ils ont pour vocation de livrer sur les îles des équipements et denrées nécessaires à la vie locale. Une flotte de quelque vingt bateaux privés, subventionnés par le gouvernement, sillonne les eaux de l'archipel avec des rotations régulières effectuant une tournée hebdomadaire de toutes les îles, mais avec des horaires souvent erratiques. Les mail-boats peuvent également embarquer des passagers pour des trajets inter-îles entre Nassau et les autres îles habitées, qu'ils effectuent à un rythme hebdomadaire ou bihebdomadaire, le plus souvent de nuit. C'est un moyen de transport peu coûteux, surtout utilisé par les Bahaméens plus que par les touristes. Les voyages sont longs, de 6 à 24 heures selon les destinations, le nombre de places est limité, les conditions de confort sont rudimentaires, avec parfois des cabines de 4 à 6 passagers, et un service de restauration à bord. Les premiers arrivés sont les premiers embarqués. Départ à Nassau de Potter's Cay.
✆ 328 0832 – www.mailboatbahamas.com – mailboat@coralwave.com

Se déplacer sur une île

Héritage anglais oblige, on conduit à gauche aux Bahamas, quelque soit le véhicule emprunté.

Bateaux-taxis

Ils remplacent bien souvent les taxis, dès qu'il y a un bras de mer à franchir pour se rendre dans un îlot ou pour atteindre un endroit non desservi par une route. Comme pour les taxis terrestres, les tarifs sont fixés et non négociables. Certains hôtels possèdent leur propre bateau-taxi.

Bus

Les transports en commun sont peu développés aux Bahamas. Des autobus, les jitneys, circulent sur l'île de New Providence et de Freeport entre l'aube et 19h à 20h. Le tarif unique est de 1,25 US$ par personne. Sur les îles extérieures, il n'existe pas de transports en commun.

Deux-roues

Les loueurs se trouvent le plus souvent dans l'enceinte des hôtels. La bicyclette est un moyen de locomotion pratique dans la mesure où le terrain est plat et les distances assez courtes. Les scooters sont également assez présents sur les îles. On vous demandera une caution (empreinte de carte de crédit) pour vous livrer le deux-roues et, bien sûr, d'avoir plus de 18 ans pour les scooters.

Taxis

Se déplacer en taxi est très courant sur les îles, notamment dans les plus vastes, et les véhicules sont nombreux. Les tarifs sont établis officiellement, donc non négociables, et aucun taxi officiel n'y déroge. Donc en général pas de mauvaise surprise. Parfois un chauffeur anonyme en maraude propose ses services à des tarifs compétitifs, mais comme partout c'est à vos risques et périls, quoique les périls sur les îles soient rares…

Voiture

Seules les îles de New Providence, de Grand Bahama et d'Eleuthera sont assez vastes pour justifier la location d'une voiture. Les grandes enseignes internationales sont présentes, notamment dans les aéroports par le biais de franchisés. Les véhicules sont en bon état. Il faut compter environ 100 US$ par jour. Formalités classiques : permis de conduire, passeport, empreinte de carte de crédit. Le permis de conduire européen est valable 3 mois. Attention, les véhicules étant originaires des Etats-Unis, le volant est à gauche, ce qui complique un peu les choses pour la visibilité. Cependant, pas de panique, la vitesse est généralement très réduite. Dans les Out Islands, la voiture est remplacée par la voiturette de golf qui est un moyen de locomotion très prisé des habitants comme des touristes ; elle se loue environ 50 US$ par jour.

■ **ALAMO – RENT A CAR – NATIONAL CITER**
✆ 0 825 16 22 10 – www.alamo.fr
✆ 0 891 700 200 – www.rentacar.fr
✆ 0 825 16 12 12 – www.citer.fr
Depuis près de 30 ans, Alamo Rent a Car est l'un des acteurs les plus importants de la location de véhicules. Actuellement, Alamo possède plus de 180 000 véhicules au service de 15 millions de voyageurs chaque année, répartis dans 1 248 agences implantées dans 43 pays. Des tarifs spécifiques sont proposés, comme Alamo Gold, le forfait de location de voiture tout compris incluant les assurances, les taxes, les frais d'aéroport, le plein d'essence et les conducteurs supplémentaires. Rent a Car et National Citer font partie du même groupe qu'Alamo.

■ **AUTO ESCAPE**
✆ 0 800 920 940 ou 04 90 09 28 28
www.autoescape.com
En ville, à la gare ou dès votre descente d'avion. Cette compagnie qui réserve de gros volumes auprès des grandes compagnies de location de voitures vous fait bénéficier de ses tarifs négociés. Grande flexibilité. Pas de frais de dossier, pas de frais d'annulation, même à la dernière minute. Des informations et des conseils précieux, en particulier sur les assurances.

■ **AUTO EUROPE**
✆ 0 800 940 557
www.autoeurope.fr
Réservez en toute simplicité sur plus de 4 000 stations dans le monde entier. Auto Europe négocie toute l'année des tarifs privilégiés auprès des loueurs internationaux et locaux afin de proposer à ses clients des prix compétitifs. Les conditions Auto Europe : le kilométrage illimité, les assurances et taxes incluses dans de tout petits prix et des surclassements gratuits pour certaines destinations.

■ **AVIS**
✆ 0 820 05 05 05 – www.avis.fr
Avis a installé ses équipes dans plus de 5 000 agences réparties dans 163 pays. De la simple réservation d'une journée à plus d'une semaine, Avis s'engage sur plusieurs critères, sans doute les plus importants. Proposition d'assurance, large choix de véhicules de l'économique au prestige avec un système de réservation rapide et efficace.

■ **BUDGET FRANCE**
✆ 0 825 00 35 64
Fax : 01 70 99 35 95
www.budget.fr
Budget France est le troisième loueur mondial, avec 3 200 points de vente dans 120 pays. Le site www.budget.fr propose également des promotions temporaires. Si vous êtes jeune conducteur et que vous avez moins de 25 ans, vous devrez obligatoirement payer une surcharge.

■ **ELOCATIONDEVOITURES**
✆ 0 800 942 768
www.elocationdevoitures.fr
Vous avez la possibilité de louer votre voiture moyennant une caution et de ne rien payer de plus jusqu'à quatre semaines avant la prise en charge. Il n'y a pas de frais d'annulation, ni de frais de carte de crédit, ni de frais de modification.

■ **HERTZ**
✆ 0 810 347 347 – www.hertz.com
Vous pouvez obtenir différentes réductions si vous possédez la carte Hertz ou celle d'un partenaire Hertz. Le prix de la location comprend un kilométrage illimité, des assurances en option, ainsi que des frais si vous êtes jeune conducteur. Toutes les gammes de voitures sont représentées.

Comparateur

■ **VOITUREDELOCATION.FR**
✆ 0 800 73 33 33
✆ +33 1 73 79 33 33 (depuis l'étranger)
www.voituredelocation.fr
Ce site vous permet de comparer les prix des différentes sociétés de location et ensuite de réserver la voiture qui correspond à vos attentes, en fonction des dates, modèles, assurances et prises en charge proposés. Les conseillers vous aiguillent aussi pour vous trouver l'assurance qui convient la mieux à votre location.

Îles cherchent propriétaires fortunés...

Vivre dans son île tropicale loin du stress urbain....C'est un rêve qui peut devenir une réalité aux Bahamas... à condition de posséder un portefeuille bien garni. Le gouvernement britannique avait commencé à vendre quelques-uns des îlots non habités, notamment dans les Exuma, à des milliardaires en quête de paradis discrets. Depuis son indépendance, le gouvernement des Bahamas a repris l'idée, cédant quelques miettes de son territoire afin de garnir ses caisses et d'assurer quelques emplois supplémentaires. Beaucoup d'îles cherchent encore des propriétaires fortunés. Ainsi vous pouvez vous approprier les 6 plages et le lagon intérieur de Little Hall's Pond Cay dans les Exuma pour seulement 3,5 millions de dollars. Rudder Cut Cay est à saisir pour 12,5 millions de dollars. Pour ce tarif, vous aurez 11 plages, des grottes coralliennes, une anse naturelle protégée et un lac intérieur. Certaines des îles à vendre possèdent déjà des infrastructures touristiques, d'autres sont totalement vierges, et là commencent les soucis...

Index

H

I / J

L / M

N

O / P

© THE ISLANDS OF THE BAHAMAS

Atlantis

R

S

T

V / W